D11172209

GUIDE PRATIQUE DU DESSIN ET DE LA PEINTURE

GUIDE PRATIQUE DU DESSIN ET DE LA PEINTURE

Toutes les techniques pour apprendre le dessin, l'aquarelle, la peinture à l'huile, l'acrylique et le pastel

HAZEL HARRISON

PARIS • BRUXELLES • MONTRÉAL • ZURICH

GUIDE PRATIQUE DU DESSIN ET DE LA PEINTURE
est l'adaptation française de
HOW TO PAINT & DRAW
publié en anglais par Anness Publishing Ltd (Londres)

ÉDITION ORIGINALE
Direction éditoriale : Joanna Lorenz
Responsable de l'ouvrage : Samantha Gray
Maquette : Michael Morey
Photographies : Paul Forrester, John Freeman

ADAPTATION FRANÇAISE
Sous la direction de l'équipe éditoriale de
Sélection du Reader's Digest
Direction éditoriale : Gérard Chenuet
Responsables de l'ouvrage : Elizabeth Glachant, Paule Meunier
Lecture-correction : Béatrice Omer, Catherine Decayeux
Couverture : Dominique Charliat, Didier Pavois
Fabrication : Jacques Michiels

RÉALISATION DE L'ADAPTATION FRANÇAISE
BOOKMAKER
Traduction : Arnaud Dupin de Beyssat et Jean-Jacques Shakmundès
Consultant : Les Quatre Coins Édition
Lecture-correction : Marie-Alice Chicou
Mise en pages : Atelier Régine Ferrandis

PREMIÈRE ÉDITION

ISBN : 2-7098-0611-8

Sommaire

Le dessin

Le dessin

Donner une définition précise du mot dessin est une tâche malaisée car il recouvre des activités voisines mais différentes.

Dans son sens le plus simple, il peut désigner « des traits sur une feuille de papier », et il traduit alors une des activités humaines les plus élémentaires.

Dès qu'ils ont développé une habileté manuelle suffisante, les très jeunes enfants adorent gribouiller avec un crayon ou une craie et ceci, bien avant d'établir un lien quelconque entre ce qu'ils font et le monde qui les entoure.

Ce plaisir est un facteur essentiel de toute activité graphique, il est même de la plus haute importance dans le travail de certains artistes. Pour décrire sa manière de dessiner, Paul Klee, peintre et dessinateur suisse contemporain, parlait « d'emmener son trait en promenade ». La plupart des artistes dessinent pour décrire : c'est une réponse directe aux stimuli visuels de notre environnement.

Apprendre à dessiner

Savoir dessiner, dit-on souvent, est un don et certaines personnes semblent savoir le faire

Claire
(Ci-dessus) *Le pastel est une technique bien adaptée au portrait, particulièrement aux études d'enfants, car il permet de délicats effets, bien en harmonie avec le sujet. Avec légèreté, Ted Gould a appliqué, sur le visage et les vêtements, des couleurs qu'il a doucement frottées sur le papier pour obtenir des mélanges subtils, que relèvent cependant un trait précis.*

Cygnes sur la Tamise
(Ci-contre) *Le pastel n'est pas obligatoirement velouté et délicat ; selon les besoins, et selon le métier de l'artiste, ses ressources sont multiples. Cette scène de Pip Carpenter est mise en valeur par des effets de traits vigoureux de couleur pure, dus à la pointe du crayon pastel.*

Nus d'hier, radis
Ici, Robert Maxwell Wood utilise le crayon de couleur d'une manière radicalement différente de celle de John Townend (ci-dessous). *Les détails et l'intensité des couleurs sont restitués grâce à des couches successives et à un traitement en ombres délicates qui rend le trait imperceptible.*

d'instinct, sans effort particulier. Pourtant l'art du dessin, comme celui de l'écriture, peut aussi s'acquérir. Il suffit pour cela d'un peu d'attention et de volonté.

Autrefois, les étudiants apprenaient à dessiner selon des règles bien précises, dont ils ne devaient pas s'écarter, mais on ne leur enseignait pas le plus important : dessiner, c'est avant tout et surtout percevoir.

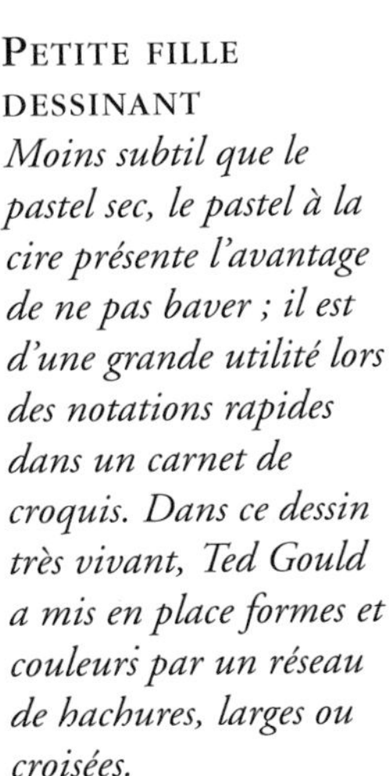

Petite fille dessinant
Moins subtil que le pastel sec, le pastel à la cire présente l'avantage de ne pas baver ; il est d'une grande utilité lors des notations rapides dans un carnet de croquis. Dans ce dessin très vivant, Ted Gould a mis en place formes et couleurs par un réseau de hachures, larges ou croisées.

Paysage d'été derrière l'étang
(Ci-dessus) *Travaillant directement sur le motif, John Townend apprécie le crayon de couleur, qui, pour lui, s'adapte à cette approche particulière. Il utilise ce crayon avec spontanéité et instinct, dessinant des hachures franches dont la direction varie selon les formes qu'il veut suggérer.*

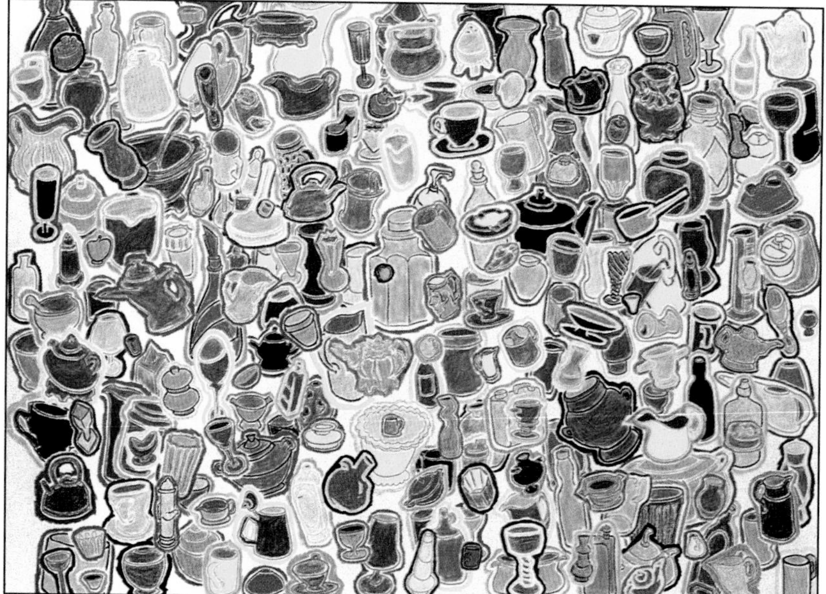

POLLY CHERCHE UN POT
Dans ce dessin, délicieux et inventif, de David Cuthbert, le crayon de couleur a été passé avec vigueur sur le papier pour créer des zones de couleur mates, presque des aplats. Le motif obsessionnel à deux dimensions est accentué par l'usage de contours nets et colorés.

La technique joue un rôle important, mais ce n'est pas la première étape de l'apprentissage, car il serait absurde de ne travailler la technique que pour elle-même.

On peut tracer tout un réseau de lignes et constater ensuite que l'on est passé à côté du dessin, c'est-à-dire d'une description satisfaisante du sujet.

Ce genre d'échecs est plus le résultat d'une mauvaise observation que d'une technique non appropriée.

Pour apprendre à dessiner, il suffit de regarder. Encore faut-il apprendre à regarder, de manière analytique et objective.

Curieusement, c'est une disposition qui s'acquiert difficilement, puisqu'il faut regarder les choses constamment avec un œil neuf, en écartant toute vision préconçue. L'esprit est en permanence encombré d'informations qui nuisent à la perception du dessinateur ; on a tendance à dessiner ce que l'on connaît d'expérience plutôt que ce que l'on voit.

NATURE MORTE
Paul Bartlett a combiné pastel et crayon pastel pour mener son exploration des formes. Sur le papier brun clair qu'il a choisi, il a pu ménager à la fois des zones éclairées et des zones sombres, avec de légères couches rehaussées de pastel blanc et brun. Ainsi se trouve enrichi un dessin avant tout monochrome.

BANANES ET AUTRES FRUITS
Ce séduisant dessin est aussi une étude de formes, effectuée au crayon très tendre, qui s'émousse facilement et permet ainsi des effets plus appuyés qu'un crayon dur ou moyen. Cette œuvre de Gerry Baptist, comme la nature morte de Paul Bartlett, est soigneusement composée et montre qu'un dessin monochrome peut posséder autant de force qu'un dessin en couleur ou une peinture.

AUTOPORTRAIT
(Ci-dessous) *Une comparaison entre ce dessin de Paul Bartlett et celui de Gerry Baptist donne une idée de l'éventail des ressources offert par le crayon. Ici, l'effet est presque photographique, dans son attention minutieuse au détail et à la texture, par ses subtiles gradations de nuances.*

Exemple classique, celui des dimensions relatives, en particulier lorsque l'on dessine des objets courants. Si l'on place sur une table un objet familier de grandes dimensions et, devant lui, un objet beaucoup plus petit, il est presque sûr que le premier sera dessiné beaucoup trop grand. En réalité, la perspective l'aura considérablement « rapetissé » de sorte qu'il pourra paraître plus petit que l'objet le plus proche. Le seul moyen de représenter un objet familier, une pomme sur un plat ou un arbre, est de se

JEUNE FILLE DANS UN FAUTEUIL
(Ci-contre) *La plume et l'encre peuvent produire des effets complexes et élaborés, mais c'est aussi un outil agréable pour de rapides croquis. Dans cette étude, Ted Gould a saisi, en quelques coups de plume, l'essentiel de la pose, rectifiant parfois le trait, s'il était incorrect ou pas assez sûr.*

LOCOMOTIVE EN MANŒUVRE
Pour cette esquisse, exécutée sur le vif, John Townend s'est servi de pastels à l'huile, parfaits pour les effets crus et rapides. Contrairement au pastel sec, ce pastel à l'huile ne s'effrite pas et n'a pas besoin d'être fixé. Le sgraffite a été employé pour ajouter quelques touches linéaires sur les flancs de la locomotive.

ORTIES
La riche combinaison des traits à la plume et du lavis (on peut ausi utiliser l'aquarelle) permet de poser des nuances plus rapidement qu'avec un trait isolé. La plume et le lavis conviennent aussi bien à un traitement de surface large qu'à celui des détails délicats visibles sur ce dessin d'Elisabeth Harden.

contraindre à rejeter toute idée préconçue, en se disant qu'on le découvre pour la première fois. Ainsi seulement il sera juste.

LES DIFFÉRENTS TYPES DE DESSIN

Le mot dessin désigne des techniques diverses : traits jetés sur un carnet de croquis, repris plus tard par l'artiste ; ébauches préparatoires en vue d'une œuvre à l'huile, et donc sans existence propre ; ou encore dessin parfaitement exécuté, aussi achevé qu'un tableau.

Le choix de la technique dépend de vos motivations : pourquoi dessinez-vous ? Simplement parce que cela vous détend ? Dans ce cas, vous pourrez commencer à vous exprimer dès que vous en aurez maîtrisé le B.A.-Ba.

Harengs
Autre illustration, dans cette œuvre de Pip Carpenter, de l'utilisation de plusieurs techniques ; l'association est ici moins fréquente : peinture à l'huile appliquée avec légèreté sur le papier et crayons de couleur. Aucune règle fixe ne s'impose pour un dessin réalisé dans des techniques diverses ; seule l'expérience vous apprendra quels sont les mariages heureux ou contre nature.

Mais peut-être souhaitez-vous devenir illustrateur ou encore développer votre sens de l'observation ? Si, pour vous, le dessin est la base nécessaire du peintre, la précision sera votre principal objectif, et la technique utilisée importera alors peu. Mais pour ceux qui dessineront « pour le seul plaisir du dessin », l'expérimentation des techniques les plus variées s'imposera. Aujourd'hui, plus que jamais, les artistes disposent de moyens très divers, de la mine graphite traditionnelle aux pastels, en passant par les crayons de couleur, les encres et les marqueurs. Avec ses expressions variées et colorées, le mot dessin n'évoque plus uniquement des lignes qui seraient discrètement tracées sur une feuille de papier blanc.

Village blanc, sud de l'Espagne
(À droite) *Dans ce charmant dessin – qu'on pourrait presque qualifier de peinture –, Joan Elliott Bates a employé encre, plume et légers lavis d'aquarelle. L'encre est étendue par endroits de telle sorte qu'on ne peut discerner la limite entre le trait et la couleur. Lorsque l'on a recours à deux techniques simultanément, elles doivent s'accorder parfaitement, sinon le dessin manquerait d'unité.*

Maison de famille dans l'East End
(À gauche) *Dans ce dessin à la plume, les nuances ont été mises en place par un jeu de hachures simples et croisées, méthode qui pourrait aboutir à une certaine raideur, si elle n'était utilisée avec discrétion – les traits sont presque griffonnés les uns sur les autres, dans des directions différentes. La plume et l'encre conviennent très bien aux croquis rapides comme celui de John Townend, car l'impossibilité de retour en arrière favorise un trait vif et incisif.*

Matériel et fournitures

MATÉRIEL POUR LE DESSIN MONOCHROME

Bien des gens se représentent le dessin comme un travail monochrome exécuté au crayon, à la plume ou au fusain. Jadis, les dessins étaient effectivement d'une ou de deux couleurs, surtout parce que la couleur se limitait à la sanguine et aux pastels.

À notre époque, le matériel couleur, que nous étudierons plus loin, présente une grande diversité. Comme les amateurs abordent plus volontiers les techniques monochromes, nous commencerons par celles-ci.

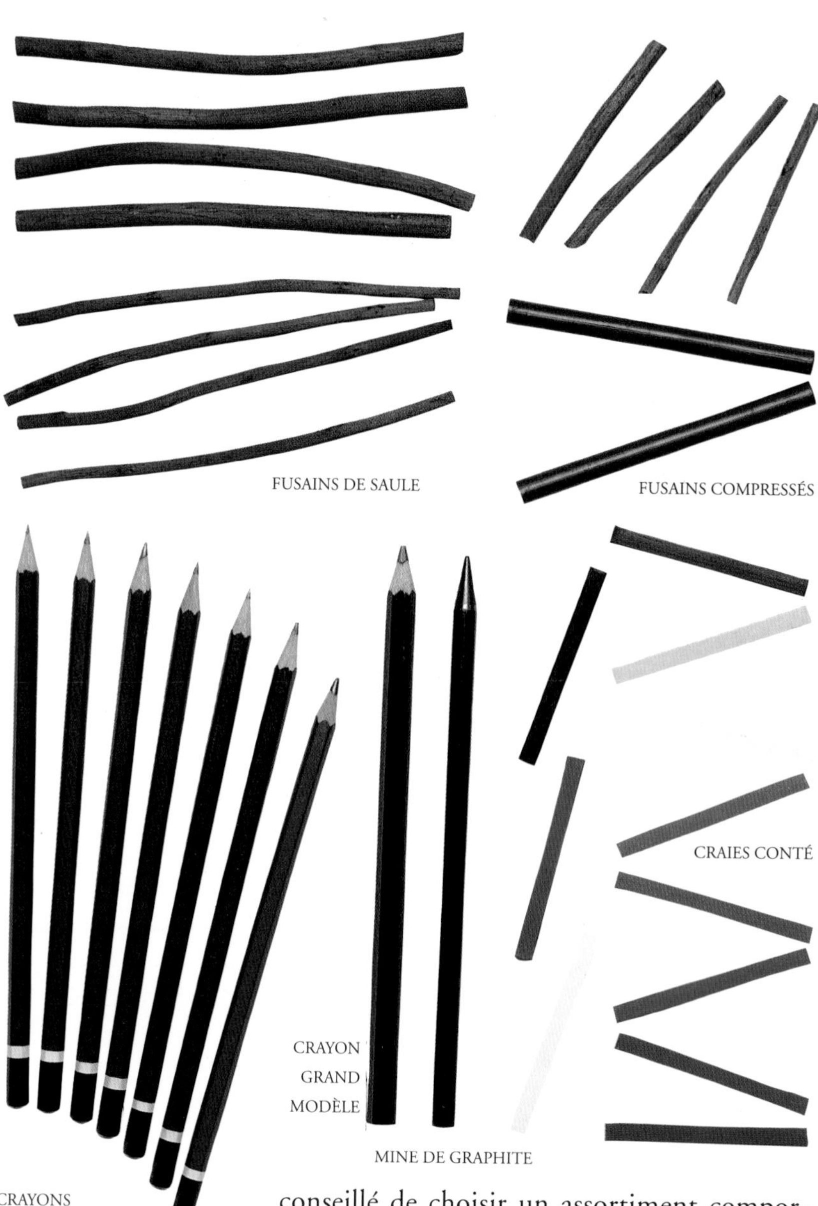

FUSAINS DE SAULE

FUSAINS COMPRESSÉS

CRAIES CONTÉ

CRAYON GRAND MODÈLE

MINE DE GRAPHITE

CRAYONS

LES CRAYONS

Ce sont les outils de base du dessin, mais aussi les plus délicats et les plus nuancés. La plupart des artistes possèdent une véritable panoplie de crayons. Souvent appelées, de manière impropre, mines de plomb, les mines sont en fait en graphite, une variété de carbone ; leur fabrication a commencé au XVIIe siècle, après la découverte d'un gisement dans le nord de l'Angleterre.

On les fabrique en différentes gradations : de 8B, très tendre, à 4H, beaucoup trop dur pour le dessin courant. Aux débutants, il est conseillé de choisir un assortiment comportant un HB, un 2B et un 4B.

LES CRAIES CONTÉ

Ce sont des bâtonnets à section carrée, d'une consistance semblable à celle des pastels durs. Ils existent en noir, en blanc et dans une gamme de terres – bruns et brun-rouge. Ils permettent un graphisme beaucoup plus ferme que celui du crayon : précis, le trait peut aussi donner naissance à des zones d'une tonalité plus dense selon que l'on utilise la pointe taillée ou la tranche. Seul inconvénient, la craie Conté s'efface assez difficilement.

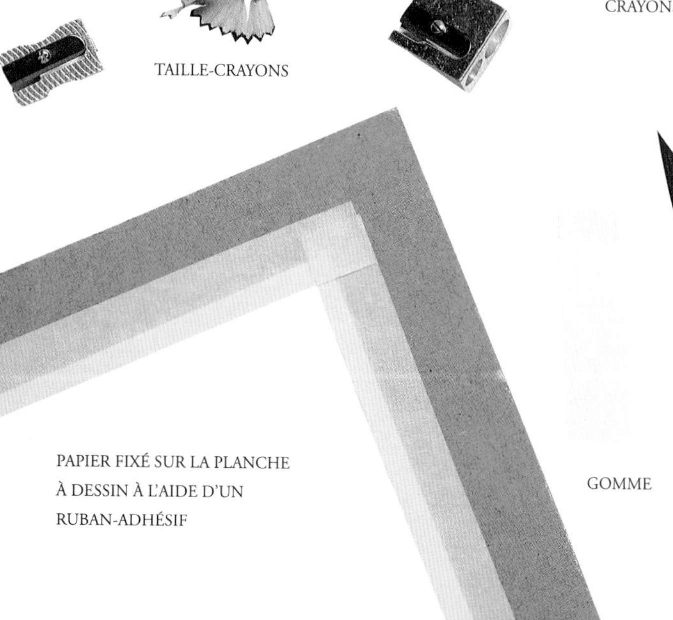

TAILLE-CRAYONS

PAPIER FIXÉ SUR LA PLANCHE À DESSIN À L'AIDE D'UN RUBAN-ADHÉSIF

GOMME

CUTTER (COUTEAU UNIVERSEL)

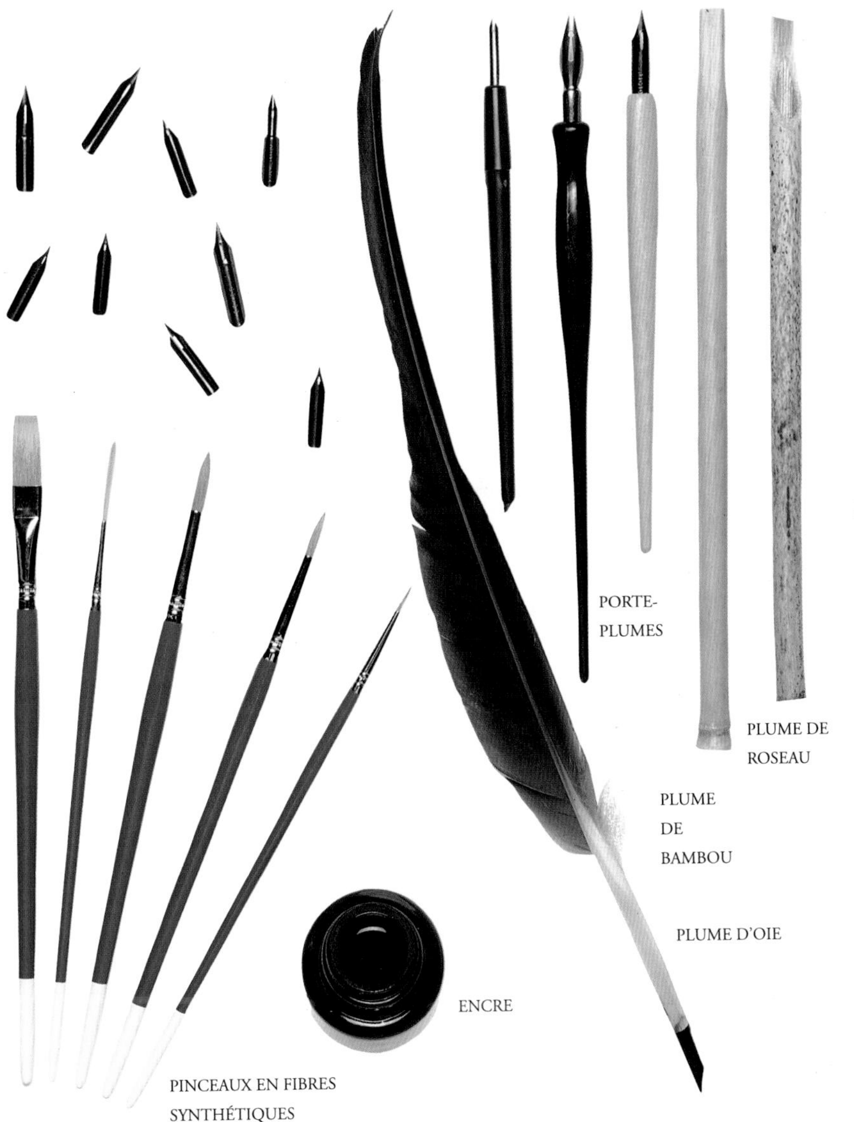

Les fusains

Outils monochromes, parmi les plus répandus, ils favorisent un dessin spontané et franc et, pour cette raison, sont souvent conseillés par les enseignants aux débutants. Ce sont des baguettes de bois carbonisées (saule), vendues en différentes épaisseurs. Le fusain s'efface facilement, il peut donc être corrigé, mais il est moins bien adapté que le crayon aux croquis de petit format.

On trouve aussi du fusain compressé, sous forme de bâtons ou de crayons. Il produit des noirs plus riches, plus intenses que le fusain ordinaire, mais il est plus difficile à effacer.

Plumes, encres et pinceaux

Les instruments pour dessiner à l'encre sont très variés depuis les antiques plumes d'oie ou de roseau jusqu'aux marqueurs d'aujourdhui à pointe de feutre ou de fibres synthétiques. Peut-être vaut-il mieux commencer avec les porte-plumes bon marché en bois ou en plastique, vendus avec un assortiment de plumes interchangeables ? Qui sait d'ailleurs si ce type de porte-plume ne restera pas l'un de vos outils préférés, comme c'est arrivé à de nombreux artistes confirmés.

Il existe une grande variété d'encres à dessin. On les classe en deux grandes catégories selon qu'elles sont solubles ou non à l'eau. Dans le second cas, elles sont acryliques ou à base de gomme-laque. Les encres solubles peuvent être diluées et sont donc utilisables en lavis, pour obtenir des dégradés de gris. Il ne faut jamais utiliser les encres non solubles dans des stylos à réservoir, car elles les boucheraient.

Les marqueurs existent également en versions soluble et non soluble (ce que vous devrez vérifier auprès de votre fournisseur car l'indication n'est pas toujours claire). Les pinceaux ne sont pas indispensables, mais ce sont des outils complémentaires.

Les papiers

Le support le plus couramment utilisé est une simple feuille de papier à dessin. Pour les lavis, achetez du papier de très bonne qualité.

Certains artistes préfèrent, pour leurs fusains, un papier à gros grain, sur lequel on peut travailler au crayon Conté. Pour obtenir des noirs (ou des bruns) denses, utilisez plutôt du papier à dessin lisse.

FIXATIF EN AÉROSOL

Matériel complémentaire

Une planche est nécessaire pour servir de support au papier. Vous aurez aussi besoin d'une gomme, d'un cutter (couteau universel) et, si vous avez l'intention d'utiliser le fusain, d'un fixatif.

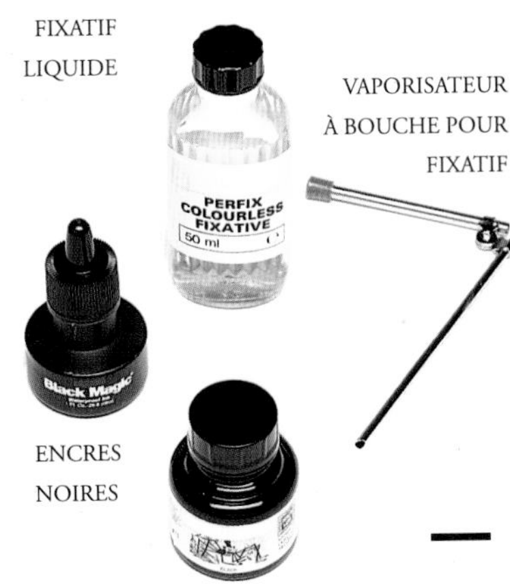

FIXATIF LIQUIDE

VAPORISATEUR À BOUCHE POUR FIXATIF

ENCRES NOIRES

Le crayon

Le crayon est un instrument aux possibilités si variées qu'il permet à chaque artiste d'exprimer pleinement sa propre sensibilité. Il y a tant de manières différentes de l'utiliser qu'aucune technique, ou ensemble de techniques, ne peut à elle seule comprendre toutes les caractéristiques de cet outil.

Le trait et la nuance

La gradation du crayon et le sujet sont les deux paramètres qui décident de la manière d'utiliser un crayon. Un crayon HB, par exemple, qui donne un trait fin et léger, n'est adapté ni aux effets vigoureux, ni aux ombres profondes, ni à l'estompe. Relativement dur, il convient bien au dessin des fleurs, dont les lignes fines et les tons délicats peuvent être transposés à l'aide d'ombres légères ou de hachures, simples ou croisées. Ce procédé, employé dans toutes les techniques au trait, est expliqué plus en détail page 23.

Les crayons tendres, comme les 6B et 8B, donnent des ombres épaisses ; de fait, un dessin au crayon tendre se rapproche singulièrement d'un dessin au crayon Conté. Ces crayons sont les mieux adaptés aux travaux pour lesquels le trait ne joue qu'un rôle secondaire. Ils restituent avec bonheur les passages de lumière et d'ombre dans un paysage ou le modelé d'un visage sous un fort éclairage latéral. Pour le travail en extérieur, emportez un assortiment complet de crayons, car vous déciderez sur place du type qui conviendra le mieux à la réalisation du sujet choisi.

CRAYONS

Tracés au crayon 2B

Tracés au crayon 4B

Tracés au crayon 8B

Le frottage

Inventé par le surréaliste Max Ernst en 1925, le frottage offre de vastes possibilités d'expression ; il se pratique au crayon, au fusain, au crayon Conté ou au pastel. Cette technique sera bien sûr familière à quiconque aura vu ou pratiqué le frottage sur cuivre. On place une feuille de papier sur une surface à forte texture puis l'on frotte un crayon tendre sur le papier. Cette méthode est le plus souvent utilisée pour obtenir des motifs ou restituer des textures particulières – le grain du bois, par exemple, peut être obtenu par frottage sur un morceau de bois, puis intégré dans une nature morte. Les effets varient également en fonction du papier utilisé. Le frottage sur un papier fin donnera des impressions précises et détaillées ; sur un papier épais, l'impression sera plus vague, laissant voir une texture bien identifiable.

Collage et frottage

1 *Différentes textures ont été obtenues à partir des surfaces de matériaux trouvés dans la maison de l'artiste. Elles ont été réalisées sur un papier fin qui donne de bons résultats et se colle plus facilement qu'un papier épais.*

2 *La mise en place sommaire des ombres et des lumières se fait à l'aide d'un premier croquis.*

3 *Les tracés ont été obtenus à partir du croquis puis transférés au dos de chaque frottage. La première feuille est découpée.*

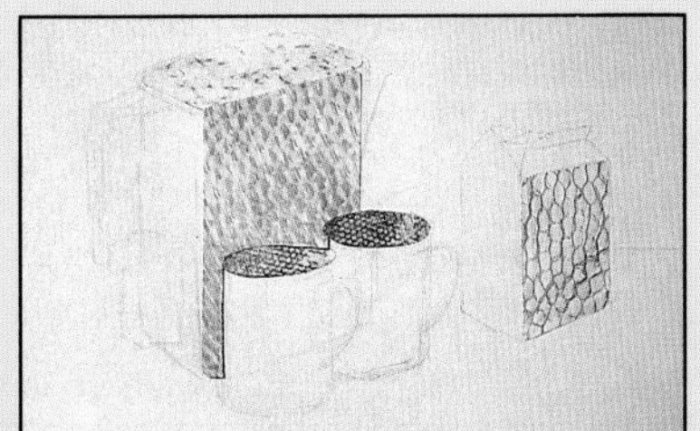

4 *Avant de les coller à leur place définitive, l'artiste dispose et ajuste les pièces du collage.*

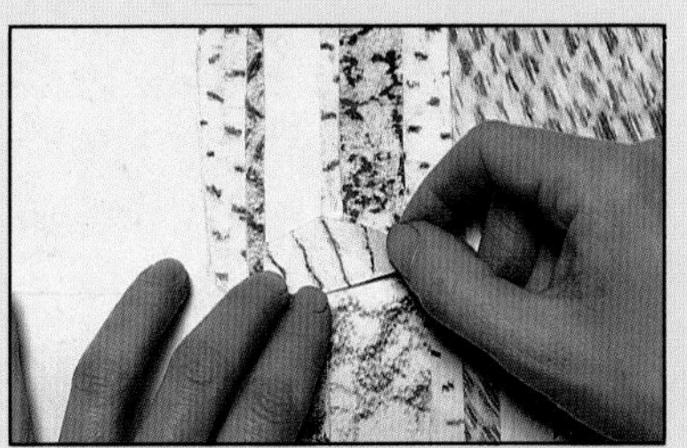

5 *Tout en s'éloignant du croquis d'origine, le collage commence à prendre forme et identité.*

Technique du frottage

Pour parvenir à une impression nette, il faut un crayon tendre et du papier assez mince. Ici, c'est un bâton de graphite (crayon sans son enveloppe de bois) qui est utilisé pour un frottage à partir d'un emballage à bulles.

6 (À droite) *Le collage final illustre assez bien la technique du frottage, difficile cependant à utiliser dans un dessin « normal ».*

Le fusain

Le fusain permet des effets très variés. Selon la manière dont on l'utilise, il répond avec bonheur aux différentes pressions des doigts de l'artiste : vigoureux contrastes avec les fusains de saule, traits rappelant ceux du crayon avec les plus fins, plages larges et denses avec les plus épais utilisés sur la tranche.

Le papier à dessin ordinaire possède une surface lisse sur laquelle le fusain n'accroche pas bien ; pour un travail où la nuance l'emportera sur le trait, il faudra soit vaporiser un fixatif, soit utiliser des papiers à gros grain – Ingres, aquarelle ou recyclé. Ils accrochent mieux la poussière de fusain et assurent une meilleure couverture de la surface de travail.

Cependant, pour le dessin au trait, dont les effets sont en général fins et délicats, le papier à dessin classique est excellent.

Le gommage

Le fusain peut être complètement effacé, mais cette opération laborieuse s'accorde mal avec la technique dynamique du fusain qui se pratique d'instinct ; il est plus courant d'estomper les traits indésirables en laissant des lignes fantômes sur lesquelles on pourra redessiner. Ces fantômes constituent une des caractéristiques des dessins au fusain, fort utiles puisqu'il est plus aisé de corriger un trait s'il est encore visible.

La facilité avec laquelle on peut effacer le fusain a donné naissance à une technique très intéressante appelée retrait. Elle inverse la méthode habituelle du dessin, où les teintes sombres sont progressivement mises en place pour modeler ; ici, on va au contraire du sombre au clair, en dégageant avec une

FUSAINS DE SAULE

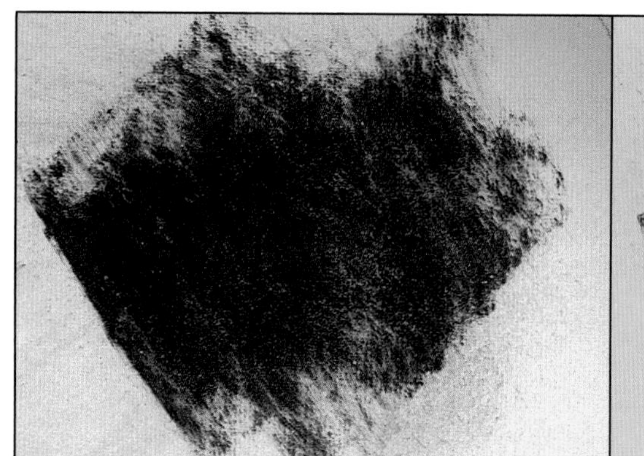

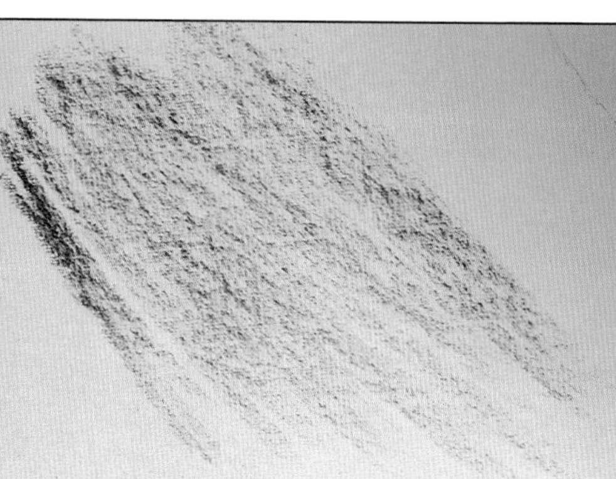

Fusain sur papier Ingres

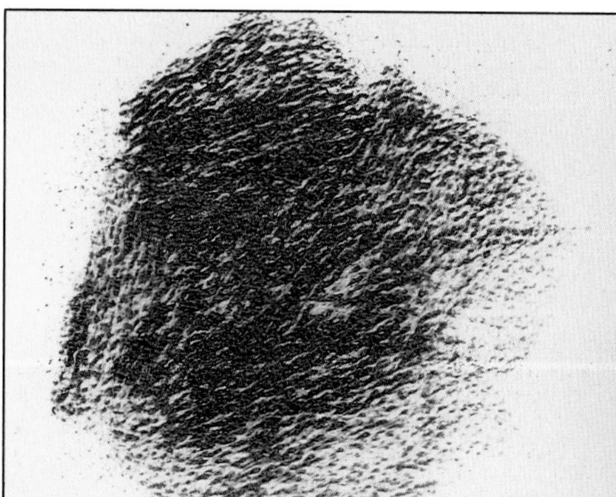

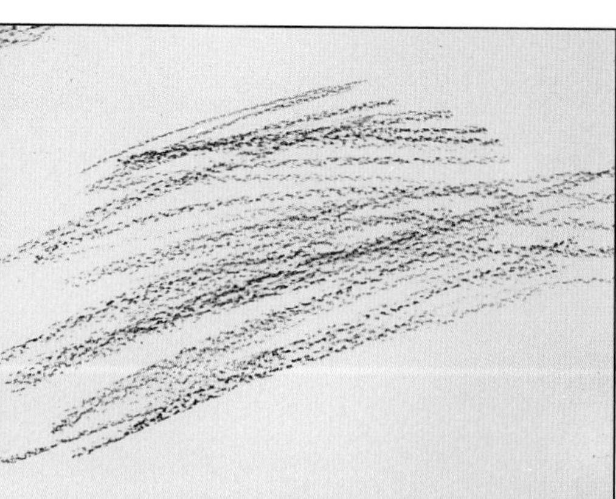

Fusain sur papier aquarelle

La technique du retrait

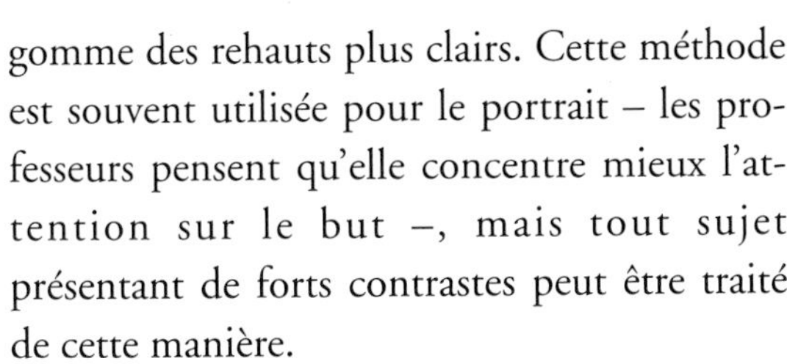

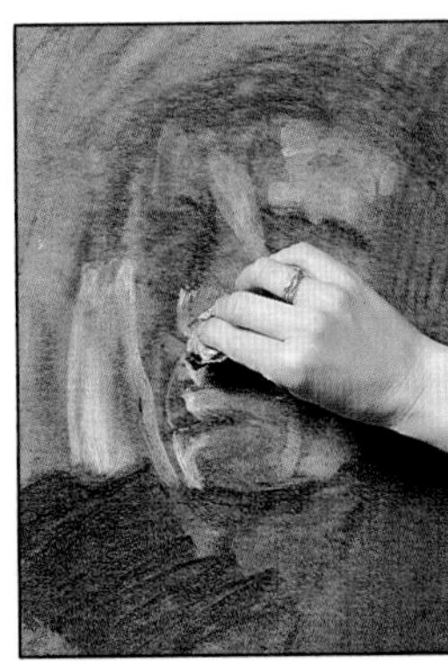

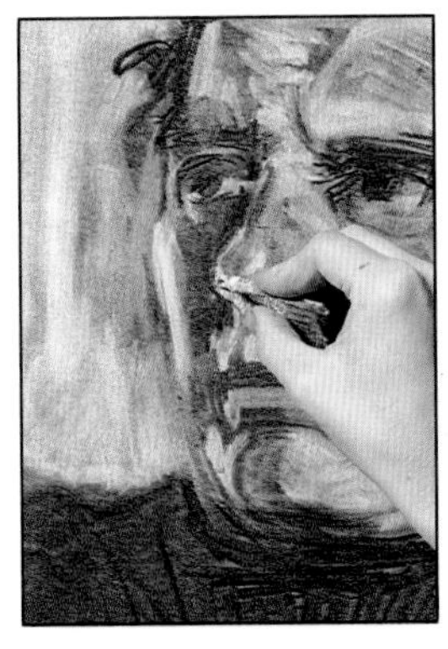

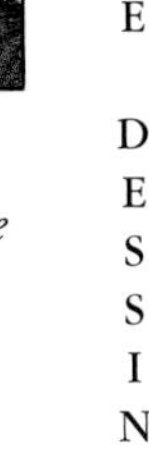

1 *Après avoir noirci une feuille de papier à dessin, l'artiste efface la matière en frottant avec un morceau de coton hydrophile pour obtenir un gris moyen.*

2 *Un dessin hâtif sur fond gris met en place les principales zones sombres et fournit un cadre qui dépouille les parties claires.*

3 *À l'aide d'une gomme, l'artiste travaille sur les grandes parties claires du sujet avec la tranche pour les grands traits et avec les angles pour les détails plus fins.*

4 *Les plages sombres ont été délimitées par d'autres grands coups de fusain ; les angles de la gomme sont à nouveau utilisés pour suggérer un éclairage neuf.*

5 *Pour les détails les plus fins, la gomme est taillée en pointe et utilisée comme un pastel ou un simple crayon.*

6 (À droite) *Cette technique permet des effets audacieux, presque dramatiques, proches de la peinture, les parties enlevées rappelant les coups de pinceau.*

gomme des rehauts plus clairs. Cette méthode est souvent utilisée pour le portrait – les professeurs pensent qu'elle concentre mieux l'attention sur le but –, mais tout sujet présentant de forts contrastes peut être traité de cette manière.

Selon la méthode courante, on recouvre toute la feuille d'une couche de fusain, que l'on gomme pour créer un gris moyen uniforme, puis on exécute par-dessus un dessin au trait. Ensuite, le dessin est gommé, devenant une image fantôme, étape préparatoire au stade suivant – celui où l'on « creuse » les parties claires. Lorsque celles-ci sont mises en place, les tons intermédiaires sont travaillés avec la gomme, et les teintes noires, peuvent être, si nécessaire, renforcées. Plus simple qu'elle ne paraît, cette technique permet d'obtenir des effets très précis grâce à la gomme utilisée, qui soit dégage un trait fin, soit définit des zones plus larges.

LES CRAIES CONTÉ

Les craies et crayons Conté, noirs ou de couleur, donnent un trait moins subtil que celui du fusain ou du crayon, mais ils ont une puissante force de suggestion. Les craies Conté sont fabriquées à partir de pigments de terre naturels assemblés par un liant, qui les rend moins friables que le fusain ; les noirs sont francs et les couleurs tiennent mieux sur le papier. Il n'est pas nécessaire de fixer un dessin à la craie Conté mais les erreurs s'effacent difficilement. Les crayons bruns et brun-rouge (sanguines) ont une plus grande finesse de trait et sont plus flatteurs que les noirs. Les sanguines ont toujours été appréciées par les portraitistes.

LE GRAIN DU PAPIER

Comme pour les dessins au fusain, la texture du papier joue un rôle important dans l'aspect final de l'œuvre ; plus le papier sera lisse, plus le dessin sera noir. Une surface à gros grain – papier pour pastel ou pour aquarelle moyen – casse les coups de crayon, laissant ainsi apparaître un granité blanc, légèrement moucheté, qui contribue à donner un effet saisissant à un dessin clair ou de tonalité moyenne.

Craie Conté sur papier à grain fin

Craie Conté sur papier Ingres

Craie Conté sur papier aquarelle

Le dessin à trois couleurs

Les dessins à la sanguine sont souvent effectués sur un papier légèrement teinté, un crème chaud ou un brun léger, qui met en valeur les couleurs chaudes. Pour atténuer la force du graphisme, le Conté noir peut être utilisé sur un papier gris ou bleu. Ces dessins peuvent être laissés tels mais, d'après une méthode traditionnelle, on rehausse les parties claires au Conté blanc, utilisant ainsi trois couleurs qui contribuent au modelé. Certaines zones du papier sont laissées en réserve, tandis que les nuances sombres et claires sont obtenues respectivement par des Conté noir ou blanc – ou encore sanguine ou brun. On obtient ainsi un grand raffinement de facture.

1 *L'artiste travaille sur un papier Ingres Mi-teintes ; il a commencé son dessin au Conté brun, puis se sert du noir pour accentuer certains traits.*

2 *Une nuance intermédiaire a été créée par un réseau de hachures souples, tracé à la sanguine ; un noir léger est utilisé pour les ombres sur le côté du visage et du cou.*

3 *Le visage commence à prendre forme, bien que le travail reste lumineux et délicat.*

4 *Des rehauts sont ajoutés au Conté blanc, et le visage s'anime avec le regard.*

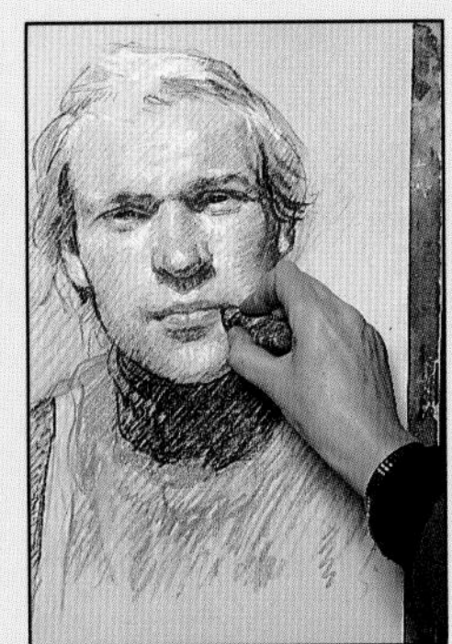

5 *Une gomme est utilisée pour atténuer l'ombre noire des commissures. Il est impossible d'effacer complètement le Conté mais on peut l'adoucir et l'estomper.*

6 (À droite) *Le dessin terminé présente l'aspect d'une peinture, bien qu'il n'ait été exécuté qu'avec trois couleurs, auxquelles s'ajoutent le blanc et la couleur du papier.*

La plume et l'encre

Le crayon est une technique artistique récente, à la différence de la plume et de l'encre, utilisées depuis de nombreux siècles. En Chine, on fabriquait déjà de l'encre vers 2250 av. J.-C., et dans l'Égypte antique, les plumes de roseau servaient aussi bien à l'écriture qu'au dessin. Les plumes de roseau, de bambou et d'oie (ces dernières constituent le matériel de base en Europe jusqu'au XIXe siècle) bénéficient de nos jours d'une faveur nouvelle, amplement méritée. Elles sont en vente dans les magasins spécialisés mais, comme le font bien des artistes, on peut les fabriquer soi-même.

Les modèles vendus dans le commerce sont très variés, chacun d'entre eux permettant des

Le dessin griffonné

Les nuances et les formes peuvent être mises en place de manière plus libre, moins organisée, en griffonnant à la plume. Par sa nature, cette technique est plus difficile à maîtriser que les hachures, simples et croisées. La plume doit « faire le travail », courir librement jusqu'à ce que la densité soit juste. Souvent utilisée par Picasso, cette manière, qui s'oppose aux méthodes traditionnelles, donne un grand dynamisme au dessin.

1 *Un stylo-feutre à pointe fine a été utilisé pour cet autoportrait, dont les formes ont été mises en place de manière libre et spontanée, la plume se déplaçant presque au hasard sur le papier.*

2 *La même technique a été utilisée ici pour un dessin animalier. Dans ce cas, l'artiste a travaillé à partir d'une photographie, car le dessin griffonné prend plus de temps que le dessin classique et n'est donc pas adapté à un sujet toujours en mouvement.*

Hachures simples et croisées

La plume et l'encre ne permettent guère de s'éloigner de la linéarité – les ombres sont difficiles à réaliser et l'encre ne s'étale pas comme le crayon ou le fusain. Les tons doivent être rendus par un réseau de lignes. Les hachures simples sont des traits parallèles ; les hachures croisées sont formées de deux ensembles de traits parallèles orientés à 90°. Bien sûr, plus les traits seront rapprochés, plus grande sera l'intensité de ton.

Ces techniques offrent de nombreuses possibilités car, même si les traits doivent être grosso modo parallèles, ils n'ont pas besoin d'être strictement rectilignes et identiques. Le hachurage se fait traditionnellement par traits obliques qui peuvent s'incurver pour épouser le galbe des objets, ce qui donne au dessin un aspect moins mécanique et un modelé plus juste.

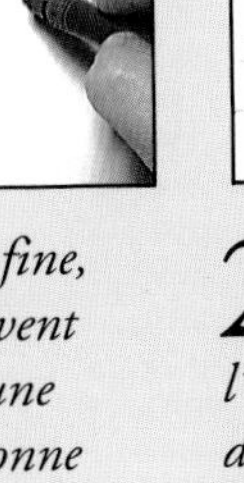

1 *L'artiste utilise une pointe fine, du type de celle dont se servent les graphistes, et travaille sur une feuille de papier à dessin de bonne qualité.*

2 *Il commence par la représentation des poires sur l'assiette, traitant plus tard le détail du drapé. Remarquez la différence entre les hachures, depuis les longues diagonales jusqu'au petit point.*

LE DESSIN

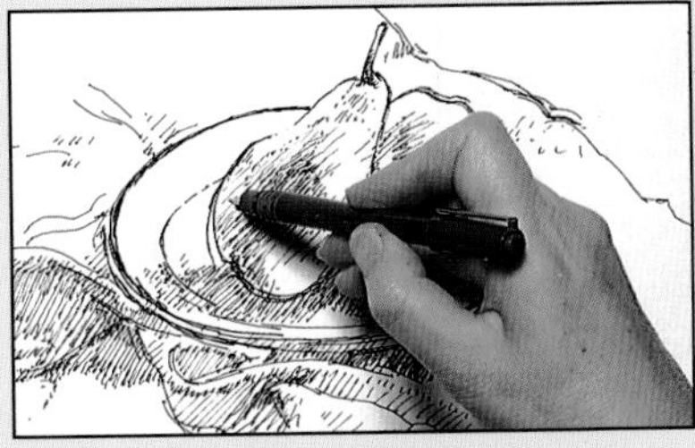

3 *La forme des poires est précisée par de nouvelles hachures, plus denses et plus rapprochées au centre du fruit, ce qui renforce la zone d'ombres.*

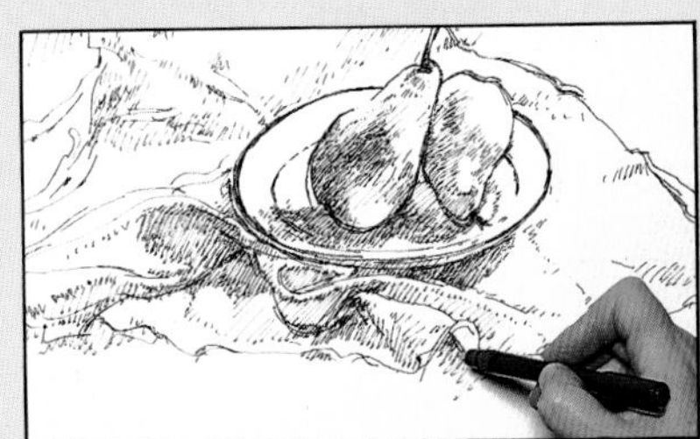

4 *Ayant achevé de dessiner l'assiette et son contenu, l'artiste aborde la draperie avec des griffonnés légers qui creusent l'ombre du premier plan.*

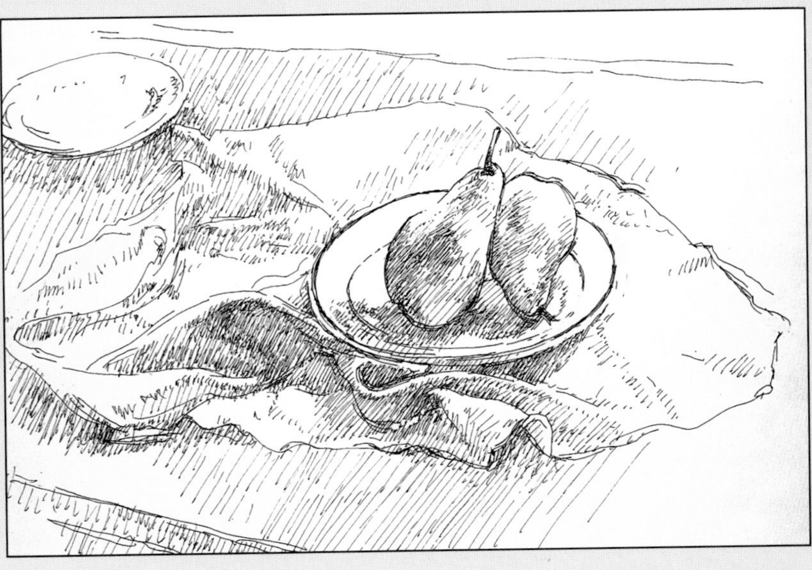

5 (À droite) *Le rendu du volume est très suggestif. L'artiste a recouru à des traits bien parallèles et régulièrement espacés pour décrire la surface plane du dessus de la table.*

effets différents. Il est indispensable de les connaître avant de les acheter, ce qui est possible dans les magasins de fournitures sérieux, où on vous laissera les essayer.

Votre choix dépendra, dans une certaine mesure, du type de dessin et du lieu de travail. Les marqueurs ne sont guère adaptés à un rendu trop délicat mais peuvent parfaitement convenir pour de rapides esquisses, et vous n'aurez pas besoin de vous encombrer d'une bouteille d'encre. Ne négligez pas non plus les ressources du simple stylo à bille qui, par son maniement familier, peut être un outil fidèle et pratique.

Techniques monochromes

TRAIT ET LAVIS

Dans un dessin à la plume et à l'encre, les grandes plages teintées pourront être obtenues par le lavis, encre ou peinture noire pour aquarelle diluée dans l'eau. C'est la méthode utilisée en aquarelle, où les lavis sont colorés, mais elle sert aussi pour teinter des dessins monochromes.

Séduisante et souple, elle permet de travailler plus librement et plus rapidement qu'à la plume, où le trait est l'unique mode d'expression. Au XVIIe siècle, Rembrandt et Poussin ont créé des chefs-d'œuvre avec le trait et le lavis. Si cette technique évoque d'abord la représentation de personnages, elle peut aussi s'appliquer à d'autres sujets – paysages, scènes urbaines ou fleurs.

PLUMES ET PAPIERS

Comme un trait varié donne les effets les plus suggestifs, le moment est peut-être venu d'essayer le roseau, le bambou ou la plume d'oie. On pourra utiliser des plumes à dessin ou des marqueurs – mais l'épaisseur régulière du trait de ces derniers donne une sorte de raideur. Pour parvenir, par exemple, avec une plume de bambou, à un effet de ligne sèche et cassée, on préférera le papier aquarelle à grain fin au papier à dessin classique.

Si vous prévoyez d'utiliser beaucoup le lavis, pensez à tendre d'abord le papier pour éviter le gondolage, qui réduirait vos efforts à néant. Trempez quelques minutes la feuille dans l'eau, retirez-la avec précaution en l'égouttant, puis fixez-la sur la planche à dessin avec du papier gommé tout en lissant la feuille avec une éponge humide. Laissez sécher naturellement : ne mettez pas devant le feu, n'utilisez pas de sèche-cheveux, le papier gommé risquerait, en séchant avant le papier, de se déchirer.

Pinceau et plumes de roseau

1 *Le sujet est partagé en zones de lumière et d'ombre qui contrastent ; aussi l'artiste commence-t-elle par travailler les nuances, en se servant d'un gros pinceau doux et d'encre soluble dans l'eau.*

2 *Elle utilise une plume de roseau avec de l'encre non diluée. Ces plumes permettent un trait plus franc et plus sensible que les plumes à dessin fabriquées mécaniquement.*

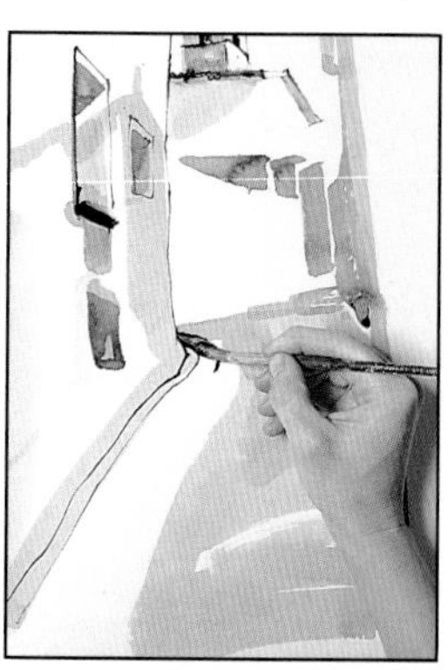

3 *L'artiste ne donne pas au trait un rôle dominant : le travail du pinceau et de la plume sont menés simultanément, un lavis plus sombre est passé sur les traits à la plume.*

4 *Parvenue à la moitié de son dessin, l'artiste l'examine pour voir quelles parties doivent être mieux définies. Avec l'utilisation de l'encre soluble dans l'eau, les lavis ont étendu et atténué les traits à la plume.*

5 *Sur le bâtiment de gauche, l'ombre a été assombrie par de nouvelles touches de lavis, et la plume de roseau est utilisée, cette fois, avec de l'encre diluée, pour rehausser d'un trait léger les nez de marche.*

Méthodes de travail

Afin de donner toute son unité au dessin, essayez de travailler ensemble trait et lavis au lieu de remplir un dessin au trait. Si vous utilisez une plume, vous pourrez reprendre le trait immédiatement au pinceau et à l'eau pour l'adoucir, puis appliquer d'autres touches de lavis si nécessaire. Certains artistes, cependant, préfèrent que le trait reste nerveux ; ils se servent alors d'une encre non soluble à l'eau pour la plume et d'une encre soluble pour le lavis. On peut aussi inverser le processus habituel et commencer par étendre le lavis pour indiquer la tonalité de la composition, puis ajouter à la plume détails et touches finals. Cette pratique convient très bien aux paysages.

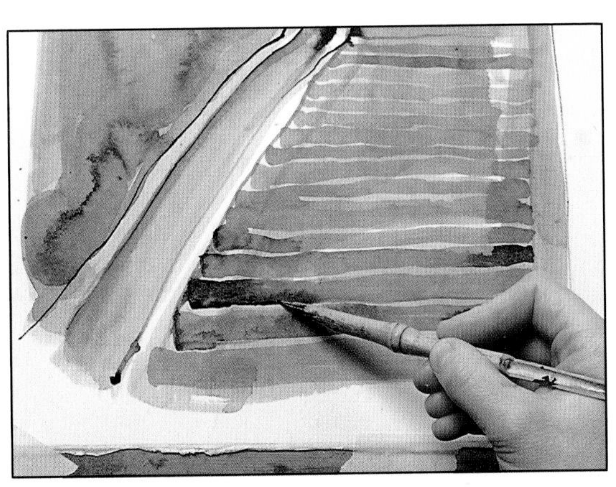

6 *Les marches jouent un rôle important dans la composition, puisqu'elles guident l'œil vers le point de fuite, le clocher de l'église. Aussi sont-elles soigneusement définies grâce à une combinaison de lavis et de traits de plume fermes.*

7 *Les traits larges et audacieux de la plume de roseau complètent les lavis pour créer une vue harmonieuse. En bas du mur à gauche, l'artiste a tiré parti des coulures qui surviennent souvent dans le lavis et l'aquarelle pour suggérer les taches du plâtre vieilli.*

Le dessin au pinceau

Dans un dessin à la plume et au lavis, la plume fournit l'élément linéaire ; on pourra cependant se passer de la plume et exécuter le dessin au pinceau, qui nous rapproche de la technique picturale. La pointe d'un bon pinceau peut permettre une très grande finesse d'exécution et, combinée à des lavis, pourra rappeler la plume et le lavis, bien qu'avec plus de douceur ; dans ce cas, bien sûr, traits et teintes se marieront naturellement du fait de l'homogénéité même du matériel.

Rembrandt est l'auteur de magnifiques dessins au pinceau et au lavis où les personnages occupent l'espace avec une étonnante présence.

Pour ses esquisses de paysage, le grand paysagiste anglais John Constable a utilisé cette technique, qui se prête particulièrement bien aux études rapides sur le terrain.

Une variante consiste à travailler sur un papier humide qui diffuse naturellement les lavis et crée des fondus ; cette technique convient aux paysages brumeux et à certaines conditions atmosphériques semblables. Comme on l'a déjà dit, le papier doit tout d'abord être tendu sur un support rigide. Le débit et la diffusion de l'encre sont assez difficiles à maîtriser au début, aussi vaut-il mieux commencer par de grandes surfaces d'un lavis léger et garder les détails à la pointe du pinceau pour les étapes finales, quand le papier est presque ou totalement sec.

Encre et lavis

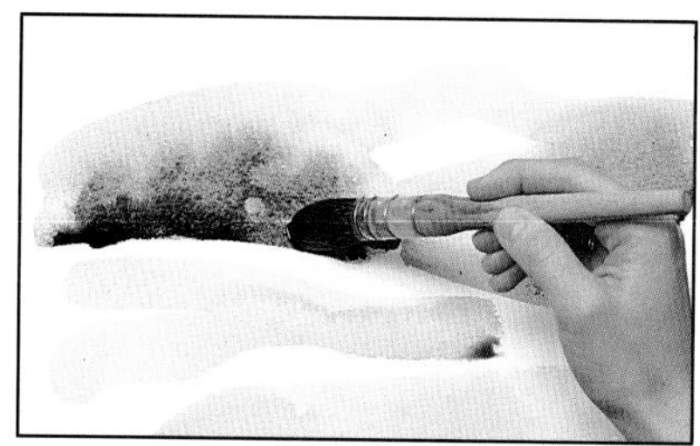

1 *Après avoir étendu quelques couches de lavis à l'encre, l'artiste les travaille pendant que l'ensemble est humide ; l'encre la plus foncée se diffuse doucement.*

2 *En poursuivant son travail par couches humides superposées, l'artiste utilise un essuie-tout pour contrôler la coulée des encres. Au premier plan, les lavis ont formé des pâtés aux bords irréguliers ; cet effet plutôt heureux ne sera pas corrigé.*

3 *Les premiers lavis des arbres sont secs ; l'encre noire non diluée à présent utilisée s'étale à peine. L'artiste emploie un pinceau chinois, parfait pour ce genre de dessin.*

4 *Il fallait enfin apporter du relief, aussi a-t-on laissé sécher le papier avant de traiter l'arrière-plan, le mur du premier plan ainsi que les arbres.*

5 *La technique pinceau-lavis permet de mettre en place un paysage plus rapidement qu'avec le crayon ou la plume. Le résultat final illustre bien la manière dont les effets accidentels enrichissent un dessin ou une peinture ; les coulures du premier plan ajoutent une note intéressante et font écho aux formes des arbres.*

Pinceau et aquarelle

(Ci-dessus et à droite) *Dans ces études, le dessin au pinceau se rapproche encore plus de la peinture, en combinant encre et aquarelle.*

Pinceau et encre

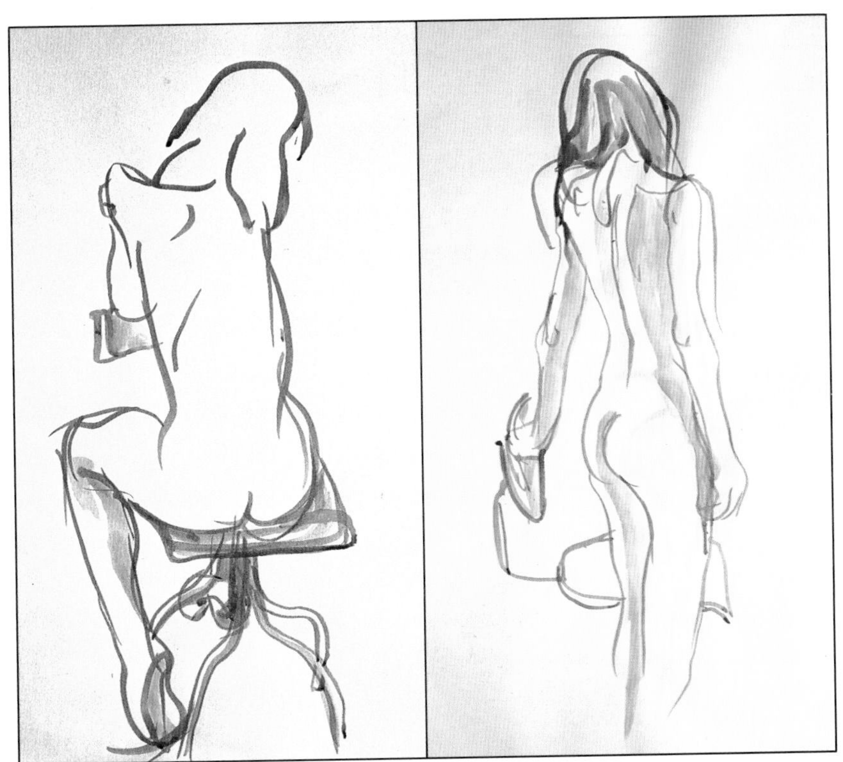

Ces deux dessins ont été réalisés en moins de dix minutes, à l'encre brune légèrement diluée et au pinceau chinois. Cette technique est excellente pour les croquis rapides de personnage et pour les études de mouvement.

Le pinceau et son trait

Le pinceau peut être pris comme un instrument pour tracer. Cette technique demande une solide pratique car elle n'autorise aucune correction ; cependant c'est un exercice stimulant qui libère le geste, débarrasse de certaines inhibitions et aboutit à un tracé plus libre, moins laborieux. Vous pouvez tout faire avec un pinceau, selon son type, la manière dont vous le tenez ou la pression que vous exercez ; aussi est-il vivement recommandé de multiplier les « gribouillages » pour en explorer toutes les possibilités. Les artistes et les calligraphes orientaux, qui pratiquent cet art depuis des siècles, tiennent le pinceau de différentes façons ; ils travaillent parfois avec le pinceau en position verticale, tenu librement au bout du manche, plutôt que fermement près de la virole.

Fournitures pour le dessin en couleurs

Le dessin – au crayon, au fusain ou encore à la plume – procure sans aucun doute de grandes satisfactions, mais avec les couleurs,vous pourrez vraiment faire des expériences et réaliser des œuvres d'une grande richesse d'expression, aussi abouties qu'en peinture. Les artistes d'aujourd'hui ont la chance de disposer d'un large éventail de produits – leur seul véritable problème étant, en fait, de savoir par lequel commencer.

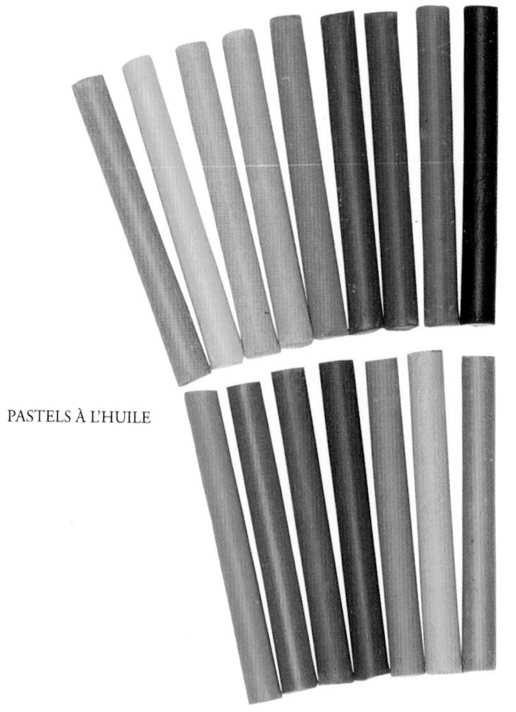

PASTELS À L'HUILE

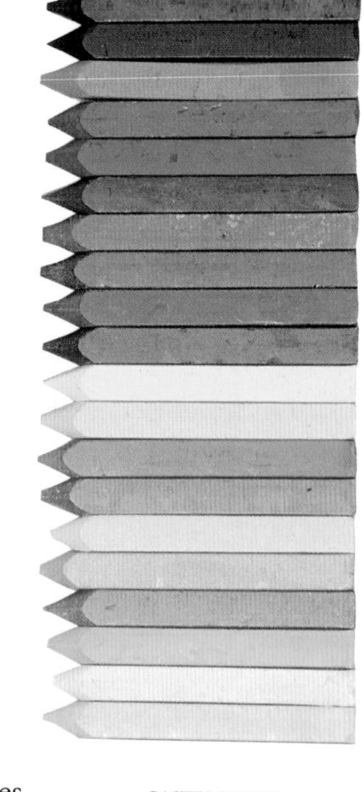

PASTELS DURS

Les crayons de couleur

Ils constituent un bon point de départ pour aborder la couleur ; faciles d'emploi, ils s'utilisent de la même manière que les mines de graphite. On commence généralement par quelques crayons puis, petit à petit, on diversifie la gamme.

Ils sont formés d'un pigment aggloméré par un liant. D'un fabricant à l'autre, la proportion de ce liant varie, donnant aux crayons des consistances différentes. Certains crayons, tendres, crayeux et opaques ressemblent à des pastels ; il y en a de légèrement gras, d'autres sont durs et donnent une matière plutôt transparente. Vous ne fixerez votre choix définitif qu'après les avoir essayés ; c'est d'ailleurs pour cette raison qu'il est préférable de commencer avec un petit assortiment.

PASTELS TENDRES

CRAYONS DE COULEUR

Certains fabricants proposent également des crayons de couleur solubles à l'eau (crayons-aquarelle), ce qui est d'un grand secours, car on les utilise secs ou humides – en étendant la couleur pour certaines parties du dessin ou en travaillant au trait d'autres parties.

Les pastels

Les pastels secs sont fabriqués en version tendre ou dure. Les pastels tendres se vendent sous forme de bâtons cylindriques, les plus appréciés des pastellistes ; constitués de pigment pur lié par une faible quantité de gomme, ils sont très friables. Les pastels durs, qui contiennent une plus grande proportion de liant, se présentent en bâtonnets à section carrée. Ils donnent un trait plus nerveux, moins dense, moins sujet à l'estompe. Les crayons pastel, de consistance moyenne, sont utiles pour les effets linéaires. La vaporisation d'un fixatif est indispensable pour tout dessin au pastel.

Les pastels à l'huile ont l'énorme avantage de ne pas nécessiter de fixatif, leurs pigments étant liés avec des huiles. Leurs consistances sont extrêmement variables, certains étant très durs et d'autres fondant presque dans la main.

Il existe une autre catégorie de pastels : les pastels à la cire composés essentiellement de pigments et de cire. Ces derniers ont leurs adeptes, bien qu'ils soient en général moins malléables que les pastels à l'huile, qui sont variés et pratiques.

Encres et marqueurs

Comme les encres noires, les encres de couleur peuvent être réparties en deux catégories : solubles et non solubles dans l'eau. Elles existent dans une gamme très variée de couleurs et peuvent, en outre, être mélangées entre elles pour enrichir plus encore votre palette. Certaines encres non solubles sont liées à la gomme-laque, ce qui interdit leur mélange avec les encres à l'eau ; d'autres, à base d'acrylique – les acryliques liquides – se comportent un peu comme les encres solubles dans l'eau, mais sont imperméables à l'eau une fois sèches.

Si vous souhaitez faire une œuvre durable, évitez les encres de type « brillant aquarelle » ; elles ne sont pas à base de pigments mais de teintures qui peuvent s'altérer et se décolorer. Leurs couleurs, vives et séduisantes, sont destinées à un travail de reproduction graphique où la décoloration de l'original est de moindre importance.

Certains feutres de couleur ont également tendance à la décoloration et doivent être soigneusement testés avant l'achat. Ces feutres présentent soit de grosses pointes en biseau (on les appelle parfois marqueurs), soit des pointes fines ; leur encre peut être à base d'eau ou d'alcool. Ils sont parfaits pour ceux qui recherchent une certaine audace du trait.

Les papiers

Pour le travail au crayon de couleur et au pastel à l'huile, un papier à dessin de bonne qualité convient parfaitement, bien que certains artistes spécialisés dans ces techniques préfèrent souvent employer un papier plus grenu ou de couleur. Pour le travail au pastel sec, le papier lisse n'est généralement pas adapté, du fait que le pigment a tendance à s'estomper spontanément (on dit qu'il est volatil) ; aussi est-il préférable d'utiliser un papier spécialement conçu pour le pastel – Ingres ou Mi-teintes – ou encore du papier pour aquarelle. Si vous préférez la texture de ce dernier support, tout en recherchant un fond coloré, vous pourrez le teinter au préalable d'un léger lavis.

MARQUEURS

ENCRES DE COULEUR

Le crayon de couleur

Longtemps exclusivement associé à l'illustration auquel il est toujours adapté, le crayon de couleur est de plus en plus recherché par des artistes confirmés, tant pour les esquisses que pour les finitions. Pour répondre à la demande, les fabricants proposent une grande variété de coloris et de nuances – certains en offrant jusqu'à deux cents. Cependant, les couleurs pouvant se mélanger sur la surface dessinée, il n'est jamais nécessaire d'acheter toute la gamme ; et même si vous le faisiez, il serait encore nécessaire de recourir aux mélanges, en particulier pour les teintes les plus sombres que l'on ne peut obtenir qu'en superposant plusieurs couleurs.

Les mélanges de couleurs

Les couleurs peuvent être mélangées de diverses manières, le procédé classique étant celui des hachures simples ou croisées (expliqué dans la partie consacrée au dessin à la plume page 23).

Cette méthode donne des nuances d'une grande subtilité aussi bien pour la teinte que pour l'intensité. Des bleus qui strient finement un jaune puis se croisent par endroits avec des bleus plus profonds créent des zones de vert nuancées. Pour les ombres, la couleur pourra être appliquée par hachures simples et croisées de bleus et de violets sombres sur fond noir.

Cette technique est excellente pour un travail fignolé mais elle n'est pas rapide ; en outre, de trop nombreuses hachures superposées risquent de donner au dessin un aspect surchargé manquant de spontanéité. Pour donner un effet plus délié, les différences de tons seront simplement obtenues par des ombres, tout comme dans un travail à la mine de graphite. Les couleurs peuvent être mélangées – du jaune sur du rouge produit un bel orange, du jaune sur du bleu donne une infinité de verts.

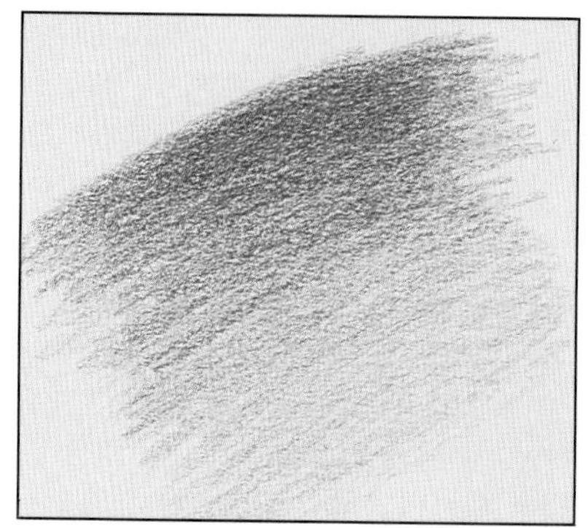

Les couleurs et les nuances peuvent être obtenues à partir d'ombres soigneusement exécutées.

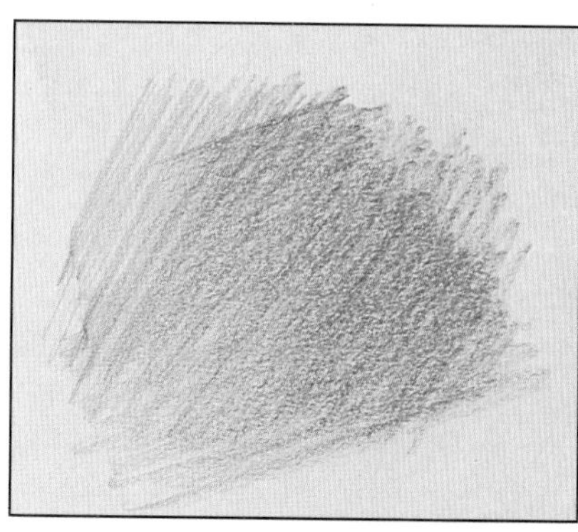

Les couleurs sont souvent obtenues par des hachures simples et croisées.

La pointe d'un crayon-aquarelle a été trempée dans l'eau avant d'étaler la couleur sur le bleu.

Pour produire cet effet, les deux crayons ont été trempés dans l'eau, puis leurs couleurs travaillées au pinceau mouillé.

Le brunissage

1 *Les couleurs doivent être fermement mises en place sur la partie du dessin à travailler. Ici, un crayon blanc est utilisé pour brunir les rehauts.*

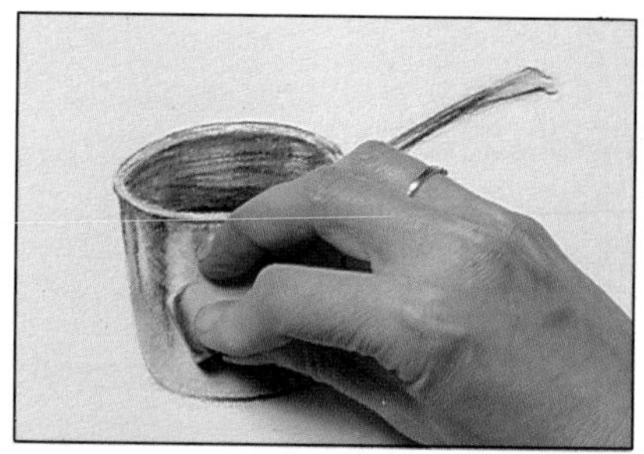

2 *La gomme enlève un peu de pigment mais tasse également les particules alentour, créant ainsi des mélanges veloutés.*

3 *Comme on peut le constater sur le dessin terminé, le crayon blanc modifie la couleur sous-jacente et, de ce fait, est plus efficace dans les rehauts. Une estompe convient mieux pour le brunissage de couleurs sombres.*

Avec les crayons solubles, les possibilités de mélange se multiplient ; on peut étendre la couleur en lavis avec de l'eau et un pinceau propre, ajouter une couche supplémentaire d'une autre couleur, mélanger la seconde couleur à la première en ajoutant de l'eau, et ainsi de suite. Il faut cependant se garder de trop mélanger les lavis de couleurs différentes ; certains pigments de consistance crayeuse finissent en barbouillage décoloré peu agréable.

Le brunissage

Cette technique peut être utilisée pour ajouter du brillant à certaines zones du dessin, excepté avec les crayons-aquarelle utilisés humides. Après avoir appliqué les couleurs en couche épaisse, on les frotte avec une gomme en plastique, un chiffon ou une estompe. Ce geste tasse les particules de pigments les unes sur les autres de sorte qu'aucun trait ne subsiste ; le grain du papier est alors aplani jusqu'à être lustré.

Procédé par impression

Si vous dessinez avec un crayon de couleur sur un papier à gros grain, la majeure partie du pigment se déposera sur les sommets de la trame ; c'est le principe même de l'impression. Des lignes invisibles sont imprimées sur le papier à l'aide d'une pointe quelconque – aiguille à tricoter ou manche de pinceau. Lorsque l'on applique le crayon de couleur, ces traits apparaissent en blanc (cette méthode est dite traits au blanc).

Ce procédé permet d'apporter un peu de variété à un dessin, mais il peut aussi créer des motifs très compliqués. Si le trait blanc joue un rôle majeur dans le dessin final, il est recommandé d'utiliser un calque pour le caler avec précision. Concevez le motif ; tracez-le sur un calque, placez ce dernier sur le papier à dessin, repassez enfin les traits au crayon dur.

Le trait d'impression

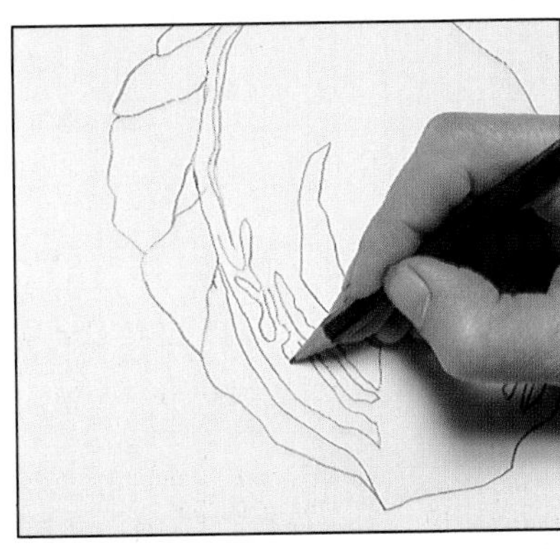

1 Si vous n'êtes pas sûr de votre motif, vous pourrez le tracer d'abord sur du papier ordinaire, puis le décalquer. Ici, l'artiste dessine directement sur le papier-calque.

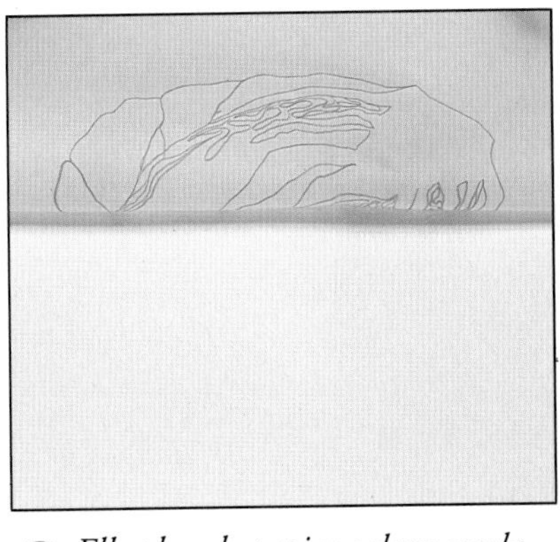

2 Elle.place le papier-calque sur la surface de travail et, avant l'impression, en fixe la partie supérieure avec un ruban adhésif, qui l'empêche de se décaler.

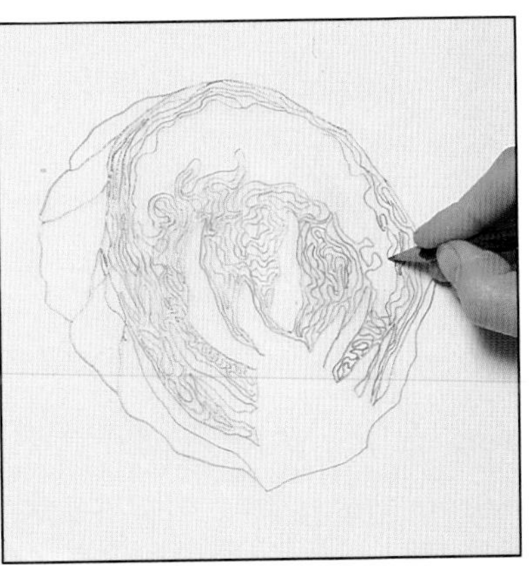

3 Elle repasse tous les traits au crayon dur (qui permet de garder un patron du travail d'impression), mais n'importe quel autre outil pointu conviendra également.

4 Les traits apparaissent enfin en clair sous le crayon de couleur, appliqué énergiquement. La surface de travail est un papier aquarelle doux qui, plus épais que le papier à dessin ordinaire, porte des empreintes plus marquées.

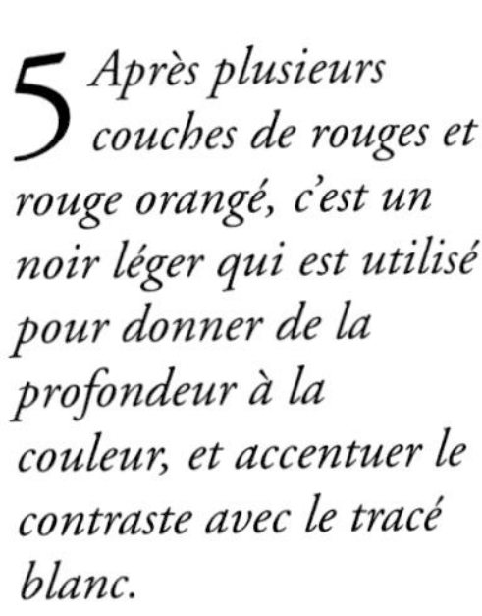

5 Après plusieurs couches de rouges et rouge orangé, c'est un noir léger qui est utilisé pour donner de la profondeur à la couleur, et accentuer le contraste avec le tracé blanc.

LES TECHNIQUES DU PASTEL

Le pastel appartient-il à la technique picturale ou graphique ? La question reste pendante car la frontière entre les deux est on ne peut plus floue. En règle générale, un pastel au trait sera considéré comme un dessin, tandis que celui où le trait ne joue qu'un rôle mineur fera clairement partie des peintures, même si le pinceau n'est pas intervenu.

LES PASTELS SECS

Dans le domaine du dessin, le pastel est le seul médium à produire des couleurs d'une telle intensité ; c'est ce qui fait sa notoriété. Un crayon de couleur ne donne que de simples traits et, bien qu'ils puissent être épais, fins, appuyés ou légers, les variations seront assez réduites. Les pastels, selon qu'ils sont durs ou tendres, présentent des possibilités beaucoup plus étendues : on peut les tailler en pointe pour obtenir des traits nerveux, aigus, les émousser si l'on veut des traits doux ou, après les avoir cassés, les utiliser sur la tranche pour obtenir un jaillissement coloré.

Les crayons pastel offrent moins de possibilités ; on les emploie un peu comme des crayons de couleur, bien qu'ils soient beaucoup moins résistants. Plus tendres que les pastels durs, leur trait est aussi moins fin. Mais ils sont d'une utilisation agréable et conviennent bien aux œuvres de petites dimensions. La couleur peut être étendue à l'eau et au pinceau propre pour devenir une sorte de lavis ou simplement adoucir le trait.

LES PASTELS À L'HUILE

Les pastels à l'huile ne donnent pas non plus un tracé nerveux, mais ils sont parfaits pour les dessins à grands traits, aux plages de couleurs vives et denses. Certains artistes les préfèrent aux pastels secs car ils sont moins friables et ne demandent pas de fixatif. De plus, ils permettent d'utiliser le sgraffite, qui consiste à révéler une couche de couleur sous-jacente par grattage d'une couche colorée superficielle. Cette technique offre tout un éventail d'effets, depuis les traits fins obtenus avec un instrument pointu jusqu'aux effets plus subtils de teintes rompues, obtenus par grattage des couches successives à l'aide d'une lame de couteau.

PASTEL TENDRE

PASTEL DUR

PASTEL À L'HUILE

CRAYON PASTEL

LES PAPIERS

La qualité du trait, quel que soit le type de pastel, dépend largement de la qualité du papier. Pour une peinture au pastel, on utilise habituellement un papier à gros grain, le papier lisse n'accrochant pas suffisamment le

Sgraffite et pastel à l'huile

1 *Sur un papier aquarelle lisse, l'artiste étend une couche épaisse de pastel à l'huile, en s'assurant que la couleur imprègne bien le papier.*

2 *Les premières couleurs sont recouvertes de tons plus foncés ; certaines parties resteront masquées, d'autres seront révélées par grattage. L'artiste a donc choisi ces couleurs en fonction de l'effet final recherché.*

3 *Une épaisse couche de vert sombre recouvre le jaune ; la pointe d'un couteau servira à faire de fines éraflures. La couleur a été légèrement enlevée mais les lignes ne sont pas blanches puisque le pigment sous-jacent a coloré le papier.*

4 *Les nuances des couleurs et la texture végétale des feuilles sont rendues par le travail de sgraffite exécuté avec une grande délicatesse.*

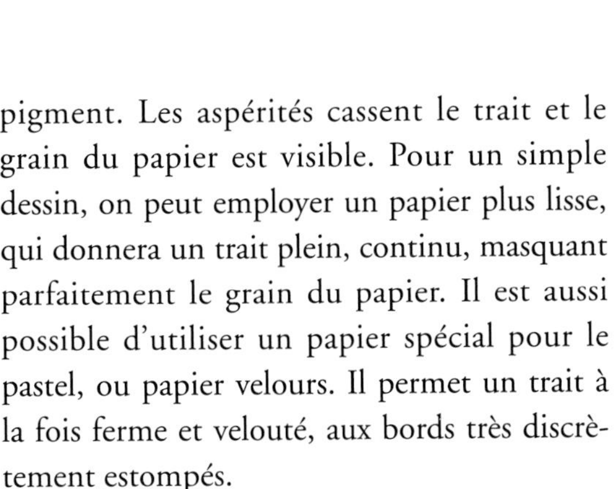

pigment. Les aspérités cassent le trait et le grain du papier est visible. Pour un simple dessin, on peut employer un papier plus lisse, qui donnera un trait plein, continu, masquant parfaitement le grain du papier. Il est aussi possible d'utiliser un papier spécial pour le pastel, ou papier velours. Il permet un trait à la fois ferme et velouté, aux bords très discrètement estompés.

5 *Il est aussi possible de gratter des couleurs claires pour révéler des couleurs sombres, mais aller du sombre au clair est plus efficace, comme l'illustre cet exemple.*

Les encres et les marqueurs

On peut aller plus loin dans le dessin au pinceau en utilisant différentes encres de couleur. On les utilise soit sorties directement de la bouteille, soit mélangées pour obtenir toute une gamme de teintes, soit diluées à l'eau (pour les encres à base d'eau ou acryliques) pour obtenir de légers lavis de couleur. Et les résultats seront très différents : dessins à grands traits vigoureux ou facture plus proche de l'aquarelle.

Les encres de couleur peuvent être combinées à des encres noires, appliquées au pinceau ou à la plume ou encore associées à d'autres techniques – peinture acrylique, fusain ou pastel à l'huile.

Dessin aux marqueurs

Comme on l'a vu au chapitre concernant les fournitures (page 29), les feutres de couleur – ou marqueurs – peuvent être utilisés pour le dessin. Il est agréable de dessiner avec des marqueurs mais, comme on ne peut parvenir à des effets recherchés, ils ne conviennent qu'à des esquisses rapides. Les marqueurs contiennent des encres à base d'alcool ou d'eau. Pour les esquisses, les encres à l'eau sont préférables à celles à l'alcool, qui ont tendance à traverser le papier. Les encres sont transparentes et les couleurs peuvent donc se mélanger, couche après couche ; on peut aussi les utiliser associées à des encres à dessin.

Marqueurs sur papier à grain

Utilisés sur papier lisse, les marqueurs laissent un trait franc et sans mystère, mais, ici, le grain du papier aquarelle a cassé les traits, ce qui donne à l'ensemble plus de lumière.

(Ci-contre, haut et bas) *Les marqueurs, mal adaptés aux effets recherchés, sont recommandés pour le travail à l'emporte-pièce. Ils conviennent bien, en particulier, à de rapides croquis comme ceux-ci.*

Dessin aux encres de couleur

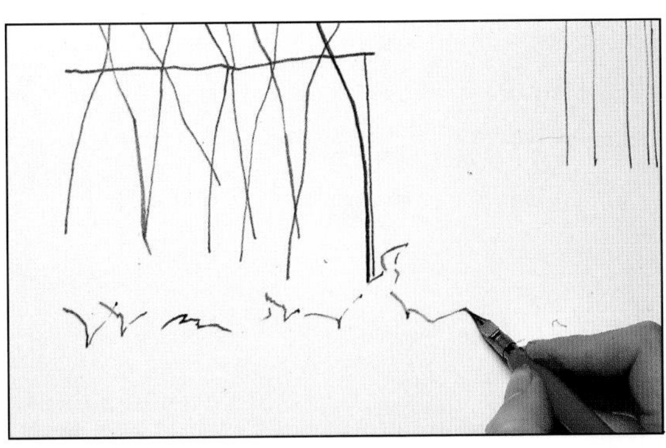

1 Un dessin léger au crayon pourrait servir de guide mais, ici, l'artiste a préféré commencer directement à l'encre.

3 Une sélection de différentes plumes a été utilisée – bec large, moyen, fin – pour varier le trait.

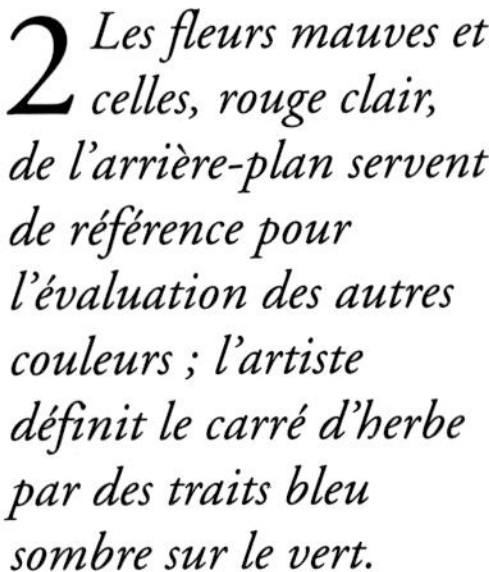

2 Les fleurs mauves et celles, rouge clair, de l'arrière-plan servent de référence pour l'évaluation des autres couleurs ; l'artiste définit le carré d'herbe par des traits bleu sombre sur le vert.

4 La plume à bec large est plus spécialement employée ici, car cette partie du dessin réclame de de la vigueur. Cependant, avec une seule et même plume on obtient une grande variété d'effets, selon la manière dont on la tient : remarquez comment, pour la petite plante à gauche, le trait change d'épaisseur.

La réserve à la cire

Fondée sur l'incompatibilité entre l'huile et l'eau, c'est un des procédés les plus couramment utilisés dans les dessins réalisés avec un mélange de techniques. On exécute un dessin au bâton de cire, au pastel à l'huile, au stick à l'huile (peinture à l'huile sous forme solide) ou à la bougie ordinaire ; puis on passe des encres à l'eau. Comme la cire repousse l'encre, on peut créer une grande variété d'effets étonnants.

5 L'arrière-plan et le premier plan à droite ont été gardés pour la fin, car l'artiste voulait s'assurer de la partie centrale avant de décider du traitement du reste du dessin. Le contraste entre les traits fins utilisés pour l'arrière-plan et le style plus marqué du premier plan et du plan moyen contribue à créer la sensation d'espace, tout en donnant du charme au dessin.

LEÇONS COMPARÉES

Le marché propose une gamme impressionnante de fournitures pour le dessin et sans doute faut-il expérimenter plusieurs sortes de matériaux avant de découvrir celui qui correspond à votre style, à votre goût et à vos moyens. Cependant, on apprend toujours beaucoup en observant le travail d'un autre artiste et en l'analysant. Si, éventuellement, vous préférez les dessins au crayon aux dessins au pastel, nous vous conseillons de suivre votre première intuition. Ici, deux artistes font la démonstration de deux techniques très

éloignées l'une de l'autre. Elizabeth Moore crée des effets subtils au crayon de couleur, tandis que Judy Martin a choisi le pastel à l'huile, une technique beaucoup plus violente, au rendu fort et puissant.

Crayon de couleur sur papier à dessin

1 *Le dessin de base au crayon de couleur ne peut être effacé, aussi Elizabeth Moore commence-t-elle à travailler avec légèreté, en s'assurant avant tout de l'exactitude de son tracé.*

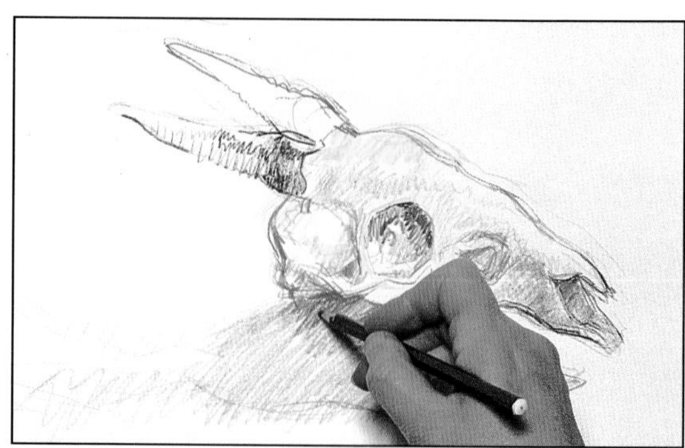

2 *Après avoir grossièrement défini la tonalité générale du crâne, en superposant les teintes ici et là, elle travaille maintenant sur les ombres, qui jouent un rôle important dans la composition du dessin.*

Pastel à l'huile sur papier de couleur

1 *Avec un très léger tracé au crayon qui lui sert de guide, Judy Martin a commencé par quelques taches de blanc, de brun sombre et de gris. Intéressée par les reflets sur le crâne, elle les travaille dès cette première étape.*

2 *Les parties les plus sombres et les plus claires du dessin sont à présent fixées : le rouge vif de l'arrière-plan et le noir des cornes. Le rouge est particulièrement important car, sans lui, il serait difficile de déterminer les couleurs à utiliser.*

3 Pour tout travail au trait, il est important de faire varier les coups de crayon. Ici, on peut en observer toute une gamme, depuis les longues hachures (sur la table) jusqu'aux traits plus courts et incurvés qui décrivent la forme du crâne.

4 Ici encore, sur un premier hachurage léger, l'artiste a appliqué quelques traits courts, sinueux ou courbes, qui épousent les volumes. Notez également la variété des couleurs et les subtils mélanges obtenus par leur superposition.

5 Si l'on compare le dessin au crayon achevé au pastel à l'huile, on peut remarquer à quel point le traitement du sujet dépend de la technique retenue. Comme il est difficile de couvrir de larges surfaces avec le crayon, l'artiste s'est contentée de suggérer le fond rouge, et a réservé l'emploi de la couleur au dessin du crâne.

3 Comme pour le dessin au crayon de couleur, les ombres jouent un rôle important. Bien que la composition soit la même dans les deux cas, l'éclairage a été modifié pour créer des ombres plus longues, plus aiguës.

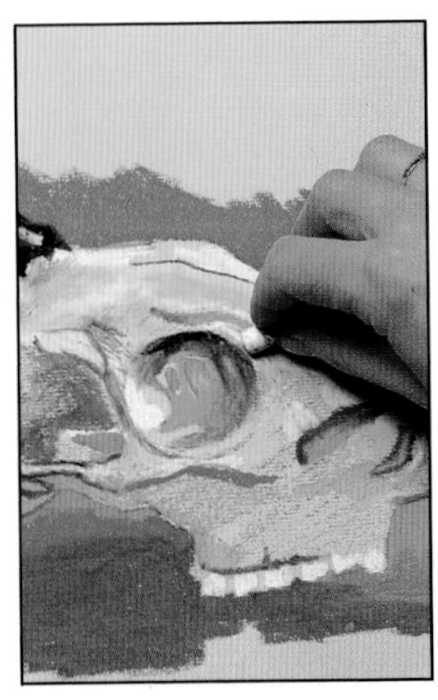

4 Les couleurs du crâne sont renforcées. Travaillant sur papier de couleur, l'artiste utilise un pastel blanc pour les zones claires au lieu de les « réserver », comme on le ferait sur du papier blanc.

5 Les teintes du pastel à l'huile sont beaucoup plus denses que celles du crayon de couleur, et sa structure même permet de couvrir rapidement de grandes surfaces. L'artiste a résolument tiré parti des effets théâtraux des couleurs du thème : rouge, noir et blanc.

Dessiner juste

Après avoir évoqué les différents produits pour le dessin et la variété de leur rendu, il faut, maintenant, apprendre à les utiliser pour obtenir un travail qui décrira le sujet avec toute la précision nécessaire pour qu'il paraisse juste. Mais dessin exact ne signifie pas dessin détaillé, et, souvent, pour restituer un sujet – visage, personnage ou paysage –, quelques traits sont plus efficaces qu'une accumulation de détails. On doit surtout s'attacher à retrouver la forme, les proportions et l'échelle relative d'un objet, et c'est le fruit d'une observation soigneuse et d'une vérification constante.

Apprentissage du dessin et apprentissage de l'écriture sont très proches. Les techniques de base doivent être maîtrisées avant d'être utilisées. Hélas, les premiers échecs conduisent parfois à décider que, faute d'un don évident, il est préférable d'interrompre l'expérience. Suivre quelques conseils simples vous permettra d'éviter ces déboires des tout débuts.

Proportions à vue

La plupart des artistes recourent à un système de mesure lorsqu'ils dessinent, mais le plus facile est de représenter la dimension que vous voyez.

L'expression à vue s'explique d'elle-même et la plupart des gens dessinent spontanément de cette manière. D'autres, à l'inverse, essaient de dessiner au plus près de la taille réelle – s'il s'agit d'un objet de taille modeste, en tout cas – et sont ensuite obligés d'en adapter les proportions.

Vous comprendrez facilement ce qu'est la technique à vue en plaçant un objet sur une table – une tasse, par exemple – et en tenant un carnet de croquis à hauteur d'objet. Fermez ensuite un œil et indiquez deux repères sur le papier, un pour chaque bord de la tasse. En extérieur une série de traits sur le bord supérieur de la feuille matérialisera les principaux éléments du paysage. Cela se pratique en faisant glisser le pouce le long d'un crayon tenu à hauteur d'objet ou par la lecture directe d'une règle graduée.

Cette technique peut sembler mécanique et rigide ; c'est pourtant la seule qui garantit la rigueur nécessaire. Pour un dessin préparatoire à une peinture, par exemple, c'est la précision qui l'emportera sur le mode d'expression, et ce procédé vous évitera d'avoir des corrections à faire au moment où vous peindrez.

Les proportions comparées

La proportion à vue est plus facile à réaliser qu'une mise à l'échelle raisonnée des objets ; pourtant, ce n'est pas toujours la meilleure solution car elle risque de donner un dessin

Proportions à vue

1 Avec un œil fermé, l'artiste commence par faire une série de traits le long du bord supérieur du papier pour marquer les grands repères horizontaux. Pour une petite nature morte de ce genre, il faut se tenir très près du sujet.

Les proportions

Si l'on ne travaille pas à vue, on définit une mesure-étalon – ici, le diamètre de la tasse –, les autres objets étant mesurés exclusivement en fonction de celle-ci. Le crayon doit, impérativement, être tenu à bout de bras ; en effet, s'il n'est pas toujours exactement à la même distance des objets, les mesures manqueront de précision.

2 *Après avoir placé ses premiers repères, l'artiste travaille normalement, c'est-à-dire les deux yeux grands ouverts. Au cours de son travail, constatant que quelque chose n'allait pas, il a repris de nouvelles mesures – taille des objets et largeur des ellipses – pour rectifier le tir.*

de taille très réduite. Pour le vérifier, tenez le carnet de croquis près de la tasse et reculez de 1 m – la tasse devient alors très petite par rapport au papier. L'exécution d'un travail si réduit risque d'être un frein inutile à votre appréhension du sujet ; dans une académie de dessin, par exemple, le modèle se trouvera parfois à une certaine distance et pour une étude au fusain, le dessin à vue imposera des proportions trop réduites pour une technique à grands traits. Dans ce cas, vous aurez intérêt à utiliser un système plus rigoureux ; il faudra alors décider d'une mesure-étalon puis l'appliquer à toutes les autres mesures.

Pour une étude de personnage, la tête sert généralement d'unité de mesure – les proportions humaines seront traitées plus loin, voir page 48 – mais pour tout autre dessin, c'est un de ses éléments particuliers qui servira de mesure. Dans la représentation d'un intérieur, un meuble peut jouer ce rôle essentiel. Un rapide dessin de cet objet permettra de déterminer la taille respective de tous les autres éléments présents – une fenêtre en arrière-plan, par exemple – en utilisant votre pouce comme repère sur un crayon porté à hauteur d'œil. Servons-nous de la tasse sur la table ; mesurons d'abord sa hauteur puis sa largeur relatives. Dans ce type de mesure, il convient de tenir le crayon à bout de bras et de reprendre la même position pour toutes les mesures – ces dernières, en effet, changent vraiment dès que le bras est plié ou que l'on se penche en avant ou en arrière.

DESSINER LES FORMES

Dessiner c'est, entre autres choses, définir des formes par leur contour. Cela implique immédiatement la notion d'artifice, propre au dessin, puisque aucun objet n'est plat et que ces contours n'existent pas réellement dans la nature. Nous devons cependant les imaginer car ce sont eux qui nous donnent la forme.

DESSINER LES CONTOURS

Il n'est pas mauvais, pour s'exercer au dessin des formes, de rassembler quelques objets – une tasse, une assiette et un pichet, par exemple – et de les considérer sous leur aspect bidimensionnel, en n'en retenant que les contours. Avec cette méthode on ne peut obtenir un dessin de qualité car, même si le trait décrit exactement les contours, la suggestion du modelé est absente et les objets semblent n'avoir aucune réalité. C'est toutefois un exercice utile qui oblige à regarder attentivement et à analyser les formes.

ETABLIR DES COMPARAISONS

Le tracé des contours est beaucoup plus facile à trouver si l'on compare entre elles différentes formes et si l'on mesure leurs dimensions respectives, comme on l'a vu précédemment. Examinez les formes les unes par rapport aux autres. Si vous les avez disposées de sorte qu'elles se chevauchent, se cachent-elles partiellement ? Si oui, de quelle manière ? Telle forme est-elle plus grande, plus large que telle autre ? Quel est le rapport largeur/hauteur de telle bouteille ? L'erreur la plus fréquente consiste à traiter chaque partie du dessin isolément. Un dessin de pomme sera raté si celle-ci est disproportionnée par rapport à l'assiette sur laquelle elle est placée.

Améliorez vos talents d'observateur en disposant quelques objets ménagers devant un fond et en les dessinant comme des formes positives puis négatives.

Le dessin des contours

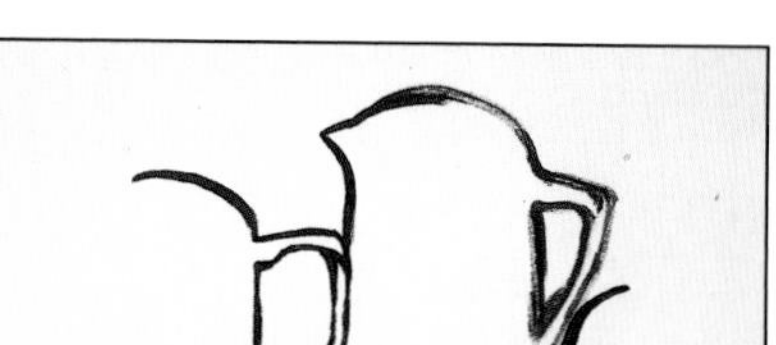

1 *Comme cet exercice est ardu, il est préférable d'utiliser une technique qui permette de nombreuses corrections. Ici, l'artiste travaille à la peinture acrylique noire, qu'il corrigera facilement à la peinture blanche.*

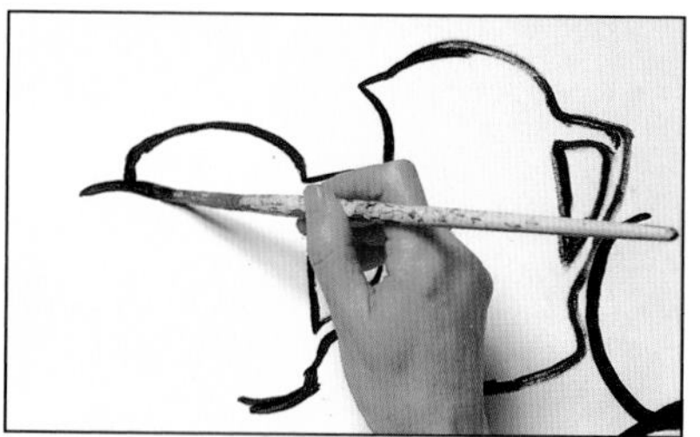

2 *Le dessin d'une ellipse est toujours une entreprise délicate, mais elle l'est plus encore si l'on ne dessine que l'arc supérieur. En prêtant toute son attention au motif, l'artiste est parvenu ici à un résultat satisfaisant.*

3 (À droite) *La cuiller et la louche n'étaient pas parfaites ; l'artiste emploie de la peinture blanche pour retoucher les lignes incorrectes.*

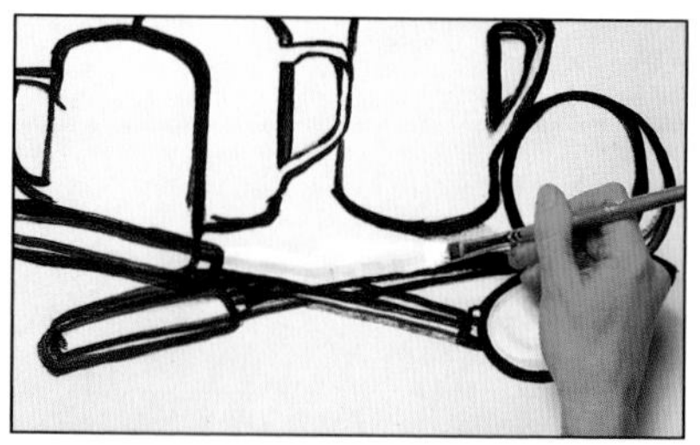

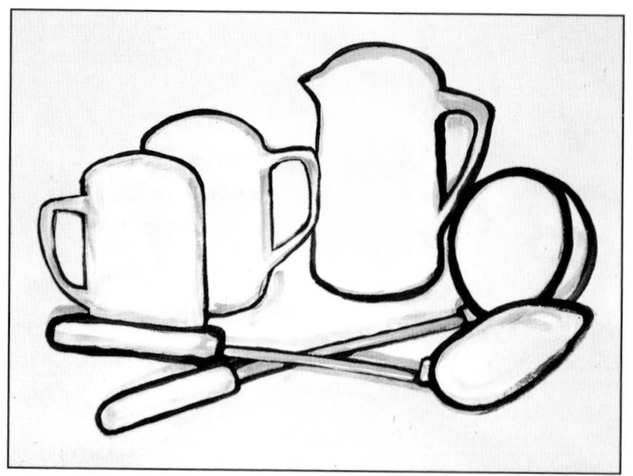

4 *La peinture blanche ne masque pas entièrement la noire et il subsiste un trait qui peut être utile par la suite. Si le trait précédent était complètement effacé, comme on pourrait le faire dans un dessin au crayon, la même erreur pourrait se reproduire.*

Les formes négatives

L'exactitude d'un dessin se vérifie grâce à l'examen des formes qui apparaissent entre les objets et derrière eux, dites formes négatives. Si l'on dessine, par exemple, une tasse avec une anse, on s'efforcera d'oublier les contours de l'objet lui-même pour ne retenir que la forme prise par l'espace entre cette anse et la tasse. Il sera parfois utile de dessiner ces formes avant d'aborder les formes positives. Dans certains cas, il ne sera même pas nécessaire de dessiner les objets eux-mêmes.

Le dessin en négatif est un exercice souvent pratiqué dans les académies de dessin et, malgré son approche très particulière, il permet de développer utilement les facultés d'observation. En tout état de cause, il oblige l'artiste à regarder les choses de manière totalement différente et contribue ainsi à abandonner toute idée préconçue. Cette technique est particulièrement bien adaptée à l'étude de personnages, parfois extrêmement difficiles à rendre parfaitement. En voulant dessiner quelqu'un debout, les poings sur les hanches, vous avez eu tant de mal à représenter les membres qu'ils ne sont pas bien proportionnés par rapport au reste du corps. Avec l'étude des formes en négatif vous pourrez découvrir l'erreur en vérifiant les espaces compris entre les bras, les jambes, le corps.

Le dessin des formes négatives

1 Toujours à l'aide d'un pinceau et de peinture acrylique, l'artiste dessine maintenant la nature morte en négatif, c'est-à-dire qu'il ne peint que les espaces compris entre les objets.

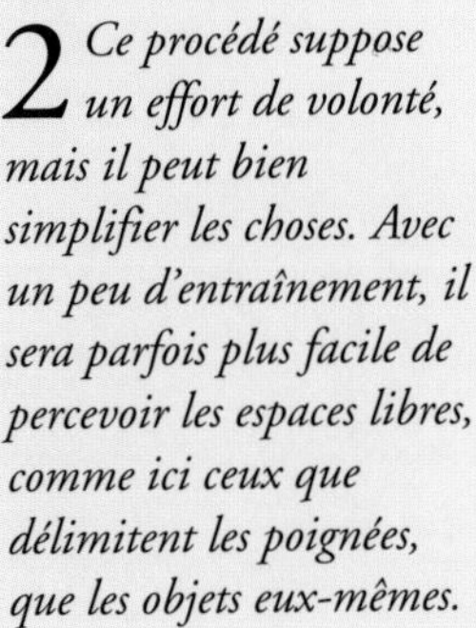

2 Ce procédé suppose un effort de volonté, mais il peut bien simplifier les choses. Avec un peu d'entraînement, il sera parfois plus facile de percevoir les espaces libres, comme ici ceux que délimitent les poignées, que les objets eux-mêmes.

3 Comme dans le dessin précédent, l'artiste utilise de la peinture blanche pour les corrections. Dans ce type de travail, les erreurs sont fréquentes et obligent à de nombreuses reprises.

4 Cette pratique des formes négatives aiguise l'observation, éveille à la perception de la relation entre les formes et, enfin, développe le sens de la composition. Malgré son manque évident de précision, ce dessin est animé et son intérêt tient à l'équilibre entre formes sombres et formes claires.

Dessiner le volume

Jusqu'à présent, nous avons examiné les méthodes de mesure et de vérification pour établir contours, formes et justes proportions, mais nous n'avons pas encore abordé l'essentiel.

Le moindre dessin est déjà, en soi, une sorte de trompe-l'œil qui permet de décrire en deux dimensions un monde en trois dimensions. Un bon dessin doit rendre la sensation de volume : c'est au moins aussi important que la justesse dans la définition des contours.

Ombres et lumières

Il n'existe malheureusement aucun système de mesure permettant de décrire le volume d'un objet ; il faut pour cela se fier à la seule observation directe, ce qui est plus ardu qu'il n'y paraît. La forme est décrite par la lumière qui

Pour cet exercice, il faut une série d'objets ronds, de préférence éclairés sur le côté pour créer des zones sombres et claires bien définies.

1 *En travaillant uniquement avec le côté du fusain et en ne se laissant pas tenter par le trait, l'artiste commence par déterminer les grandes masses.*

2 *Avec un petit morceau de fusain elle définit la partie la plus sombre de l'aubergine.*

3 *De la proximité des deux légumes naît une ombre profonde, traduite par la pointe du fusain ; mais, tendre et friable, il ne donnera pas vraiment une impression de contour net.*

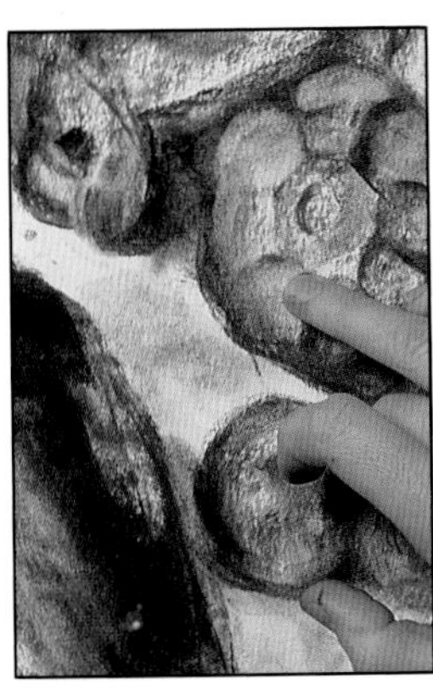

4 *Du bout du doigt, on frotte légèrement certaines parties pour créer des rehauts.*

5 *Les points brillants au sommet du poivron vertical forment de rapides passages du clair au sombre ; les ombres sont accentuées avec la pointe du fusain.*

6 *Le fusain sur papier lisse donne une matière très instable ; c'est pourquoi il est nécessaire, à la fin du travail, de rehausser les plages sombres.*

7 *Les parties claires risquent de pâtir des bavures des plages sombres contiguës ; on y remédie facilement en pratiquant la technique du retrait. Elle est utilisée ici pour disposer deux grandes zones claires sur l'aubergine et deux plus petites sur le poivron couché.*

frappe un objet, créant des zones claires et sombres qui lui donnent son apparence.

Si nous vivions dans un monde en noir et blanc, il serait relativement facile de percevoir ces différences de ton (valeur claire ou sombre d'une couleur) mais tout ce que l'on dessine – un visage ou une pomme sur une assiette – est plus ou moins coloré. Le résultat est d'autant plus aléatoire que nos yeux enregistrent mieux les couleurs que les valeurs, ce qui complique le rendu des zones claires et des zones sombres. Il sera donc très utile de plisser les yeux, le flou des couleurs masquant les détails et privilégiant la perception de la valeur colorée.

Forme et contour

Un contour net délimitant un objet lui donne naturellement un aspect bidimensionnel, aussi n'est-ce pas toujours l'élément le plus adéquat pour rendre une impression de volume. Le contour d'un objet rond ou cylindrique – une pomme ou une tasse, par exemple – en détermine les limites et constitue la zone où cet objet commence à « disparaître » ; en insistant sur cette partie plutôt que sur les bords de l'objet, on perd l'illusion du relief.

Dès le début exercez-vous à créer les volumes par la recherche du ton et en évitant au maximum les contours. Essayez les techniques par grandes masses comme le retrait ou utilisez le côté d'un fusain. Il n'est bien sûr pas obligatoire d'employer le fusain – le volume peut être parfaitement rendu avec un crayon ou même avec une plume –, mais il permet de remédier à une approche trop linéaire.

LE TRAIT

Après avoir étudié la construction d'un volume grâce à des nuances de tons, voyons comment, grâce au seul trait, il est également possible d'obtenir une impression de volume. Tout dépendra, bien sûr, de la nature et de la qualité du trait – appuyé et sombre, léger et délicat ou doux et à peine visible.

FRONTIÈRES PERDUES ET RETROUVÉES

Comme nous venons de le voir, les objets n'ayant pas, dans la réalité, de contours véritablement définis, un trait appuyé aura tendance à abolir l'impression de relief. Cependant, certaines frontières peuvent être plus ou moins précisément définies par une ombre, tandis que d'autres, plus difficiles à discerner, demandent à être estompées. Ce concept de frontière perdue et retrouvée est extrêmement important dans le domaine qui nous intéresse, dès lors qu'il définit fort bien un volume. On peut en observer les effets sur le plus simple des objets tandis que d'autres, plus complexes, comme des fleurs ou un visage humain, sont constitués d'un ensemble de frontières à la fois franches et floues qui viennent des caractères propres aux volumes considérés et à la manière dont ils prennent la lumière. En observant attentivement ces variations, il est possible d'exécuter un dessin qui décrit un volume sans jamais utiliser aucune ombre. Il est important de s'exercer à cette technique assez complexe, les résultats pouvant se révéler très intéressants.

L'observation des frontières

En fonction de la lumière, des formes et de la couleur, tout objet recèle une combinaison de frontières perdues et retrouvées. Si vous arrivez à les découvrir et à les reproduire fidèlement, vous serez capable de dessiner au trait.

1 *À l'aide d'un fusain moyen, l'artiste commence par un dessin léger puis renforce les bordures du sucrier.*

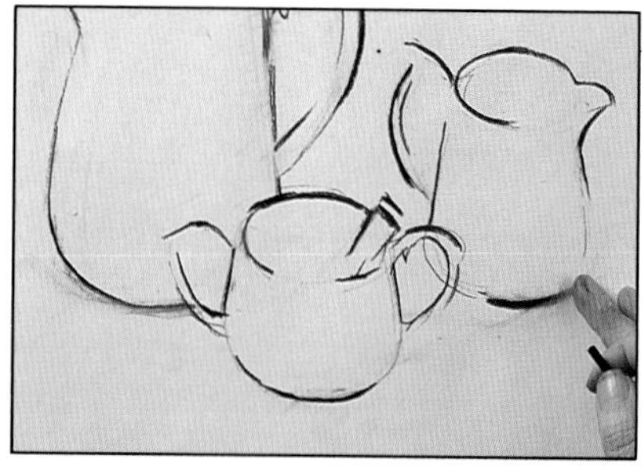

2 *Elle poursuit en étalant légèrement le fusain, là où des traits plus doux semblent nécessaires, comme dans les ombres.*

3 (À droite) *Bien qu'aucune ombre n'apparaisse, le volume des objets est assez convaincant. C'est en partie dû au dessin précis des ellipses.*

Dessiner les contours

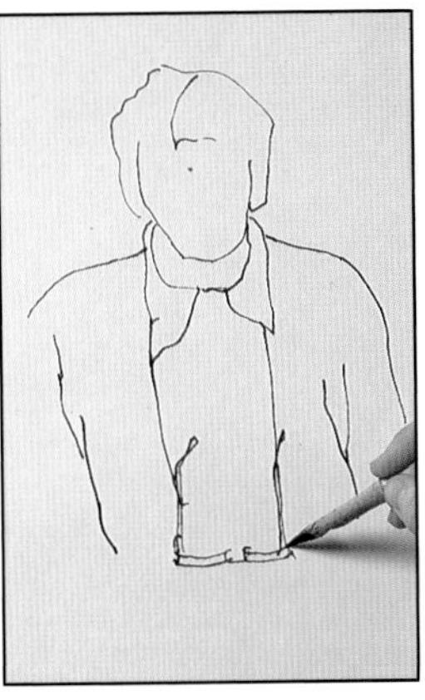

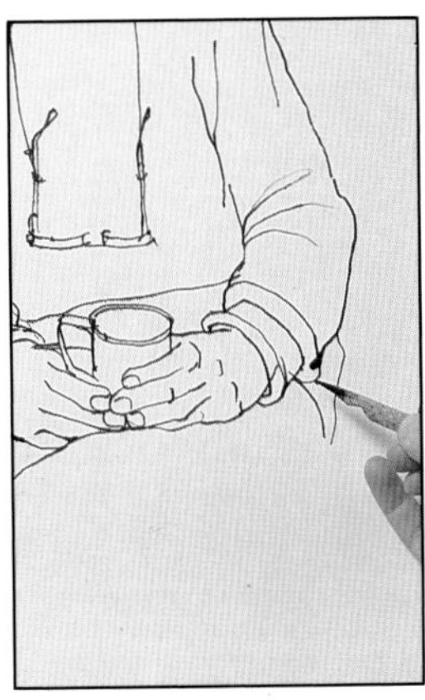

1 Pour ce type de travail, il est préférable d'utiliser un instrument qui ne se prête pas à la création d'ombres. L'artiste travaille ici au roseau et à l'encre.

2 Après avoir esquissé le contour de la tête et du torse, l'artiste ajoute progressivement les détails – col de chemise, lunettes, etc.

3 L'observation fine des manchettes et des plis du coude a permis à l'artiste de décrire les bras sans recourir aux ombres.

4 Du dessin, pourtant inachevé, se dégage une bonne impression de la forme et du volume.

5 Les motifs sont une aide précieuse dans la mise en place du volume ; on voit ici clairement comment ils soulignent les courbes des épaules et la position des bras.

6 Les dessins sont, en majorité, une combinaison de lignes et d'ombres, mais il peut être intéressant de se limiter au seul trait. Comme tous les exercices, celui-ci vous donnera l'occasion de mieux comprendre la structure de votre modèle.

Les contours

Voici une autre méthode de description du volume. Les contours diffèrent des frontières en ce qu'ils décrivent les formes extérieures de l'objet. Un bon exemple serait le motif circulaire entourant une porcelaine ; les habits décrivent, eux, des contours beaucoup plus imprécis mais bien réels – ainsi les nombreux plis d'une manche de chemise définissent-ils le volume sous-jacent. En fait, un modèle vivant habillé est constitué d'une infinie variété de contours, depuis la ligne de la taille, qui indique le galbe du corps, jusqu'à la manchette d'une chemise ou au bracelet-montre, qui laissent deviner la structure du poignet. Naturellement, tous les objets ne proposent pas des contours aussi visibles – comment, en effet, décrire une pomme par ses seuls contours ? – mais si ces éléments existent et que votre dessin soit au trait ou plus élaboré, essayez de les utiliser dans votre dessin.

L'ESQUISSE

Il n'existe pas de différence fondamentale entre le dessin et l'esquisse, mais cette dernière implique une étude rapide faite soit pour le plaisir, soit pour servir de référence ultérieure ; le dessin, quant à lui, pourra être une œuvre achevée contenant sa propre esthétique.

LA COLLECTE DU MATÉRIEL VISUEL

Les artistes consultent souvent leurs carnets d'esquisses à la recherche d'idées de composition ou pour se rappeler un paysage entrevu. Plus nombreuses sont les esquisses, plus riche est le matériel de référence. En outre, l'esquisse développe les dons d'observation. Dans certains cas, les esquisses sont précisément destinées à rassembler un maximum de matériel en vue d'une composition ultérieure.

Selon le type de travail projeté, l'on choisira les esquisses colorées ou les croquis au trait. Il est pratiquement impossible de réaliser une peinture à partir d'un croquis au trait ; en effet, vous ne vous souviendrez plus de la cou-

Le choix d'un carnet de croquis
(Ci-dessus) *Vous le choisirez en fonction de votre technique de prédilection et du genre de notes que vous désirez y consigner. Certains artistes en utilisent plusieurs. Les carnets de Picasso fournissent une mine d'informations sur la genèse de ses œuvres. John Townend utilise un grand carnet pour le crayon de couleur, et un plus petit pour les croquis à la plume.*

Esquisse avant peinture
(Ci-contre) *Cette esquisse de Stephen Crowther représente l'étape préparatoire à une peinture à l'huile, et l'artiste y a noté de nombreuses indications sur les couleurs. La reliure en spirale lui permet de détacher la page et de l'épingler sur son chevalet.*

Choisir son outil
(À l'extrême gauche) *En extérieur, il est recommandé de disposer d'un choix de différents instruments qui permettront de s'adapter au thème qui se présentera. Pour les paysages, John Townend préfère le crayon de couleur, mais il privilégie l'encre pour les sujets architecturaux, dans lesquels la couleur passe au second plan.*

La collecte de sujets
(Ci-contre) *David Cuthbert ne réalise pas ses esquisses avec une idée de tableau en tête ; il se promène avec plusieurs carnets dans lesquels il note tout ce qu'il voit, et complète même sa documentation en prenant des photos ; ainsi dispose-t-il d'un fonds d'idées à exploiter.*

Les notes sur la couleur
(Ci-dessous) *Gerry Baptist travaille surtout à l'acrylique, en utilisant des couleurs vives. Ses esquisses à l'aquarelle rendent compte de ses préoccupations artistiques ; une esquisse monochrome au crayon ne fournirait pas les informations nécessaires à ses peintures.*

leur du ciel, ni de la répartition des zones claires et sombres.

Il est recommandé de noter, sur les esquisses, le maximum d'informations utiles. Si vous manquez de temps pour exécuter une esquisse en couleurs, n'hésitez pas à les noter directement sur l'esquisse – n'écrivez pas simplement bleu ou vert, mais essayez de définir chaque ton avec davantage de précision. En outre, souvenez-vous qu'une esquisse au crayon de couleur, par exemple, sera très difficile à transposer à l'aquarelle ou à l'huile.

Le matériel

Pour réaliser une esquisse, tout matériel pourra convenir. Le crayon est un bon outil puisqu'il permet de rendre aussi bien les traits, les volumes que les nuances. La plume et l'encre peuvent être employées pour les petits formats mais resteront en deçà des possibilités du crayon pour le rendu des nuances. Les crayons de couleur seront naturellement plus adaptés aux esquisses en couleurs, tout comme les pastels, secs ou à l'huile.

Aucune de ces techniques ne convient cependant aux petits formats. On peut acheter du papier à esquisse prédécoupé en pochettes ou fixer de grandes feuilles de papier sur une planche à dessin.

Les carnets de croquis, contenant généralement du papier à grain assez épais, se présentent en différents formats. Sauf volonté délibérée, ne vous laissez pas tenter, du moins au début, par un format trop étriqué.

Étude

Le modèle vivant

Les professeurs de dessin disent souvent : « Si vous savez peindre un modèle vivant, vous savez tout peindre » et, en effet, la personne humaine est l'un des sujets les plus difficiles à représenter. L'étude du corps humain a toujours constitué le centre de toute formation artistique bien comprise. Aujourd'hui, malgré un certain désintérêt pour cette discipline, du moins dans les écoles d'art, les amateurs se pressent dans les académies, et des professionnels y retournent de temps à autre pour réviser ou entretenir leur savoir-faire.

Si vous avez l'intention de vous limiter aux modèles habillés ou au portrait, la fréquentation d'une académie ne sera pas indispensable ; une personne de votre entourage acceptera sûrement de poser pour vous et vous pourrez aussi aborder l'autoportrait en vous regardant dans une glace. Pour les études de nus, il sera préférable de disposer d'un modèle confirmé (vous pourrez partager les frais avec des amis ou des collègues) et d'un local de bonnes dimensions ; ce qui fait de l'atelier d'une académie de dessin le lieu le plus approprié.

Les proportions

Pour l'essentiel, l'apprentissage du dessin vient de l'expérience et non de la lecture d'ouvrages spécialisés ; cependant, les livres pourront vous éviter certaines erreurs grossières. Lorsqu'un dessin de nu est raté, c'est le plus souvent parce que les principes régissant les proportions ne sont pas bien compris. Certes, chaque modèle possédera ses propres proportions mais quelques règles de base sous-tendent ce type de travail. Elles vous éviteront de dessiner des têtes ou des pieds trop petits – une erreur fréquente – et vous aideront à comprendre les particularités du modèle que vous dessinez.

Tout en tenant compte des variations individuelles, le corps humain mesure approxima-

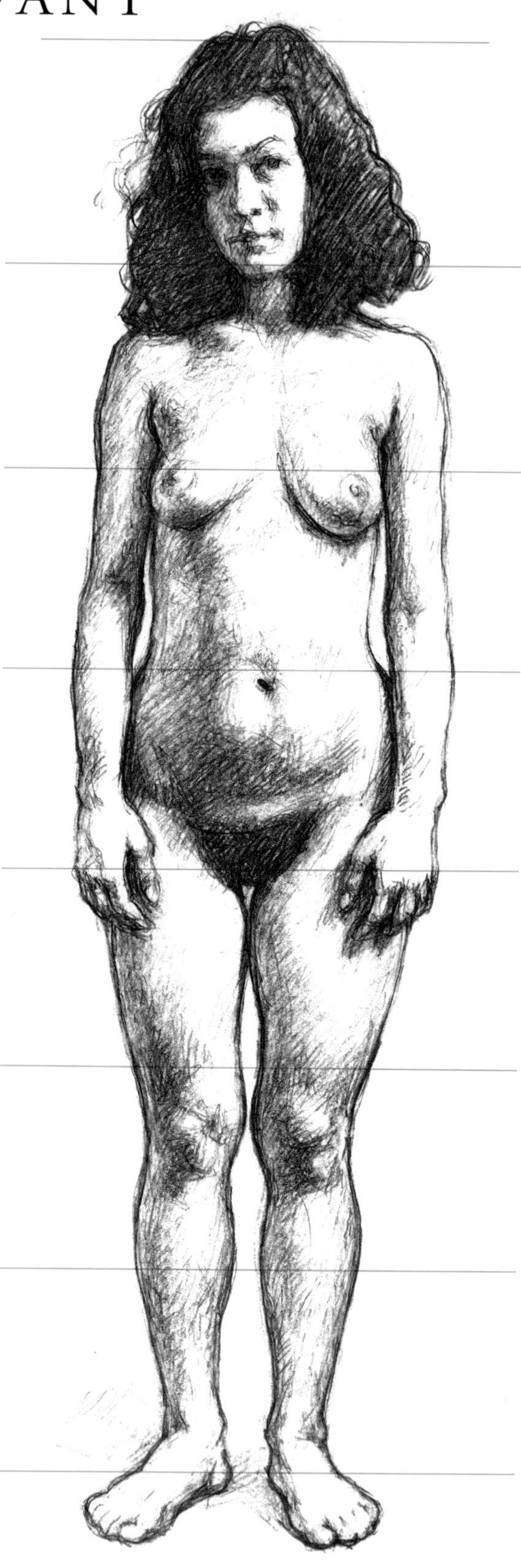

Les proportions
La hauteur du corps correspond environ à sept têtes et demie, mais il existe de nombreuses variations ; la tête de ce modèle est relativement grande. L'observation attentive des proportions propres à chaque individu garantira l'authenticité de vos dessins.

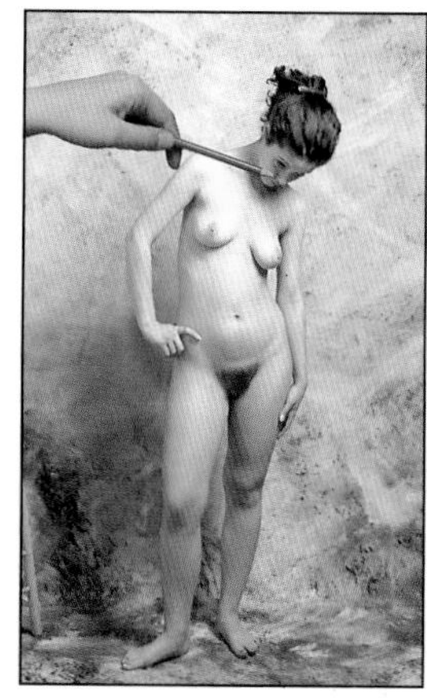

Détermination des angles
Dans une telle pose, la pente des épaules et des hanches est d'un intérêt majeur. Un crayon tenu à bout de bras permettra d'en déterminer l'inclinaison ; il suffira ensuite de reporter cet angle sur le papier.

Répartition des masses
L'axe central est primordial dans une pose debout ; on peut le déterminer à l'aide d'un fil à plomb, comme ci-dessus. Cette méthode est plus fiable que celle du crayon, où le risque de s'écarter de la verticale est assez important.

tivement sept têtes et demie. Le milieu du corps se situe légèrement au-dessus des parties génitales, le quart supérieur au-dessus des mamelons et le quart inférieur juste sous les genoux. Si les bras pendent librement, les poignets se trouveront en dessous du milieu du corps, le bout des doigts atteignant le milieu de la cuisse. La main a à peu près la même taille que le visage, du menton au front – ce que vous vérifierez en vous couvrant le visage d'une de vos mains – et le pied mesure à peu près l'équivalent de la tête.

Le raccourci

Dans le modèle vivant, la tête sert toujours d'étalon, dans le système des mesures comparatives. Ses mesures deviennent particulièrement importantes si le corps, ou certaines de ses parties, est vu en raccourci. Le raccourci est un effet de perspective qui a pour résultat un grossissement apparent des parties visibles les plus proches ; chez un personnage couché, les pieds, au premier plan paraîtront énormes et les jambes très courtes. La difficulté de rendu d'un raccourci vient en partie de ce que l'on connaît instinctivement la longueur approximative d'une jambe et que la vision que présente le raccourci paraît monstrueuse.

Le raccourci est généralement présent, à des degrés divers, dans tout dessin de modèle vivant. Ses effets étant souvent déconcertants, il est indispensable de s'appuyer sur un système de mesures rigoureux. Lorsque vous dessinez, tenez votre crayon à bout de bras pour comparer les longueurs et les largeurs relatives des différentes parties du corps, en prenant toujours la tête comme unité de mesure.

Équilibre des masses

La méthode du crayon tendu permettra également de déterminer les angles, autre source de problèmes. C'est souvent dans l'angle des épaules ou l'inclinaison d'une hanche que se

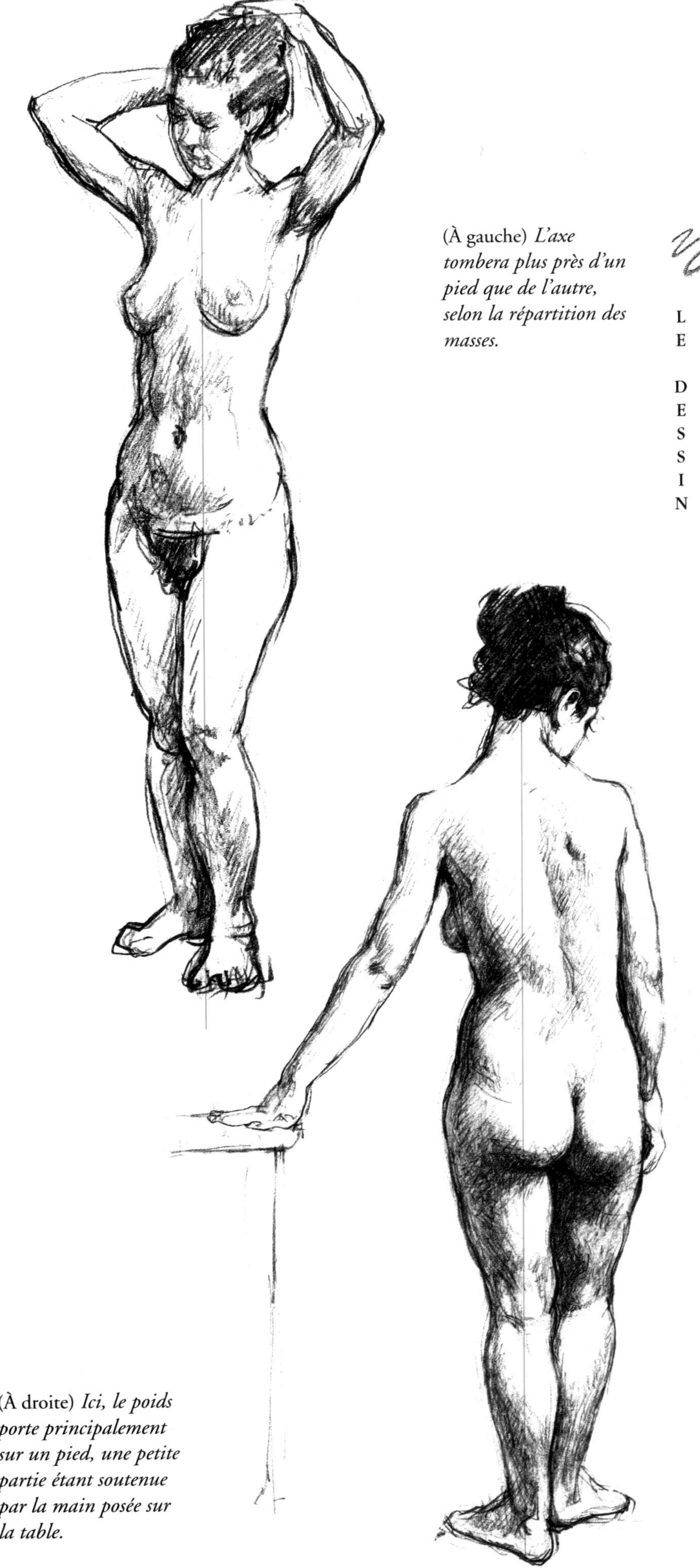

(À gauche) *L'axe tombera plus près d'un pied que de l'autre, selon la répartition des masses.*

(À droite) *Ici, le poids porte principalement sur un pied, une petite partie étant soutenue par la main posée sur la table.*

Saisir le mouvement
(À droite) *Pour réussir l'étude d'un corps en mouvement, sujet difficile mais gratifiant, choisissez une technique qui laisse de côté la recherche du détail. Dans* Balancement de bras, *Hil Scott a dessiné au pinceau et à l'encre de Chine diluée, en ajoutant quelques touches de fusain. La technique, très sobre, n'en donne pas moins un résultat d'une grande élégance.*

(À gauche) *Ici, le poids est partagé entre le bras et la jambe droits. L'épaule et les hanches prennent des inclinaisons opposées.*

(Ci-dessous) *Dans cette position, les pieds supportent très peu de poids, ce qui déporte totalement l'axe.*

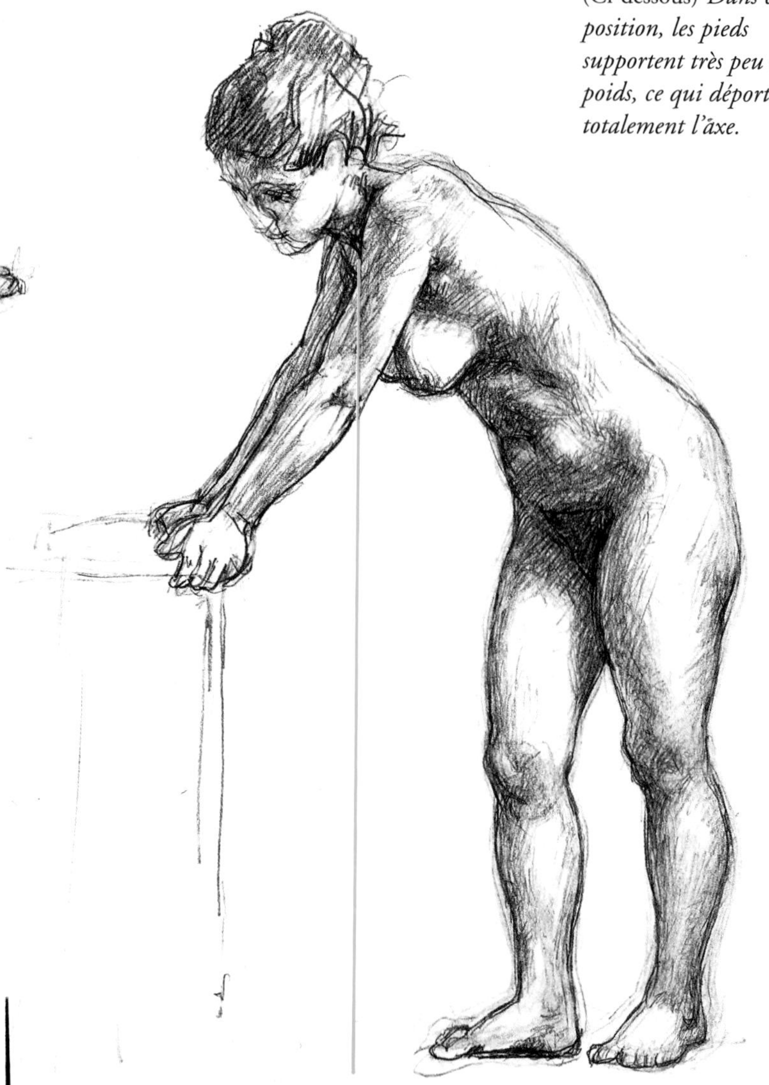

trouve la clé d'une attitude. Lorsque le modèle se tient debout, le poids du corps reposant sur une jambe, épaules et hanches sont inclinées dans des directions opposées ; dès qu'une partie du corps s'anime, une autre compense ce mouvement de manière à rétablir l'équilibre. Alignez votre crayon sur la ligne de l'épaule ou de la hanche puis, lentement, abaissez-le sur le papier et tracez l'angle qui vous servira de guide.

Pour une position debout, la définition des axes verticaux peut être utile ; ils vous donneront la position des pieds par rapport à la tête et au corps. Cette position est essentielle car elle donnera à votre dessin son degré de crédibilité, grâce à la répartition des masses ; ce sont, en effet, les pieds qui portent tout le poids du corps.

Le choix de la technique
(À droite) *Il est difficile d'immobiliser longtemps des enfants qui sont, on le sait, remuants. Il vaut mieux choisir une technique facilitant un travail rapide. Ted Gould a utilisé la craie Conté pour cette* Mère à l'enfant, *où, par quelques touches vives, forme et détails sont habilement suggérés.*

Les axes sont tracés jusqu'aux pieds, à partir du milieu du cou pour une vue de face ou arrière, et du milieu de l'oreille pour une vue de profil ou de trois quarts.

Si les masses du corps sont régulièrement réparties, l'axe tombera exactement entre les pieds, mais si la majeure partie de ces masses porte sur une seule jambe, l'axe sera naturellement plus proche du pied porteur.

Le fil à plomb – qui peut consister en une simple gomme pendant au bout d'une ficelle – sera l'instrument privilégié de ce type de mesures.

L'influence de la répartition des masses sur l'assiette du corps est moins évidente en position assise, mais il est également important de l'identifier, faute de quoi le dessin donnera une impression de raideur et manquera ainsi de naturel. Vous utiliserez pour cela le même système d'axes ou une ligne verticale centrale

Le personnage debout
(À droite) *Comme on l'a évoqué dans les pages précédentes, analyser la pose, comprendre comment se répartissent les masses du corps et saisir l'incidence de tel ou tel mouvement sur le corps est primordial. Dans ces deux lavis, James Horton exprime magnifiquement et le mouvement du corps et la répartition harmonieuse des masses.*

La composition
(À gauche) *On peut dessiner pour s'exercer ou pour saisir en un croquis une attitude fugitive. Mais un dessin peut servir ultérieurement à la réalisation d'une œuvre plus ambitieuse, d'où l'importance qu'il faut accorder à la composition.* Mon père à la lampe*, de Paul Bartlett, est aussi rigoureusement composé qu'une peinture : les courbes douces du modèle et de la chaise sont équilibrées par les lignes sèches de l'écritoire et de l'abat-jour sombre.*

reliée aux pieds, à la tête et aux différentes parties du torse.

Le modèle habillé

L'étude de modèles habillés est plus simple, en partie parce qu'il y a plus d'occasions de s'exercer. En effet, le concours d'un modèle professionnel n'est pas nécessaire puisque, dans la limite de croquis rapides, n'importe quelle personne fera l'affaire.

Pour des études plus complètes et plus détaillées, vous devrez faire appel à des amis et à des membres de votre famille. En fait, beaucoup de gens sont flattés qu'on leur demande de poser.

Le vêtement définira dans ses grandes lignes les formes qu'il recouvre mais il peut tout aussi bien les masquer, entraînant une confusion qui induit en erreur.

Un vêtement mince, par exemple, ne cachera presque rien du corps, tandis qu'un ample manteau dissimulera assez bien les formes et l'attitude de celui qui le porte. Dans ce cas, il faut chercher des repères, tels l'angle d'un poignet et celui d'une main, la courbe d'un coude ou celle d'une épaule.

Quel que soit le vêtement porté, essayez avant toute chose de visualiser le corps qu'il recouvre.

Analysez la pose exactement comme vous le feriez pour une étude de nu, en prenant des mesures et en vérifiant l'alignement de la tête, des épaules, des pieds et peut-être en traçant quelques lignes de repère pour marquer les points clés, même s'ils sont invisibles. Les vêtements prennent souvent des formes compliquées et il arrive que l'on s'acharne à transposer leur arrangement au point d'en négliger le modèle lui-même.

Volumes arrondis
(Ci-dessus) *Ce simple crayon d'Elisabeth Harden exalte superbement les formes rondes et féminines du modèle dont la pose détendue est décrite par un trait fluide, sans aucun angle aigu.*

Formes contrastées
(À gauche) *Dans ce pastel intitulé* Elly, *David Cuthbert propose une intéressante composition qui sacrifie le détail pour privilégier les rapports de formes – les courbes des membres faisant contrepoint aux lignes plus raides du vêtement et de la chaise.*

Le traitement de la lumière
(À droite) *Les formes sont définies par la lumière qui les frappe ; aussi est-il utile, dans l'étude d'un modèle, de disposer d'une source de lumière puissante. Dans ce fusain, simple et fort, de Gerry Baptist, la lumière vient d'un seul côté, légèrement en arrière du modèle, et dessine un doux éclairage sur les épaules, sur la hanche et le long de la jambe.*

Étude de modèle

LEÇON DE PASTEL

James Horton est avant tout un peintre paysagiste qui travaille à l'huile mais, pour ses dessins, il utilise souvent le pastel, qu'il trouve particulièrement bien adapté aux personnages. Le pastel est excellent aussi bien pour le dessin que pour la peinture. Horton en exploite également les qualités de trait, disposant ses couleurs par hachures successives très distinctes les unes des autres.

1 *Comme le pastel s'efface difficilement, il est important de tracer, dès le début, un dessin très précis. James Horton l'exécute au fusain compressé car il ne faut pas utiliser la mine de graphite, incompatible avec la nature du pastel.*

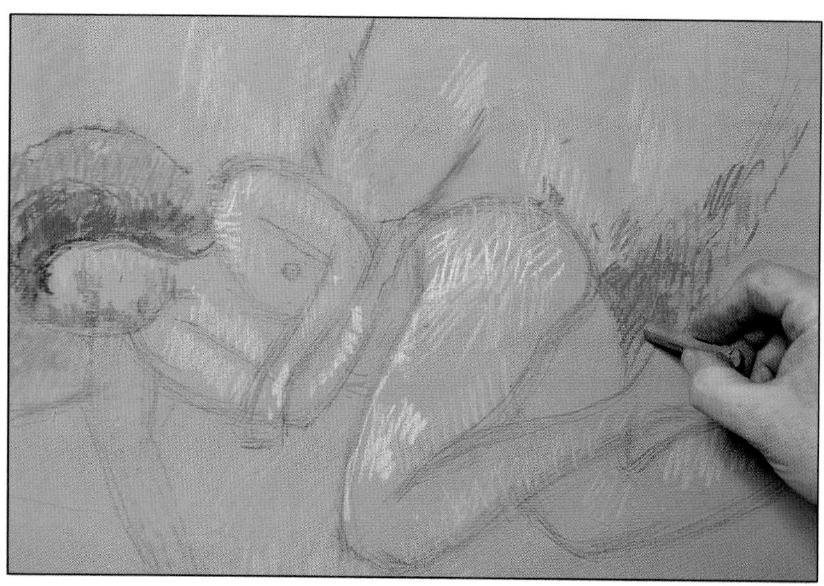

2 *L'artiste pose quelques taches de couleur, en commençant à lier les couleurs vives de l'arrière-plan et les teintes plus subtiles de la chair. Le papier Ingres de couleur donne une teinte neutre qui permet de travailler plus facilement les rehauts et d'éviter la surcharge des parties sombres.*

3 *Cette étape illustre clairement la technique du hachurage. L'artiste tient le pastel avec délicatesse et prend soin de moduler l'orientation des hachures.*

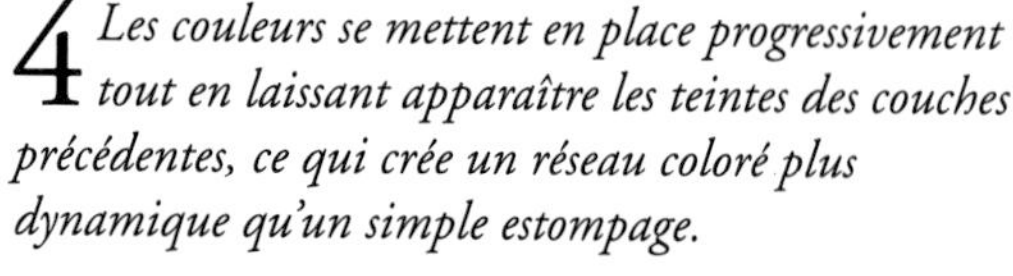

4 *Les couleurs se mettent en place progressivement tout en laissant apparaître les teintes des couches précédentes, ce qui crée un réseau coloré plus dynamique qu'un simple estompage.*

5 *À ce stade, de nombreuses parties de la feuille de papier sont encore nues, mais il n'est pas nécessaire de les recouvrir puisque le brun léger du papier est très proche des ombres sur la peau. Le choix de la teinte du papier est une composante importante du travail au pastel.*

6 *Le fusain compressé est à nouveau utilisé pour foncer la chevelure et donner du mordant au dessin. Le fusain se marie très bien avec le pastel ; il peut d'ailleurs remplacer avec bonheur le pastel noir, qui donne parfois un trait trop affirmé.*

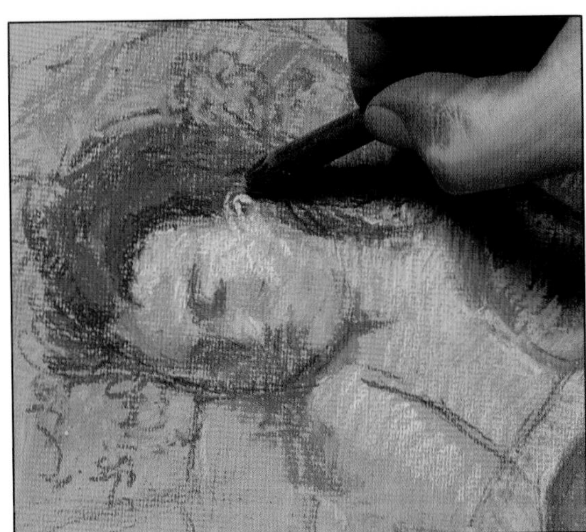

7 (Ci-dessus) *La mise en place des couleurs sombres et des détails se poursuit ; la ligne du bras est soulignée au pastel brun. Sur l'épaule est encore un peu visible le dessin d'origine au fusain. Il a été accentué par des courbes de pastel rouge-brun.*

8 (Ci-dessous) *L'artiste n'a traité ni le fond ni le premier-plan en détail mais il s'est, concentré sur les tons chauds, dorés, du corps. Le dégradé, par lequel le centre d'intérêt du dessin se détache d'un environnement coloré du même ton que le fond, est une technique bien connue du dessin au pastel.*

Étude

Les animaux

Sauvages ou domestiques, les animaux, si plaisants à observer, constituent un thème inépuisable pour l'artiste. Malheureusement, ce ne sont pas les modèles les plus coopératifs. Même les chats, qui pourtant passent le plus clair de leur temps à dormir, ont curieusement tendance à s'étirer et à partir se promener dès que l'on saisit un carnet de croquis. Les animaux n'en sont pas moins fascinants et vous ne regretterez jamais de les avoir choisis comme sujet.

Observation et croquis

Comme pour tout ce qui concerne le dessin, le secret de la réussite réside dans une observation attentive des détails, dans la volonté de ne pas se laisser décourager et, point aussi très important, dans la faculté d'adapter sa technique au sujet qui se présente. Souvenez-vous, par ailleurs, qu'une bonne esquisse est souvent plus parlante qu'une accumulation de détails superflus.

Pour croquer un sujet en quelques minutes, voire quelques secondes, une certaine habitude est nécessaire. Mais, même si vos premières esquisses ne sont pas de pures réussites, vous aurez, grâce à elles, développé vos dons d'observation – c'est à ce prix que vous progresserez dans votre travail artistique. Utilisez toujours un outil que vous connaissez bien et qui vous permettra de travailler rapidement.

Les mouvements répétitifs

Dans l'esquisse, la mémoire visuelle est l'élément primordial. Si le mouvement est rapide, l'œil ne parvient pas à le suivre et, à aucun moment, vous n'aurez donc l'opportunité de vous dire : « Voilà donc comment fonctionnent les pattes. » Il est intéressant de noter que George Stubbs, peintre anglais du XVIIIe siècle, spécialisé dans les chevaux, était incapable de les reproduire en mouvement de manière convaincante ; en France, au XIXe siècle,

La texture
*Qu'il s'agisse d'un pelage rude et broussailleux, d'une fourrure soyeuse ou d'un plumage lustré, le rendu de la texture représente l'un des aspects les plus délicats du dessin animalier. Il est quasiment impossible, avec des animaux en mouvement, de s'en préoccuper, d'où l'importance du travail à partir de photographies ou, comme le fit le sculpteur et peintre français Antoine Barye au XIXe siècle, de spécimens du Muséum et de ménageries. Ci-dessus, l'*Oiseau mort *a permis à l'artiste Robert Maxwell Wood de tourner la difficulté pour étudier à loisir cet excellent thème.*

Le rythme et le mouvement
(Ci-dessus) *Dans toute étude de personnages ou d'animaux, il est impératif d'en traduire la dynamique spécifique, tant à l'arrêt qu'en mouvement ; aussi le choix d'un outil qui permette de travailler rapidement et librement est-il essentiel. Cette* Étude de chat, *de Judy Martin, est un dessin de grandes dimensions. L'artiste, qui aime avoir les coudées franches, a travaillé directement au pinceau et à la peinture acrylique. L'orientation en diagonale de l'animal et la courbe de la queue qui fouette donnent une très puissante impression de mouvement.*

Forme et motif
(À droite) *Ce dessin au crayon est une étude préliminaire à une gravure. L'aspect tridimensionnel est moins important que la répartition des masses. Ce qui a d'abord attiré Elisabeth Harden vers ce sujet, c'est le motif du pelage, qu'elle a mis en valeur par des ombres et des contours marqués.*

Croquis multiples
(À l'extrême droite) *La variété des mouvements chez un animal incite souvent l'artiste à exécuter simultanément plusieurs croquis sur une même page et à posséder, ainsi, une vision synthétique de son sujet. C'est ce que Vicky Lowe a réalisé ici, pour ces lapins représentés au lavis. Cette technique est d'une grande ressource sur le plan pratique, car elle permet d'aller d'un croquis à l'autre dès que le sujet bouge ; elle offre aussi, par sa dynamique même, l'impression très vivante du dessin animé.*

le *Derby d'Epsom*, de Géricault, qui eut un immense succès, représentait en fait les chevaux dans une attitude erronée. Ce n'est qu'avec l'invention de la photographie et les études chronophotographiques de Marey que furent correctement décomposés les mouvements du cheval. Il est beaucoup plus facile, aujourd'hui, d'apprécier le caractère répétitif des mouvements chez la plupart des animaux. Généralement, l'artiste jette sur une page de carnet plusieurs croquis du même animal dans des attitudes diverses, pour disposer des notations visuelles le plus complètes possible.

La référence photographique

Depuis sa découverte au XIXe siècle, la photographie joue un rôle important dans le dessin et la peinture. Pour dessiner des animaux sauvages – qui s'approchent rarement quand on les appelle et prennent encore moins la pose – la photographie est généralement le seul recours possible.

Suivi du mouvement
(À gauche) *Même lorsqu'ils broutent paisiblement, les animaux modifient sans cesse leur posture, passant parfois imperceptiblement d'un point d'appui sur l'autre. Il est vain de recommencer à chaque fois un nouveau dessin ; au contraire, suivez l'exemple de Karen Raney, qui, dans* Chevaux français, *repasse sans crainte sur le trait précédent. En effet, comme on peut le voir, elle commence par un trait et un lavis subtils, attendant le dernier moment pour reprendre la position des membres et des pattes.*

Leçon de crayon de couleur

Judy Martin n'est pas un peintre animalier professionnel ; elle se définit même d'abord comme un peintre abstrait. Cependant, elle a toujours été fascinée par les animaux, qui, à une certaine époque, constituaient presque son seul répertoire. De loin en loin, elle y revient avec plaisir, travaillant surtout à partir de photographies qu'elle interprète avec une sensibilité très personnelle. Ici, par exemple, c'est une photographie de chat qui a servi de base ; le décor, lui, est purement imaginaire.

1 Ici, l'artiste travaille au crayon-aquarelle sur du papier aquarelle. Elle commence par placer quelques traits légers qu'elle travaille ensuite comme un lavis. Elle adoucit ainsi le trait sans le dénaturer.

2 Il est également possible de tremper la mine du crayon dans l'eau avant de l'utiliser. La couleur obtenue est plus saturée, moins transparente.

3 Avec des crayons secs, les couleurs foncées doivent être progressivement assombries ; avec les crayons-aquarelle, il est plus facile de les mettre très tôt en place.

4 Ayant défini les tons sombres et clairs, l'artiste peut désormais penser à l'arrière-plan. Une surface de couleur et de texture très différentes est nécessaire à gauche, en contrepoint de l'animal ; c'est un crayon sec qui est ici utilisé.

5 Des bruns-rouges ont été introduits au crayon sec pour accentuer l'effet de fourrure. Un crayon gris humide donne de la douceur aux poils de la queue.

7 (À droite) *La réalisation d'un motif compliqué est un travail laborieux, sujet à de nombreuses erreurs ; pour les éviter, on fait un patron de toute cette partie que l'on décalque sur la surface à garnir.*

6 (Ci-dessus) *La surface bleu sombre de l'arrière-plan a été renforcée par des hachures croisées noires, et un tissu imprimé (qui n'existait pas sur la photographie) a été imaginé pour colorer le premier plan. Comme il est difficile de travailler sans référence visuelle, c'est un échantillon de la collection de tissus de l'artiste qui a fourni l'idée du motif.*

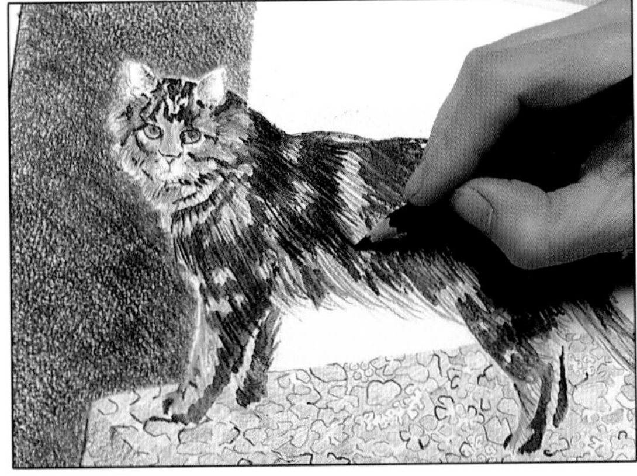

8 *Lorsque l'arrière-plan et l'imprimé sont terminés, l'artiste revient au sujet principal pour en fignoler les détails de texture, à l'aide de crayons secs et mouillés.*

9 *Enfin, pour marquer les moustaches, elle utilise de la gouache blanche et un petit pinceau. Les crayons de couleur sont beaucoup moins opaques que les pastels ou la gouache ; c'est pourquoi il est impossible de dessiner au crayon sur les tons sombres.*

10 *Dans tout dessin, la composition est aussi importante que le bon rendu du sujet ; ici, un parti rigoureux a permis d'équilibrer l'ensemble en opposant la silhouette allongée du chat au tissu imprimé et au rectangle sombre.*

Étude

Les bâtiments

Atmosphères ou styles architecturaux, l'environnement urbain fournit une mine de sujets passionnants. On pense souvent que les dessins d'architecture demandent des compétences particulières mais, si les rendus techniques sont effectivement des réalisations très délicates, qui restent du domaine des professionnels, bâtiments et paysages urbains ne présentent pas plus de difficultés que tout autre sujet ; toutes proportions gardées, ils sont sans doute même plus faciles à exécuter qu'une étude de nu. Dans ce domaine, le terme de perspective – qui effraie la majorité des profanes – apparaît comme redoutable ; chacun sait que cette discipline repose sur des principes mathématiques rigoureux et de trop vagues souvenirs de géométrie suffisent à éveiller en nous crainte et découragement.

Les parallèles convergentes

Il est exact que les lois de la perspective ont été élaborées à partir de lois mathématiques mais il est faux de penser qu'elles ne peuvent être comprises de personnes ignorant tout de ce domaine. Les règles de base en sont très simples et leur évidence saute aux yeux. Chacun d'entre nous a déjà voyagé en voiture ou s'est promené le long d'une route droite ; il aura noté que les deux bords de la chaussée semblent se rejoindre à l'horizon. Cette rencontre apparente de deux parallèles est l'un des nombreux paradoxes de la perception – il s'agit en réalité d'une illusion d'optique –, et le dessin transcrit fidèlement ce que nous voyons. Sans perspective, nous serions incapables de traduire sur une feuille de papier notre perception réelle à trois dimensions.

Puisque les parallèles semblent se rapprocher sans se rejoindre, il s'ensuit que plus les choses seront petites plus elles seront éloignées. Imaginez le long d'une rue une série de bâtiments identiques. Si l'on trace une ligne reliant le sommet des toits et une autre reliant la base des portes, elles formeront de la même manière deux parallèles qui s'éloignent et semblent se rejoindre au loin, comme les deux côtés de la route ; les maisons semblent devenir de plus en plus petites. Cet effet est bien connu de chacun.

Les points de fuite

Le point où les parallèles semblent se rejoindre est, pour des raisons évidentes, appelé point de fuite et se situe sur une ligne imaginaire, l'horizon. Ce point est le plus important de tout le dessin car, si l'horizon est une ligne imaginaire, celle-ci n'est pas pour autant arbitraire – elle correspond en fait à votre vision à hauteur d'œil. C'est pourquoi, dès que l'on change de point de vue – si peu que ce soit –, la perspective change. Il suffit

Point de fuite médian
(Ci-dessus) *Le dessin a été réalisé à partir d'une position médiane ; le point de fuite est situé au centre et les parallèles fuient vers la ligne d'horizon, à hauteur d'œil. En réalité, les lignes de fuite du haut ne sont pas exactes – elles devraient plonger plus brutalement – mais, pour une meilleure perception, il est souvent préférable de s'accommoder de petites inexactitudes de perspective.*

Point de vue mobile
(À droite) *L'artiste s'est déplacé sur la gauche pour mieux voir le mur de droite ; le point de fuite a lui aussi changé de position. L'horizon demeure constant puisque ce dessin est à la même hauteur d'œil que le précédent.*

qu'assis, vous décidiez de vous lever, pour que votre horizon change, et avec lui le point de fuite et la direction des parallèles.

Bien sûr, en matière de représentation artistique, ce n'est pas aussi simple : selon l'angle, on se trouve devant deux points de fuite différents, parfois plus. S'il s'agit d'un angle de bâtiment, les deux plans des murs paraîtront s'éloigner, de sorte que les lignes parallèles reliant les sommets et celles reliant les bases se rejoindront en deux points de fuite séparés. Dans une ville ancienne ou un village, les maisons sont souvent construites selon des orientations capricieuses, ce qui mulitipliera d'autant les points de fuite.

La perspective de l'œil

Il est parfois impossible d'établir la position exacte de chaque point de fuite mais il est cependant important de situer la ligne d'horizon et, si possible, le point de fuite d'un bâtiment clé. Procédez en alignant un crayon ou une règle sur la ligne supérieure du toit, le sommet des fenêtres ou d'autres éléments caractéristiques.

Deux points de fuite
(À gauche) *La majorité des sujets architecturaux présentent au moins deux points de fuite, en fonction de l'angle sous lequel on les regarde. Ici, les lignes de fuite de droite plongent plus rapidement vers l'horizon. John Townend a réalisé ces trois dessins à la plume et à l'encre.*

Suite page suivante ⇨

Perspective et proportions
(À gauche) *Dans ce dessin à la plume de Paul Bartlett, étude préliminaire à une peinture, la perspective est traitée très minutieusement, en particulier en ce qui concerne le bâtiment. Notez avec quel soin ont été reproduits chaque carreau de fenêtre, chaque brique et chaque tuile.*

Il n'est pas nécessaire d'établir avec précision tous les points de fuite – en fait, cela serait souvent impossible car plusieurs d'entre eux se situent hors du dessin – mais, pour éviter toute dérive, il faudra effectuer de loin en loin des vérifications. Faute de quoi, il suffit qu'un angle soit mal évalué au départ pour que l'ensemble du dessin s'en trouve définitivement déséquilibré. Si les traits droits ne sont pas votre point fort, n'hésitez pas à utiliser une règle, au moins dans les premières étapes du dessin. Souvenez-vous aussi qu'en architecture, les traits verticaux doivent être effectivement verticaux.

Intérieurs
(Ci-dessous) *L'intérieur d'un bâtiment est toujours intéressant à dessiner, en dehors du fait que l'on y est protégé des intempéries et des regards indiscrets. Dans* Orgues avant rénovation, *dessin à la plume, John Townend a réalisé une composition très intéressante reposant sur un jeu subtil de courbes et de diagonales.*

Volumes et couleurs
(Ci-dessous) *Les paysages urbains, caractérisés par leur grande variété, fournissent une occasion d'explorer les contrastes de volumes, de textures et de couleurs. Dans cette étude au crayon, David Cuthbert s'est surtout intéressé à la mosaïque colorée des bâtiments, du mobilier urbain, des drapeaux et des zones d'ombre.*

Échelle et proportions

Les proportions sont au moins aussi importantes que la perspective. Une bonne perspective garantira réalisme et équilibre à un dessin, mais ce sont des proportions bien observées qui lui donneront tout son caractère. Il est impensable de réaliser un portrait sans se préoccuper de la proportion des yeux par rapport au reste du visage mais, de manière assez surprenante, de nombreuses personnes ignorent

Le bâtiment comme décor
Dans Mouvement de foule, Ashton Gate, *Gerald Cain utilise plusieurs techniques (acrylique, aquarelle et encre). L'échelle choisie crée un effet d'une grande puissance et suggère une ambiance plutôt sinistre ; les personnages du premier plan écrasent le reste du décor.*

totalement l'importance à donner aux fenêtres, aux portes ou aux toits par rapport aux murs.

Lorsque l'on dessine un bâtiment prestigieux – cathédrale ou belle maison de campagne –, de tels facteurs sont naturellement pris en compte car ils constituent l'intérêt principal du sujet. Mais échelle et proportions seront encore primordiales si votre sujet est une vieille grange délabrée ou un pâté de maisons hétéroclites ; ce sont ces caractéristiques qui donneront à votre dessin toute sa force de conviction.

On évaluera la taille relative de chaque bâtiment en faisant glisser le pouce le long d'un crayon tenu à bout de bras – si l'on souhaite plus de précision, l'on pourra cependant utiliser une règle. La multiplication des mesures permettra d'assurer l'exactitude du dessin final. Il faut par ailleurs se souvenir que les lois de la perspective font paraître plus petits les espaces entre les fenêtres et les fenêtres elles-mêmes, au fur et à mesure de leur éloignement. Il faudra porter une attention particulière aux portes qui sembleront, sur le plan de la structure, peu plausibles si elles sont trop petites et incongrues si elles sont trop grandes. Rappelez-vous qu'elles sont normalement conçues pour qu'une personne de taille moyenne puisse entrer et sortir sans avoir à se baisser ou à se glisser sur le côté. Dans un paysage urbain, des personnages donneront une indication de l'échelle en même temps qu'ils créeront une atmosphère, mais assurez-vous surtout que les portes dessinées aient de justes proportions.

Composition
La représentation de la réalité sera d'autant plus juste que le travail aura été fait à partir de différentes esquisses ou photographies. Ray Evans accumule les esquisses pour disposer d'une importante documentation visuelle. Il lui arrive souvent de combiner des éléments disparates provenant de plusieurs esquisses pour obtenir un résultat original. Son Port Isaac *a été exécuté à la plume et à l'aquarelle.*

Leçon de techniques associées

Karen Raney aime expérimenter des techniques très éloignées les unes des autres. Ses sujets d'étude sont aussi variés que ses techniques mais, étant citadine, elle s'intéresse tout naturellement aux problèmes posés par les paysages urbains. Lorsqu'il ne lui est pas possible de travailler sur le vif – c'est souvent le cas en ville –, elle se sert de photographies dont elle rejette les éléments qui, à son goût, dénatureraient la composition.

1 L'artiste a l'intention d'utiliser une variante du sgraffite, associée au crayon et au crayon Conté. Elle commence par utiliser un stick à l'huile – une sorte de pastel neutre, gras et épais – qu'elle applique sur l'ensemble de la feuille. Après avoir dessiné par-dessus au crayon Conté, elle applique de nouveau le pastel sur certaines parties.

2 Le crayon Conté est étalé par pression du doigt afin de le mêler à l'huile en stick. Celle-ci ainsi que la forte texture du papier aquarelle ont adouci le trait, créant un effet d'estompe très particulier.

3 Le crayon Conté est maintenant employé de manière plus marquée sur les premières couches d'huile et de crayon. À ce stade, le dessin est encore libre ; insensiblement, les volumes se mettent en place.

4 Le crayon Conté a été appliqué en couche épaisse ; l'arête d'une carte en plastique (type carte de crédit) est utilisée pour prélever puis appliquer de nouveau le mélange d'huile et de crayon Conté, travaillé comme de la peinture à l'huile.

5 *La composition émerge progressivement. L'artiste souhaite arranger le premier plan avant de décider du nombre de bâtiments à l'arrière-plan. À présent, elle utilise un crayon tendre pour indiquer un bâtiment plus éloigné.*

6 (À droite) *Les détails sont réservés aux dernières étapes ; à ce stade, l'artiste se concentre sur la composition, les grandes perspectives et la répartition des ombres et des lumières.*

7 *Certains traits sont renforcés au crayon tendre. On voit assez nettement l'effet du grattage à la carte en plastique, particulièrement au premier plan.*

8 *Une application supplémentaire d'huile en stick est de nouveau mélangée au crayon Conté pour obtenir une pâte malléable pouvant être travaillée.*

Suite page suivante ⇨

9 *La carte en plastique est utilisée pour travailler la pâte. L'effet obtenu rappelle une peinture au pinceau, l'angle de la carte produisant une trace épaisse et sombre.*

10 (À droite) *L'œuvre est suffisamment avancée pour envisager de traiter les détails. Pour cela, l'artiste utilise un crayon 2B, appliqué avec force afin d'entamer la mince couche d'huile.*

11 *Pour suggérer la texture du bâtiment de gauche, l'artiste a appliqué une nouvelle couche d'huile en stick et dessiné par-dessus avec un crayon léger pour n'entamer que partiellement la couche huileuse.*

12 (Ci-dessus) *Dernière touche à la gouache blanche, dont l'effet complémentaire est d'éclaircir une zone jusqu'alors trop sombre.*

13 *Ayant achevé les détails du premier plan, l'artiste traite à présent ceux de l'arrière-plan, qu'elle devra atténuer pour suggérer l'éloignement ; à cette fin, elle estompe le mélange d'huile et de crayon Conté au doigt.*

14 (À droite) *Le dessin terminé ne se limite pas seulement à l'évocation d'un paysage urbain ; il présente aussi un très grand intérêt sur le plan technique. Les couches successives et le travail de la pâte offrent une superbe texture et des nuances qui donnent à ce dessin la richesse d'une eau-forte*

L'aquarelle

Introduction

L'AQUARELLE

Depuis le XIXe siècle, l'aquarelle est, sans conteste, la technique la plus répandue chez les peintres amateurs. Il est facile d'imaginer pourquoi. Elle prit véritablement son essor, en Grande-Bretagne à l'époque victorienne, en France au Second Empire, pour les petits paysages d'après nature. Paysages et fleurs étaient alors – ils le sont toujours – les sujets les plus représentés ; par sa fluidité, sa transparence et sa délicatesse, l'aquarelle se prête particulièrement bien à l'un comme à l'autre.

Cette technique ne séduit pas que les amateurs. De très nombreux artistes professionnels pratiquent l'aquarelle, l'employant d'ailleurs pour d'autres sujets : portraits, nus, natures mortes, paysages urbains, etc.

HISTOIRE DE L'AQUARELLE

Le goût des artistes pour cette technique remonte bien au-delà du XIXe siècle, puisque les paysages d'Albrecht Dürer (1471-1528) comptent parmi les œuvres les plus anciennes. Comme les aquarelles ne peuvent être exposées longtemps à la lumière, dans les musées, on les consulte dans les cabinets de dessins, et l'on oublie que cette technique a donné d'authentiques chefs-d'œuvre. De plus, la bourgeoisie de la fin du XIXe siècle aimait se faire représenter et les portraits, peints à l'huile,

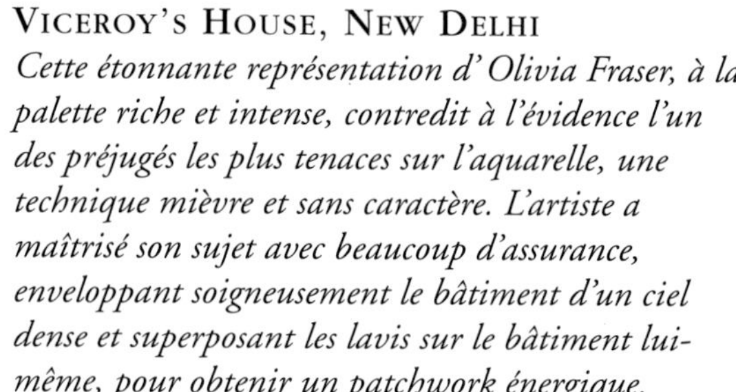

VICEROY'S HOUSE, NEW DELHI
Cette étonnante représentation d'Olivia Fraser, à la palette riche et intense, contredit à l'évidence l'un des préjugés les plus tenaces sur l'aquarelle, une technique mièvre et sans caractère. L'artiste a maîtrisé son sujet avec beaucoup d'assurance, enveloppant soigneusement le bâtiment d'un ciel dense et superposant les lavis sur le bâtiment lui-même, pour obtenir un patchwork énergique.

(Ci-contre) *La plupart des aquarellistes disposent d'un choix de couleurs en tubes et en godets.*

Nature morte aux chandelles

John Lidzey aime le côté imprévu de l'aquarelle ; il apprécie que les couleurs se mêlent les unes aux autres, formant taches et traînées. Pourtant, même si cette nature morte présente un aspect spontané, tant dans la disposition que dans la manière, l'artiste a choisi et placé ses objets de façon à obtenir une composition bien équilibrée. Avec un tampon de coton, il maîtrise les coulures indésirables et pose ici et là quelques délicats rehauts, comme sur les flammes des bougies et la matière du verre.

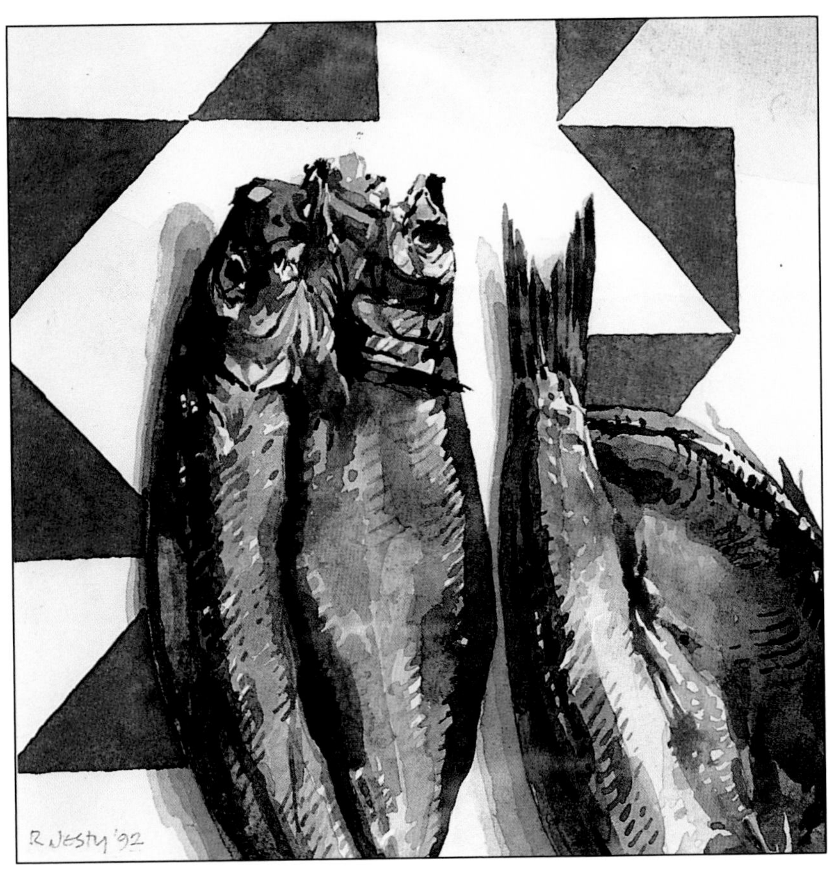

Harengs saurs

L'approche et la technique de Ronald Jesty, dans cette nature morte, sont très éloignées de celles de John Lidzey. Ici, pas de grandes éclaboussures, pas de traînées dues au hasard ; au contraire, chaque bordure a été méticuleusement délimitée. L'artiste, qui affectionne les points de vue originaux, a souhaité opposer deux dynamiques : celle mordorée des harengs et celle, stricte à l'excès, du fond.

Intérieur bleu
Les représentations d'intérieur font partie des natures mortes, bien que le thème en soit plus large puisqu'on montre les objets dans leur environnement domestique. Composition et perspective sont dès lors plus importantes que dans une simple nature morte. Elisabeth Harden commence par un croquis sommaire pour mettre en place sa composition puis exécute un dessin précis et soigné.

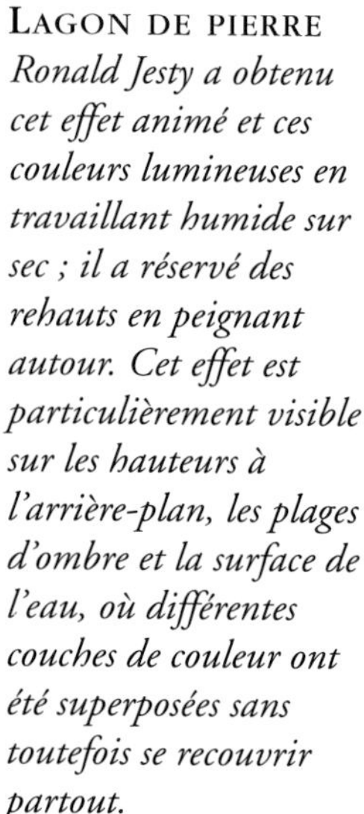

Lagon de pierre
Ronald Jesty a obtenu cet effet animé et ces couleurs lumineuses en travaillant humide sur sec ; il a réservé des rehauts en peignant autour. Cet effet est particulièrement visible sur les hauteurs à l'arrière-plan, les plages d'ombre et la surface de l'eau, où différentes couches de couleur ont été superposées sans toutefois se recouvrir partout.

faisaient partie du décor du salon. Mais à l'image de celui-ci, ils étaient de format imposant, ce qui est, il faut le reconnaître, difficile à réaliser en aquarelle, qui sert à des œuvres plus intimes ou à des esquisses préparatoires.

Exception à cette règle, une école de peintres anglais du XIXe siècle, qui travaillaient exclusivement à l'aquarelle pour représenter paysages et marines. Il faut citer les noms de John Sell Cotman, Thomas Girtin, ainsi que celui de J. M. W. Turner, dont la technique originale étonne toujours. Très anglophiles, Théodore Géricault et Eugène Delacroix, lui-même brillant aquarelliste, ont fait connaîre en France les œuvres d'artistes tels que

Amélia

De prime abord, cet intéressant portrait pourrait fort bien passer pour une huile mais il s'agit, en fait, d'une aquarelle rehaussée de blanc de Chine. Ken Paine n'a pas fait de croquis préliminaire mais s'est lancé résolument dans le travail au pinceau en ajoutant progressivement des épaisseurs de blanc.

Sur le sentier muletier, sud de l'Espagne

(Ci-dessus) *Pour ce charmant paysage, peint* in situ, *Joan Elliott Bates a utilisé de la peinture opaque, préférant la gouache à l'aquarelle mélangée à du blanc. L'effet est très semblable si la gouache est employée en touches minces, comme ici, mais on peut, si cela s'impose, travailler avec une couleur plus épaisse.*

Bouleaux

Dans cette peinture de Juliette Palmer, foisonnante de détails, l'accent est mis sur le motif complexe des troncs et des branches enchevêtrés. Les textures ont été traitées avec beaucoup de soin par une accumulation de délicats coups de pinceau, en particulier pour les brindilles. Les fins rehauts du premier plan, qui jouent un rôle essentiel dans la composition générale, sont des réserves de tons clairs entourées de touches plus intenses au lavis.

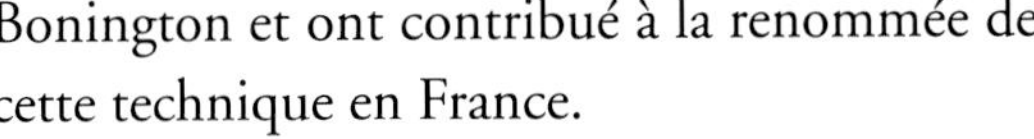

Bonington et ont contribué à la renommée de cette technique en France.

Mythes et préjugés

Pour une raison qui demeure inexpliquée, la liste des recommandations concernant l'aquarelle est interminable. Les gens pensent qu'il n'y a qu'une bonne manière de travailler et que tout écart trahirait la technique. Si l'artiste expérimente une nouvelle approche, il y a de fortes probabilités pour que sa démarche soit mal comprise (« ça ne se fait pas »). Toutes les théories sur ce qu'il faut faire ou ne pas faire en aquarelle sont assez récentes, tandis que les théories sur la peinture à l'huile datent de la tradition artistique des XVIIIe et XIXe siècles, et ont été plus ou moins abandonnées depuis. Les meilleures aquarelles du siècle dernier, en particulier celles de Turner, révèlent en réalité une immense variété de procédés, que l'on

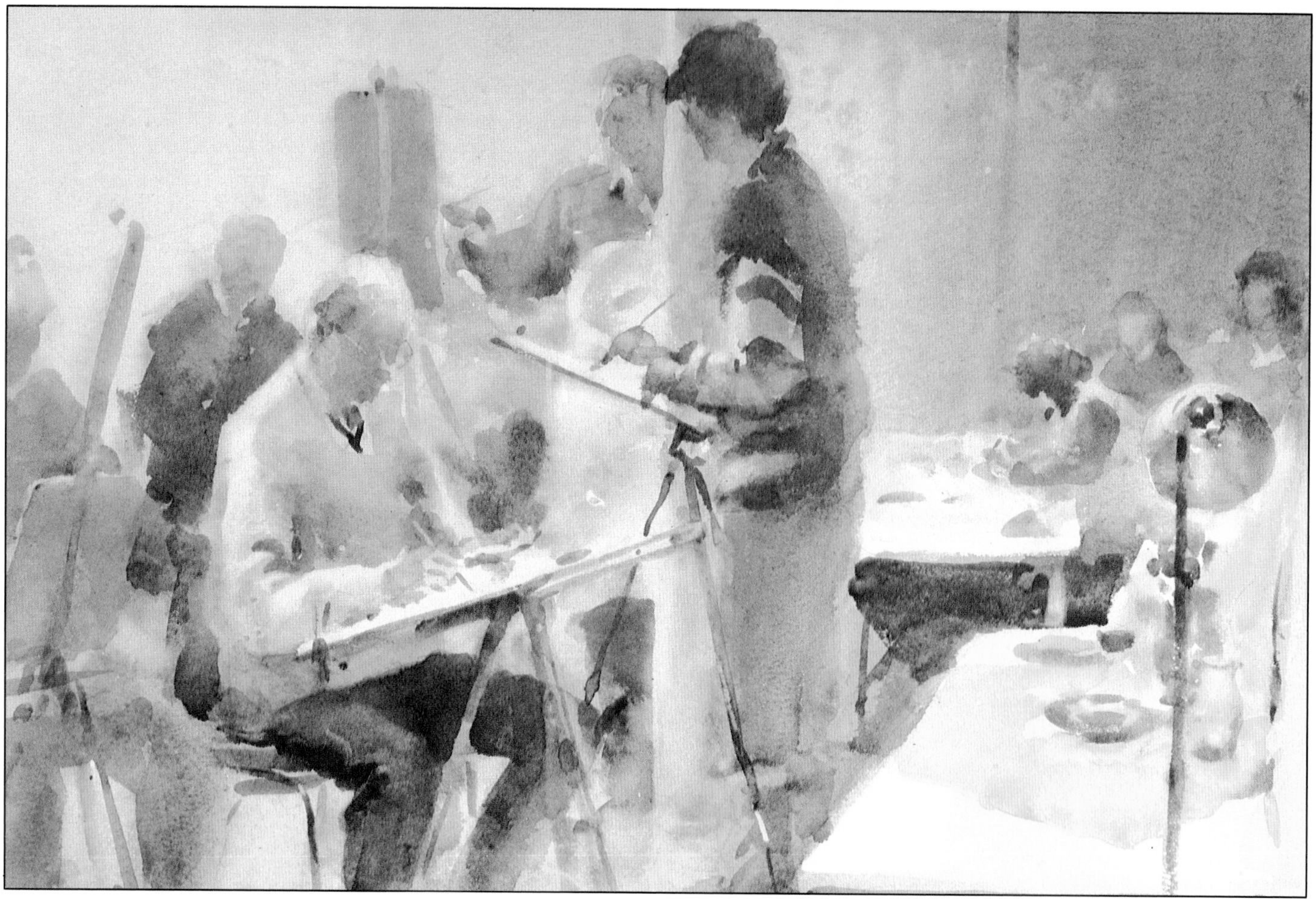

Séance de travail à l'académie
(Ci-dessus) *Les groupes ne sont pas les sujets les plus adaptés à l'aquarelle car il n'est guère possible de corriger ses erreurs. Pourtant, cette œuvre de Trevor Chamberlain prouve qu'avec une certaine maîtrise tous les thèmes peuvent être abordés. Chaque touche a été posée avec un soin extrême et, malgré une technique humide sur humide, il a parfaitement maîtrisé la nature aléatoire des différents lavis.*

Les confitures
Ici, le contraste entre tons chauds et froids a été intelligemment exploité pour souligner la couleur orange dominante. Malgré une palette délibérément pauvre, Elisabeth Harden a discrètement introduit dans les ombres des verts, des bleus et des bruns-rouges pour créer une certaine variété et former des liens colorés qui donnent son unité à la composition.

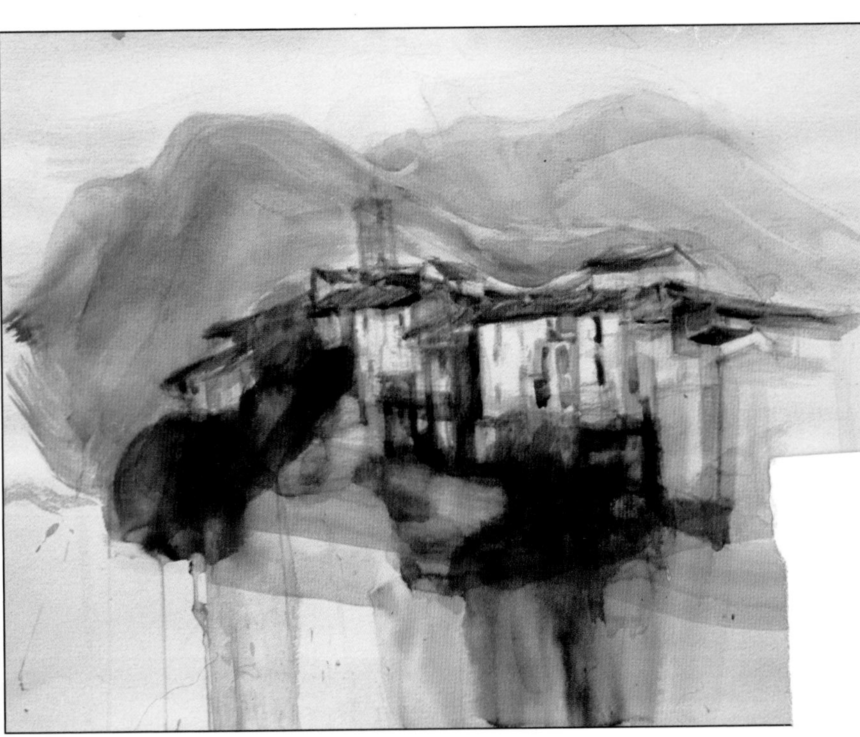

SAINT-LAURENT-DE-CERDANS
(Ci-contre) *L'aquarelle se pratique généralement en tenant le support à plat ou à peine relevé mais dans cette peinture exécutée* in situ, *Karen Raney a travaillé sur chevalet, et le lavis a coulé le long du papier. Ainsi, le premier plan est imprécis et évoque le miroir d'un plan d'eau.*

CERFEUIL ET MAISON
[illegible] *Mike Bernard utilise rarement une*
[illegible] *ableau. Ici, il a combiné*
[illegible] *qui autorise, en premier plan,*
[illegible] *tout en laissant l'arrière-plan*
[illegible] *u artistique. Les capitules de*
[illegible] *es de taches d'encre qui ont*
[illegible] *les couleurs environnantes. Les*
[illegible] *obtenues en griffant la peinture*

considérerait aujourd'hui avec un certain dédain. Turner utilisait de la peinture opaque qu'il étalait sur toute la surface de son travail en la laissant couler librement ; il étendait souvent ses couleurs avec les doigts et, par endroits, les reprenait même avec l'ongle. En bref, il mettait la technique au service de ses idées, et non l'inverse.

Autre idée reçue sur l'aquarelle : elle serait particulièrement délicate à employer. Il est vrai qu'une fois la couleur posée, il n'est guère possible de corriger une éventuelle erreur. En fait, lorsque vous aurez acquis un certain savoir-faire, vous surmonterez facilement difficultés et préjugés.

LES COULEURS ET LES PINCEAUX

L'un des grands avantages de l'aquarelle est que le matériel utilisé peut être extrêmement modeste. Une petite boîte de peinture, quelques pinceaux, du papier, un peu d'eau et en voilà assez pour démarrer. Bien sûr, ce ne sont là que les fournitures indispensables. Avec l'expérience et l'ambition, vous souhaiterez probablement vous servir de pinceaux spéciaux ou d'une palette plus élaborée, mais nous vous conseillons de vous équiper au fur et à mesure de vos besoins.

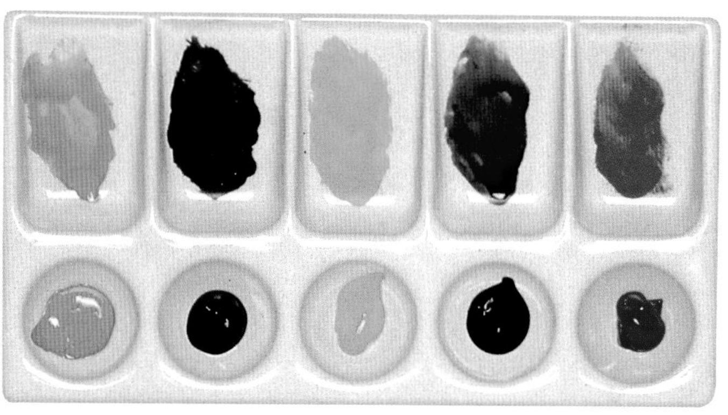

PALETTE D'AQUARELLE

LES COULEURS

L'aquarelle se vend en tubes ou en godets. Chacun présente avantages et inconvénients mais sachez que les couleurs en tube donnent des rendus plus soutenus, plus nerveux et permettent des mélanges plus rapides si vous travaillez des grandes surfaces.

En extérieur, les tubes sont d'un emploi assez malaisé car, à l'inverse des godets, ils ne restent pas rangés dans leur boîte. Les godets sont les plus répandus car ils ne coulent pas de façon intempestive mais ils sont plus avares de matière. Pour de grandes surfaces, il faudra vous munir de patience pour obtenir un jus suffisant.

Quel que soit votre choix, assurez-vous d'acheter des couleurs de première qualité, souvent désignées sous le terme de couleurs pour artistes. La plupart des fabricants proposent des coffrets bon marché appelés parfois boîtes d'étude. Ces couleurs contiennent moins de pigments et plus de médium que celles pour artistes. C'est pourquoi il est parfois difficile en les utilisant d'obtenir une certaine profondeur ou une certaine densité, en particulier sur les surfaces importantes.

COULEURS EN GODET

BOÎTE D'AQUARELLE

COULEURS EN TUBE

Boîtes et palettes

Le choix d'une boîte et d'une palette dépendra du matériel utilisé. Les boîtes seront mieux adaptées aux godets de couleur, qui seront rangés soit dans des logements prévus à cet effet, soit les uns à côté des autres, dans une rainure. Si vous optez pour le tube, vous devrez impérativement vous équiper d'une grande palette indépendante ou de plusieurs petites mais, bien sûr, une vieille assiette fera aussi bien l'affaire. Il est encore possible, quoique ce soit de plus en plus rare, de trouver des boîtes métalliques à compartiments.

Pinceaux

Les meilleurs pinceaux à aquarelle sont sans conteste ceux à poils de martre mais il serait prématuré de les placer dans la panoplie d'un débutant, ne serait-ce qu'en raison de leur prix très élevé. On peut trouver de nombreux pinceaux à poils synthétiques ou mixtes ; il existe aussi des pinceaux à poils de bœuf ou d'écureuil. Si vous décidez d'acheter un ou plusieurs pinceaux à poils de martre, sachez qu'ils constituent un véritable investissement : bien entretenus, ils durent toute une vie.

Les pinceaux se présentent sous deux formes : rond ou plat. Les ronds sont incontournables ; il vous en faudra trois, un fin et deux plus gros, selon votre travail. Les grands pinceaux plats sont utiles pour les lavis importants mais un seul suffira. D'autres types de pinceaux existent – pinceaux mouilleurs, par exemple, excellents pour tous les lavis – mais, comme les martres, ils coûtent très cher et ne peuvent être considérés que comme du matériel de luxe. Vous aurez tout le temps d'y venir, plus tard.

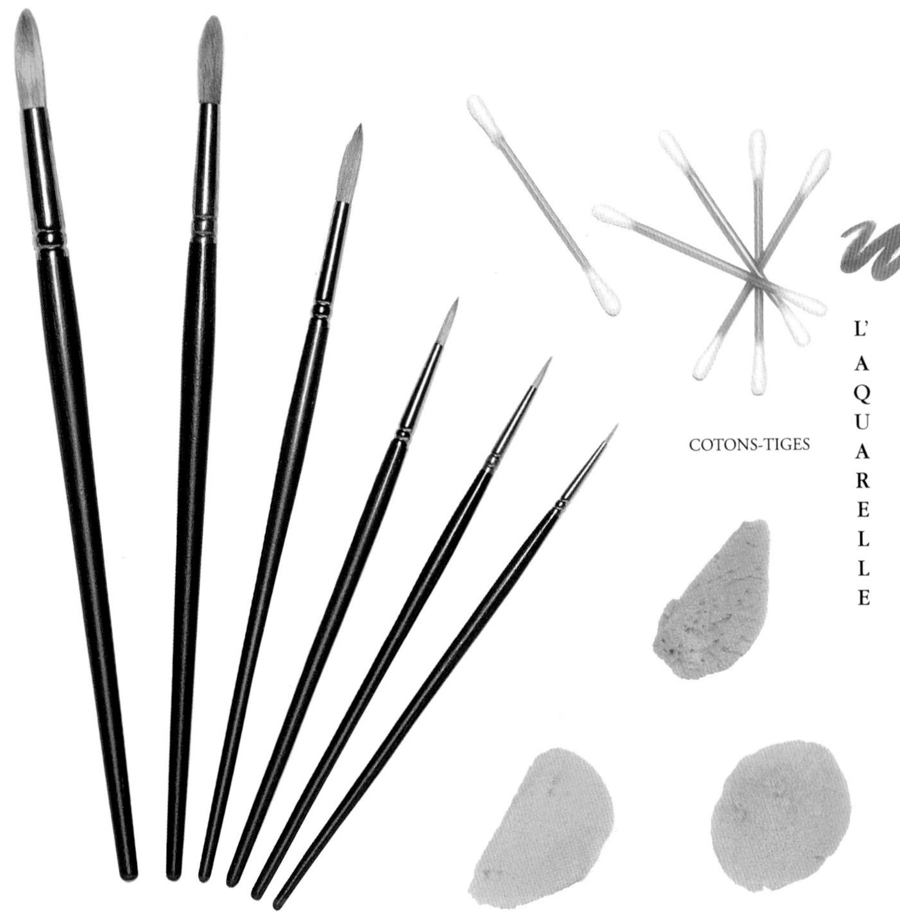

COTONS-TIGES

QUELQUES PINCEAUX À AQUARELLE

ÉPONGES

Autres matériels

La majorité des aquarellistes utilisent une petite éponge naturelle pour alléger un lavis encore humide ou réduire une coulure non souhaitée ; on peut s'en servir pour faire de grands lavis. N'oubliez pas de vous munir d'un flacon d'eau propre et, bien sûr, de papier.

PINCEAU PLAT À AQUARELLE

Matériel et fournitures

Les papiers

L'aquarelle se pratique presque exclusivement sur papier blanc. On peut aussi travailler sur papier teinté. La transparence, si caractéristique de l'aquarelle provient, bien sûr, de l'éclat du papier apparaissant sous les couches de lavis. On obtiendra d'ailleurs encore plus de transparence en s'aidant du blanc du papier pour réaliser le mélange des couleurs – plus la dilution est forte, plus le papier transparaît et vice versa.

Grains et grammages

Il existe trois types de papier à aquarelle : à grain fin, à grain moyen et à gros grain. Ils sont tous fabriqués industriellement et leur désignation découle de leur procédé de fabrication. Le papier à gros grain n'a pas d'autre nom mais ceux à grain fin et à grain moyen sont souvent désignés sous les termes respectifs de « pressé à chaud » et « torchon ». Il existe également des papiers faits main dont les textures sont plus aléatoires. Ces derniers sont très chers et pas toujours faciles à travailler ; vous ne les utiliserez que lorsque vous aurez acquis une certaine maîtrise de l'aquarelle.

Tous ces papiers sont disponibles en plusieurs grammages, exprimés en g/m². Les grammages varient de 160 à 300 g/m². Ce dernier grammage est très épais et le papier confine au bristol. Plus le papier est épais, plus il est cher. Le papier fin devra être tendu avant usage.

Tendre le papier

Il est recommandé de tendre le papier avant utilisation, surtout s'il est à grain fin. Cela l'empêchera de se gondoler lors de son imprégnation ou si vous travaillez humide sur humide. Les couleurs passées sur les arêtes et les bosses ont du mal à sécher et cela peut gâcher l'effet final. Ce sont les papiers d'étude, en particulier en grands formats, qui risquent le plus de se gondoler car ils sont relativement fins. Pour le travail en extérieur et en petits formats, cela ne pose guère de problèmes.

1 À GROS GRAIN

2 À GR
MOYEN
TORCH
BLA
(300 g

1 *Trempez le papier quelques minutes dans l'eau. Lorsqu'il est détrempé de façon égale, retirez-le en le tenant par un angle, ôtez l'excédent d'eau, puis placez-le sur la planche de travail.*

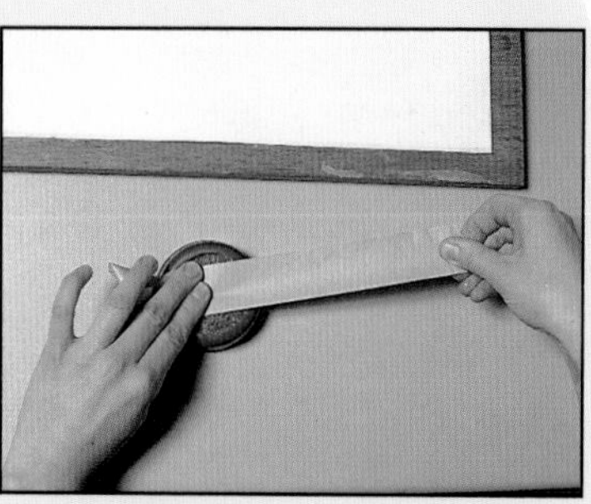

2 *Découpez quatre bandes de papier gommé (2,5 à 5 cm de large selon la surface à fixer) et humectez-les généreusement à l'éponge.*

3 *Placez une bande sur l'un des longs côtés du papier et collez-la en lissant à partir du milieu. Assurez-vous qu'elle adhère parfaitement sur toute sa longueur, tant au papier qu'au support.*

4 *Répétez l'opération pour les trois autres côtés, en terminant par les deux petits. Ne vous inquiétez pas si le papier gondole légèrement ; il redeviendra rapidement sec et plat.*

PAPIER GOMMÉ

CONSEILS POUR MÉLANGER LES COULEURS

Quelle que soit la technique, la première règle en peinture est de maîtriser le mélange des couleurs. Il ne suffit pas d'analyser les tons naturels, encore faut-il savoir les tranposer sur votre support. Il est facile de dire que le ciel est bleu et l'herbe verte mais quel bleu et quel vert allez-vous choisir ? Quelles couleurs allez-vous mélanger pour obtenir l'effet désiré ?

Là encore, tout ou presque est affaire d'expérience et, bien sûr, le résultat d'une longue suite de tentatives et d'erreurs. Dans cette perspective, c'est un atout de connaître les rudiments de la théorie des couleurs pour prévoir les conséquences du mélange de telle ou telle teinte.

COULEURS PRIMAIRES, COULEURS COMPLÉMENTAIRES

Le rouge, le bleu et le jaune ne peuvent s'obtenir en mélangeant d'autres couleurs, d'où leur désignation sous l'expression de couleurs primaires. Lorsque deux couleurs primaires sont mélangées, elles donnent une couleur complémentaire : vert, à partir du bleu et du jaune ; violet, à partir du bleu et du rouge ; orange, à partir du rouge et du jaune. Toutefois, ici commencent les complications car les couleurs primaires ne sont pas des tons absolus, standard et invariables. En examinant la palette type ci-dessous, vous remarquerez qu'elle propose trois nuances différentes de bleu et de jaune et deux de rouge.

Avant de préparer vos couleurs, vous devrez donc déterminer quelle primaire vous donnera, en fin de compte, la complémentaire correspondant à la nuance souhaitée. Chaque couleur possède ses déclinaisons ou ses ressemblances avec d'autres couleurs. Ainsi, des deux rouges de la palette type, le rouge de cadmium est éclatant et tire très légèrement sur le jaune tandis que le carmin d'alizarine tire sur le bleu. Pour obtenir des couleurs complémentaires vives, vous choisirez les deux primaires qui tirent l'une vers l'autre. Ainsi, le bleu outremer (contenant du rouge) et le carmin d'alizarine donneront ensemble un beau

Mélanges aux couleurs vives
Tous ces mélanges ont été obtenus à partir de deux couleurs primaires tirant l'une vers l'autre. En résultent des couleurs complémentaires éclatantes, sauf le vert olive.

Mélanges subtils
Ici, les couleurs primaires qui tirent à l'opposé se combinent pour donner des mélanges plus nuancés.

Mélanges bruns et gris
Différents mélanges des trois couleurs primaires donneront un éventail très étendu de couleurs tertiaires – bruns, gris et verts éteints. Le mélange final dépend des proportions des différentes couleurs – en se souvenant que certains pigments sont dominants.

PALETTE TYPE

Le choix immense des couleurs du commerce, prêtes à l'emploi, peut désorienter le débutant. Comment choisir, que choisir ? En fait, vous n'avez pas besoin de posséder un assortiment trop étendu, car vous serez obligé de procéder à vos propres mélanges. La palette type proposée ici comprend douze couleurs, ce qui est déjà beaucoup puisque la plupart des grands aquarellistes n'avaient, sur leur palette, guère plus de trois ou quatre couleurs.

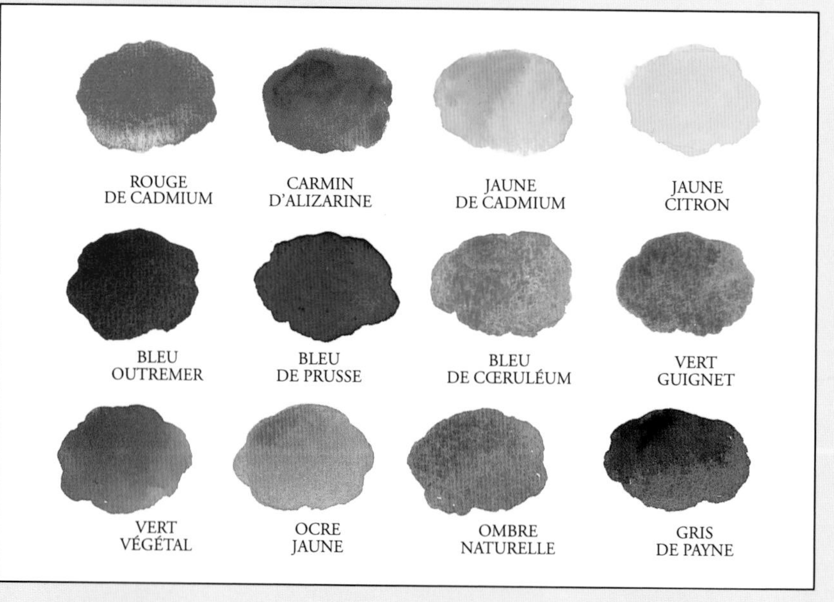

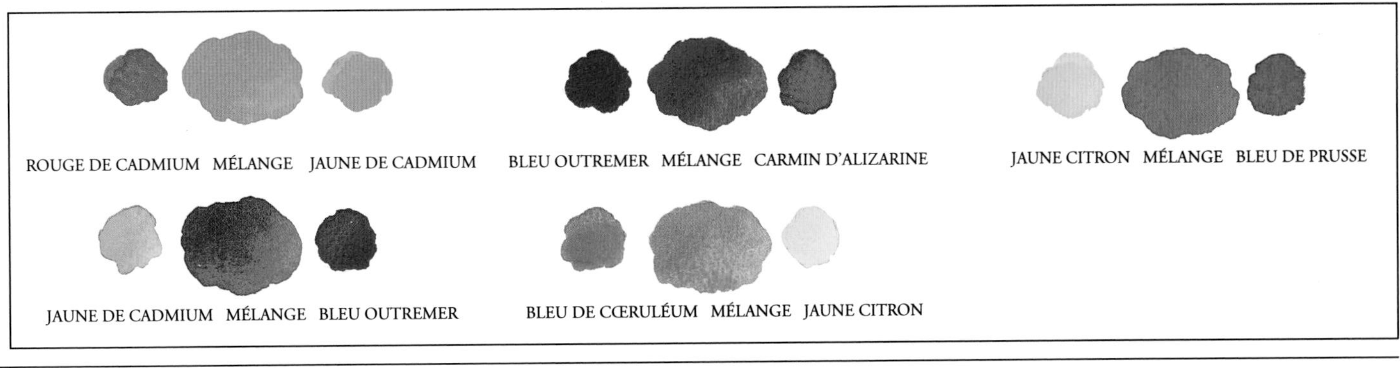

JAUNE CITRON MÉLANGE CARMIN D'ALIZARINE
BLEU DE PRUSSE MÉLANGE ROUGE DE CADMIUM
JAUNE CITRON MÉLANGE BLEU OUTREMER

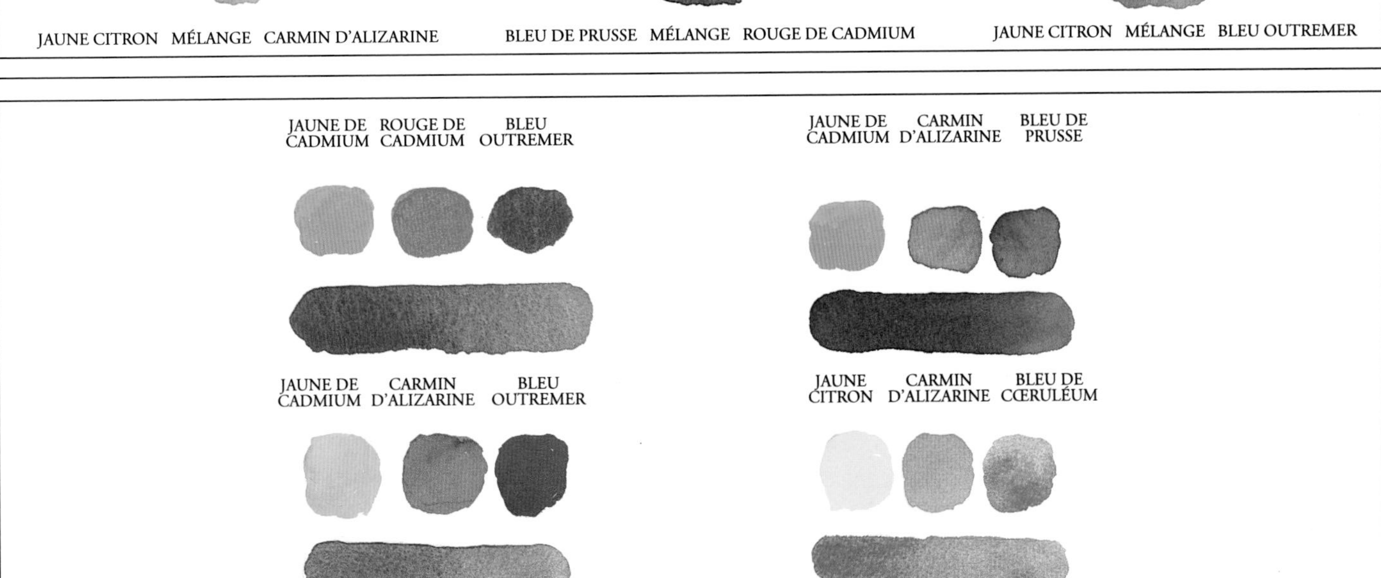

violet ; en revanche, ce ne sera pas le cas avec le bleu outremer et le rouge de cadmium. Pour des couleurs complémentaires sourdes, vous choisirez des primaires qui tirent à l'opposé l'une de l'autre.

Couleurs tertiaires

Une couleur secondaire est le fruit du mélange de deux couleurs primaires ; lorsque l'on ajoute une couleur, le résultat est une couleur tertiaire et constitue ce que l'on désigne sous le terme de tons neutres – bruns, beiges et gris teintés –, qui jouent un rôle si important en peinture.

Aucune règle ne préside au mélange de ces couleurs car leur éventail est infini. On en obtient un premier choix dejà intéressant et varié en mélangeant trois couleurs primaires en différentes proportions.

Mélanger, pour quoi faire ?

On peut se demander si les mélanges maison sont vraiment nécessaires, alors qu'il existe tant de tons prêts à l'emploi dans le commerce. Pourtant, même avec la série complète d'un fabricant, vous n'auriez toujours pas la couleur exacte. En outre, les mélanges à la demande correspondent à l'inspiration et à la lumière du moment.

Un mélange ne se fait pas toujours à partir de rien. La palette type présente deux couleurs complémentaires (les deux verts) et deux couleurs tertiaires (ombre naturelle et gris de Payne), qui sont d'excellentes bases pour d'autres mélanges et peuvent parfois être utilisées comme telles. En résumé, nous conseillons vivement les mélanges, sur des palettes comme ci-dessus. De tels exercices constituent une irremplaçable expérience.

Exercice

PEINDRE AVEC SIX COULEURS

Le choix de couleurs présenté précédemment vous aidera à élaborer les mélanges justes et, en même temps, vous donnera l'expérience nécessaire. Toutefois, c'est la pratique de la peinture qui confortera cette expérience à toutes les étapes de votre travail : sélection du sujet, analyse et réalisation des mélanges nécessaires. Le but de cet exercice est de découvrir que l'on peut parvenir aux secondaires et aux tertiaires à partir des seules couleurs primaires – deux rouges, trois bleus et trois jaunes – de la palette type.

Prenez un sujet qui vous plaît, pas trop complexe, par exemple une nature morte comme celle-ci, ou un paysage, mais en partant d'une photographie. Autre possibilité : copiez une œuvre que vous aimez en vous appuyant sur une reproduction du commerce. Il n'y a aucun mal à copier pour apprendre mais, dans la mesure où vous n'emploierez que six couleurs de base, votre copie sera assez éloignée de l'original. Vous n'aurez procédé, en fait, qu'à une simple transcription.

COULEURS EMPLOYÉES *rouge de cadmium, carmin d'alizarine, jaune de cadmium, jaune citron, bleu outremer, bleu de Prusse.*

1 *Après avoir commencé par un dessin en jaune au pinceau léger, l'artiste souligne l'ombre sous l'assiette. Cette couleur chaude – un mélange de rouge de cadmium et de pointes de bleu outremer et de jaune citron – sera renforcée ultérieurement.*

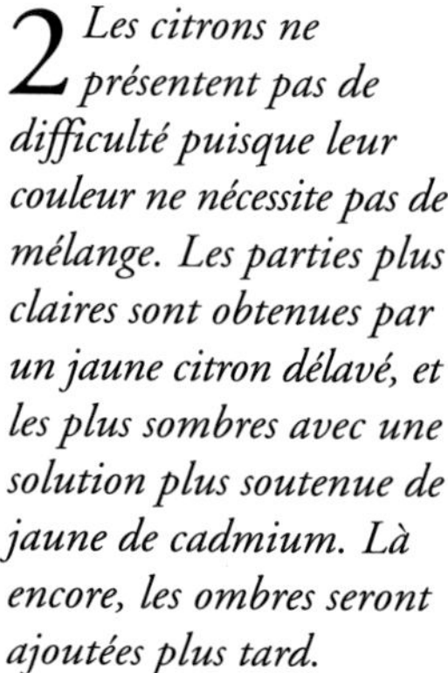

2 *Les citrons ne présentent pas de difficulté puisque leur couleur ne nécessite pas de mélange. Les parties plus claires sont obtenues par un jaune citron délavé, et les plus sombres avec une solution plus soutenue de jaune de cadmium. Là encore, les ombres seront ajoutées plus tard.*

3 *Ici, la quantité d'eau employée est primordiale. C'est un très léger jus de carmin d'alizarine qui donne le rose le plus pâle au sommet de la pomme ; plus soutenus, les tons voisins sont de la même couleur, en moins délavé tandis que, pour le corps du fruit, le carmin est encore plus concentré. L'artiste ajoute un peu de bleu pour assombrir le rouge et l'atténuer légèrement.*

4 *Le gris de l'assiette est rendu par du bleu outremer mélangé à du jaune citron et du carmin d'alizarine, tandis que les citrons verts sont traduits en jaune citron et bleu de Prusse augmentés d'un léger jus de bleu outremer pour les ombres. Ces dernières teintes ont été appliquées humide sur humide pour se fondre l'une dans l'autre et donner différents verts.*

5 *Le même gris que celui de l'assiette est employé en lavis par-dessus la teinte rosée générale de l'étape 1. En aquarelle, le mélange se fait non seulement sur la palette mais aussi souvent par superposition de plusieurs lavis différents.*

6 (Ci-dessous) *Un mélange très dilué de bleu outremer, de jaune citron et de rouge de cadmium apporte une touche finale aux ombres des citrons et accentue le volume des autres fruits. Il vaut mieux éviter de mélanger plus de trois couleurs car il en résulte rapidement des tons boueux, peu séduisants pour l'œil ; la majeure partie des nuances employées ici sont des mélanges de deux couleurs.*

Le lavis

D'une manière générale, l'image à l'aquarelle s'élabore par superposition de différents lavis de couleurs. Un lavis pourra recouvrir soit la totalité, soit la moitié (pour un ciel, par exemple), soit encore une petite partie de la surface du support ; mais presque toujours, ce sera une surface plus importante que celle couverte par un coup de pinceau normal. Dans les étapes ultérieures, de petites touches ou des traits fins pourront préciser les détails, mais on commencera toujours par les lavis. Comme ils représentent l'élément central de toute aquarelle, il est indispensable d'apprendre à les étendre de manière uniforme sur le papier.

Le mélange des couleurs du lavis

Le lavis doit être étendu rapidement pour éviter la formation, sur son pourtour, d'arêtes dures. Il requiert aussi beaucoup de peinture, par conséquent, faites votre mélange de couleurs en quantité suffisante, car vous ne pourrez pas vous interrompre pour en préparer d'autre si vous êtes à court. La peinture doit être ajoutée à l'eau et non le contraire, mais ne préparez pas pour autant un trop grand volume d'eau, car vous auriez besoin d'une énorme quantité de couleur pour obtenir un ton suffisamment soutenu. Commencez par un peu d'eau sur une soucoupe ou une palette à aquarelle, prélevez une petite quantité de couleur sur un pinceau humecté et mélangez dans l'eau. Ajoutez de la peinture, si le lavis est trop clair, de l'eau s'il est trop intense. Procédez ainsi jusqu'à obtention de la teinte désirée. Agitez bien, à chaque fois, le pinceau de sorte que toutes les particules de pigment

Voiliers
David Curtis obtient ce ciel pâle et dégagé à l'arrière-plan par un jus en aplat.

Aplat sur papier sec

1 *La couleur est préparée dans un pot, de préférence à une palette, car, pour couvrir toute la surface, il faut disposer d'une certaine quantité. L'aquarelle éclaircit en séchant, aussi la teinte sera-t-elle testée (et séchée) sur un échantillon du même papier.*

2 *Le plan de travail, sur lequel le papier est fixé à l'aide de papier gommé, est légèrement relevé. Le pinceau est passé délicatement d'un bord à l'autre du papier.*

3 *Plusieurs bandes de couleur ont déjà été étalées. L'inclinaison du support favorise le mélange des bandes successives. Il ne subsistera plus de marque disgracieuse après séchage.*

se libèrent dans l'eau, faute de quoi vous risquez d'obtenir des traînées parasites au moment de l'application. Avant d'appliquer le lavis, vérifiez la teinte sur un échantillon de papier que vous laisserez sécher – en effet, l'aquarelle éclaircit en séchant.

L'APPLICATION

Le type de pinceau utilisé est essentiellement affaire de préférence. Certains artistes aiment les gros pinceaux ronds, d'autres les plats, d'autres encore utilisent une éponge. La méthode sera identique, quel que soit l'instrument. Si vous utilisez un papier de faible grammage, vous devrez le mouiller, le fixer sur un support rigide puis le relever légèrement. La couleur est passée sur toute la largeur du papier ; dès que cette application est faite, il faut recharger le pinceau (ou l'éponge) et poursuivre le travail en faisant se chevaucher légèrement les couches sans laisser au jus précédent le temps de sécher. Procédez ainsi jusqu'au complet revêtement de la surface à traiter.

À cause de l'inclinaison du plan de travail, chaque « bande » absorbe celle d'avant. Certains artistes mouillent leur papier avant d'appliquer la couleur, ce qui facilite le mélange harmonieux des couleurs, en évitant l'apparition de lignes de séparation entre les bandes. Nous vous conseillons d'essayer toutes ces méthodes pour découvrir celle que vous préférerez.

Aplat sur papier humide

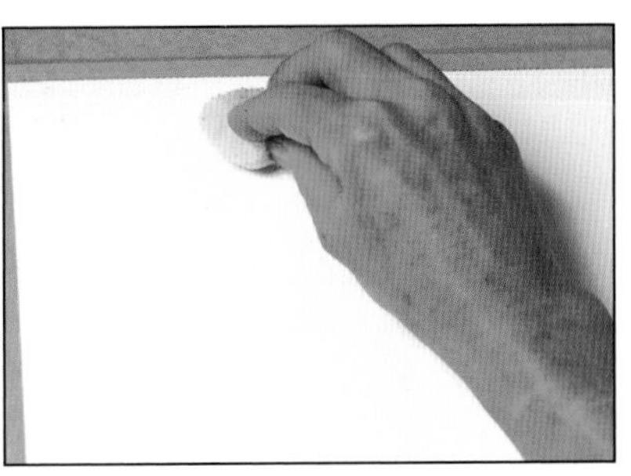

1 *Le papier est tout d'abord humecté avec une éponge naturelle, élément indispensable de tout attirail d'aquarelliste.*

2 *Sur le papier mouillé, le lavis coule tout d'abord de manière incontrôlée mais au séchage, il retrouvera un aspect parfaitement uni. C'est une méthode idéale pour couvrir rapidement des surfaces importantes.*

Application à l'éponge

3 *L'éponge est passée de part et d'autre sur le papier humide. Compte tenu de l'aspect initial, il est difficile d'imaginer qu'après séchage le résultat sera parfait.*

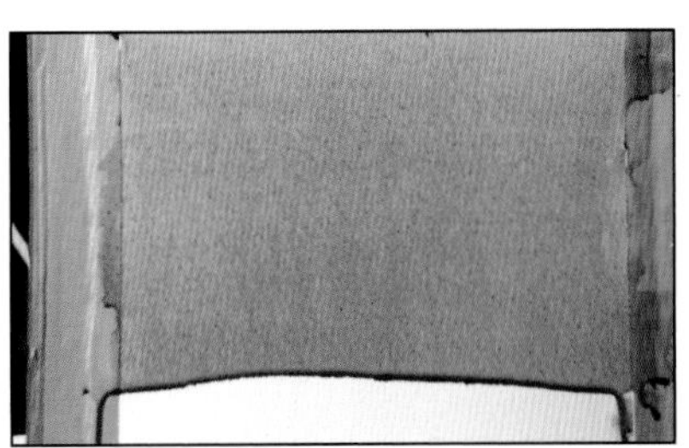

4 *De fait, le résultat est superbe. En humectant au préalable le papier, les plages les plus sombres se sont fondues dans les zones les plus claires et tout défaut a disparu.*

Réalisation d'un dégradé

1 Une bande de pleine couleur est déposée sur le papier, comme nous l'avons vu précédemment. Pour chaque bande suivante, le pinceau est d'abord trempé dans l'eau puis dans la couleur.

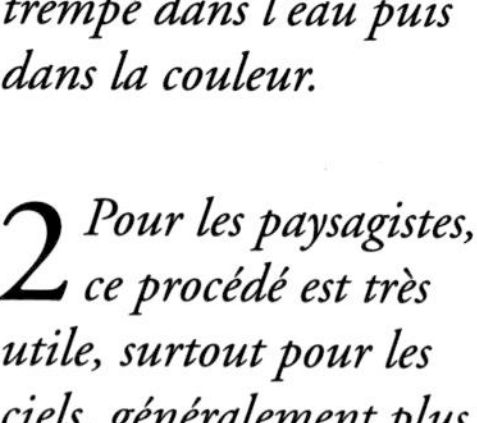

2 Pour les paysagistes, ce procédé est très utile, surtout pour les ciels, généralement plus clairs vers l'horizon.

Lavis multicolore

1 Trois couleurs ont été préparées séparément. Le vert touche le bleu et les deux couleurs s'interpénètrent en douceur.

2 Dans le cas présent, le papier est sec et le support tenu à plat. Tout l'effet vient des subtiles distinctions encore visibles entre les couleurs. Sur papier humide, toutes les couleurs se fondraient les unes dans les autres pour n'en former plus qu'une.

LES DÉGRADÉS

Les ciels sont plus sombres en leur partie supérieure qu'à l'horizon ; l'aquarelle doit pouvoir rendre compte de cette constatation grâce aux dégradés qui traduisent l'affaiblissement progressif de l'intensité lumineuse et chromatique d'une teinte. Ils sont plus délicats à définir que les aplats car d'une densité progressive ; il faudra éviter les trainées inesthétiques. Le passage du clair au sombre peut être obtenu en ajoutant du pigment à chaque bande, mais cette recherche se fait mieux si l'on commence en pleine couleur, en diluant ensuite selon l'avancement du travail. Si vous souhaitez un dégradé plus intense à la partie inférieure, retournez tout simplement votre support et travaillez de la même façon.

Pour chaque nouvelle bande, trempez d'abord le pinceau dans l'eau puis dans la couleur de manière à diluer le mélange à chaque fois dans les mêmes proportions. Pour un dégradé plus marqué, trempez le pinceau deux fois de suite dans l'eau et, au besoin, ne le trempez pas dans la couleur. De la sorte, la couleur de la première bande se répandra dans l'eau de la seconde, formant un dégradé naturel très régulier. Il faut toujours procéder aux dégradés sur papier sec, faute de quoi les différentes intensités auront tendance à s'uniformiser.

DÉGRADÉS MULTICOLORES

Un lavis peut être composé de plusieurs couleurs distinctes – une étendue herbeuse, par exemple, présentera des nuances très variées, du bleu-vert au vert-jaune ; il en va de même pour les nuances changeantes d'une marine. Il faudra, dans ce cas, préparer à l'avance vos différentes couleurs, en lavant bien le pinceau entre chaque application pour conserver la même densité d'un bout à l'autre.

Les lavis aux teintes variées peuvent également être testés à l'avance, sur un échantillon de papier. Si vous souhaitez un mélange uniforme, sans frontières précises entre les teintes, il est préférable de travailler sur papier humide ; toutefois, l'irrégularité est le propre de ces lavis. Il est par ailleurs possible de parvenir à des effets intéressants, bien qu'imprévisibles, en laissant tomber quelques gouttes d'une nouvelle teinte sur un lavis encore humide, selon une technique dite humide, étudiée plus loin.

Découpes

Recouvrir complètement d'un lavis une feuille de papier est assez facile à réaliser. Mais comment procéder pour un lavis qui doit commencer et s'arrêter à un endroit précis : un ciel qui s'interrompt de manière tranchée sur une découpe de toits ou d'arbres, par exemple ?

En réalité, ce n'est pas si difficile : il suffit d'un tracé qui marque nettement la ligne de séparation. Il peut y avoir deux méthodes, selon que vous préférerez travailler sur un support humide ou sur un support sec. Si vous optez pour le premier, humectez simplement votre papier sur les parties qui recevront le lavis, en prenant bien soin de contourner le dessin des toits au pinceau. Appliquez le lavis et vous constaterez qu'il s'arrête fort à propos au seuil de la surface sèche. Pour éclaircir légèrement la couleur et obtenir une matière lisse et régulière, tapotez le tout au papier-buvard.

L'autre méthode consiste à travailler en retournant le papier et en appliquant d'abord la couleur le long de la ligne des toits. Si vous souhaitez une teinte plus intense à la partie supérieure, laissez sécher dans cette position renversée et légèrement inclinée ; la couleur se répandra lentement sur toute la surface.

Frontières complexes : méthode 1

1 Le lavis doit être appliqué sur le ciel et éviter la ligne des collines. Pour ce faire, le papier n'a été humecté que sur la partie ciel. La peinture s'arrête dès qu'elle atteint la frontière sèche.

2 Notez qu'en séchant le ciel a pris une teinte uniforme. Le papier est de nouveau humecté, cette fois-ci entre le ciel et la ligne des toits, pour recevoir un lavis multicolore assez dense.

Frontières complexes : méthode 2

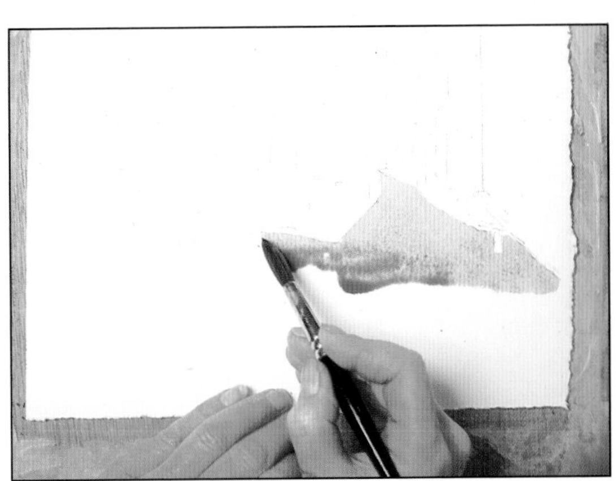

1 La planche de travail est renversée et on détoure la ligne des toits au lavis bleu profond. Pour ce travail, utilisez plutôt un pinceau rond à l'extrémité bien pointue.

2 La planche a été légèrement inclinée pour laisser la peinture descendre librement. On laisse sécher dans cette position.

Le dessin préparatoire

Sauf pour des croquis rapides ou des barbouillages, qui éprouvent votre pratique de l'aquarelle, il est nécessaire que votre travail repose sur des bases solides, en un mot, sur un dessin.

Grâce à lui, vous déterminerez l'emplacement et l'ordre des lavis et des touches à poser, les zones de rehauts à réserver. Gardez à l'esprit qu'à l'aquarelle, il est pratiquement impossible de corriger ses erreurs. Un dessin de base évitera donc bien des déceptions.

Cette idée ne vous enthousiaste peut être pas car on croit souvent que l'application de la couleur est la partie la plus agréable de l'aquarelle. Cela vous semble une perte de temps parce que, à l'extérieur, chaque minute compte. Alors, envisagez de faire le dessin tel jour et la couleur le jour suivant. En effet, les variations de la lumière importent moins pour le dessin que pour la peinture.

Ce dessin n'a pas besoin d'être trop élaboré et sera assez discret pour que le crayon n'apparaisse pas sous les teintes les plus claires de l'aquarelle. Évitez de marquer les ombres, limitez-vous à un tracé à grands traits. Si vous devez le corriger, prenez soin de ne pas abîmer le papier en gommant trop fort – cela se verrait immanquablement lors de l'application du lavis. Le choix d'une gomme est donc capital – préférez celles en plastique tendre ou les gommes dites mie-de-pain.

Si vous travaillez à partir d'une photographie, comme c'est le cas de nombreux artistes, vous pourrez agrandir l'image en la transférant sur le support choisi par la méthode éprouvée du quadrillage. Tracez-en un sur le

Dessin au crayon

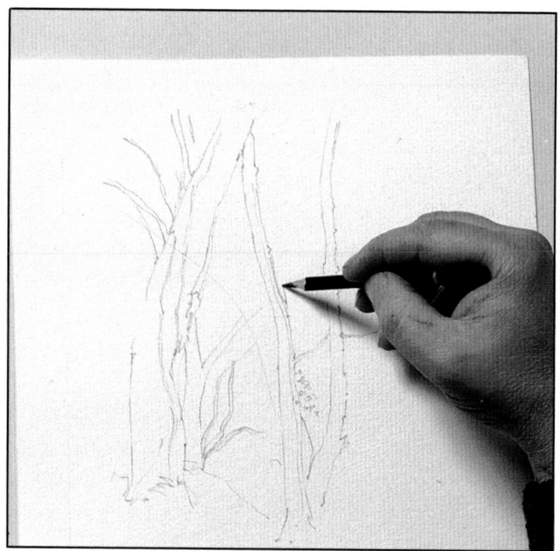

1 *L'artiste utilise une mine très tendre (4B). Au-delà de 2B, la mine risquerait de marquer la surface du papier.*

2 *Le dessin est réduit aux lignes principales, suffisamment marquées pour guider l'application des lavis. Si le dessin est trop pâle, les traits disparaîtront dès les premières couches de couleur.*

Quadrillage

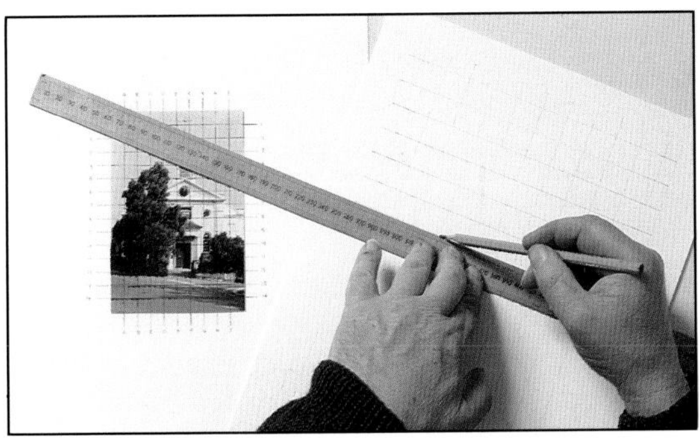

1 *Un quadrillage a été tracé sur la photographie ; il va être reproduit à plus grande échelle sur le support final. Le numérotage des carreaux est indispensable pour éviter les erreurs et faciliter le transfert des repères.*

2 (À droite) *En se référant aux coordonnées (une lettre et un chiffre), l'artiste reconstitue l'image de départ en notant surtout les points d'intersection.*

3 *Le quadrillage est effacé sur les futures parties claires pour qu'il ne transparaisse pas ; l'artiste se sert d'une gomme mie-de-pain pour ne pas endommager le papier.*

document de départ et un autre, plus important, sur le support d'arrivée. Il faudra calculer mathématiquement le rapport entre les deux carroyages. Si, par exemple, les carreaux de la photographie mesurent 1,3 cm et ceux du dessin 2,6 cm de côté, la peinture finale sera deux fois plus grande que la photographie. Une fois les quadrillages tracés, transférez tout simplement les mesures de chaque élément du dessin de l'un sur l'autre, en repérant soigneusement les points d'intersection du dessin avec le carroyage. Cette technique est particulièrement adaptée à tout motif un peu complexe, comme l'architecture, dans laquelle un seul angle mal représenté risque de compromettre l'ensemble du tableau. L'œil aura plus de facilité à percevoir une pente ou une ligne de fuite s'il les rapporte aux angles droits d'un quadrillage.

Le travail humide sur sec

Les aquarelles s'élaborent par superposition de couleurs transparentes, en allant des tons les plus clairs aux plus foncés. Il est presque impossible d'obtenir une teinte foncée avec une seule couche à cause de la forte dilution, qui laissera plus ou moins transparaître le blanc du papier. Ainsi, les couleurs les plus vives s'obtiennent en ajoutant couche sur couche jusqu'à l'intensité désirée. Cette technique, dite humide sur sec, est la plus classique. Chaque couche doit être sèche avant de recevoir la suivante. Il se forme une frontière très marquée après séchage et c'est l'une des caractéristiques de cette technique, qui donne un rendu très nerveux.

Elle exige une organisation assez rigoureuse. En règle générale, il est conseillé de ne pas superposer plus de trois lavis, sous peine de voir les couleurs perdre de leur transparence et s'empâter. Il est important, dès le début de son travail, d'avoir une idée précise du résultat final pour décider de l'intensité des premières couches. Par ailleurs, cette superposition doit se limiter à de petites parties de l'aquarelle.

Il faudra également prévoir les rehauts. Comme nous l'avons déjà vu, le blanc d'une aquarelle est donné par le papier. Les rehauts par réserve correspondent donc à des epaces du papier non recouverts de couleur. Ces rehauts, cependant, peuvent être colorés, ce que l'on obtient en réservant, par endroits, la couche inférieure d'un lavis. On peut également ajouter un rehaut à la peinture blanche opaque mais rien ne remplacera la pure luminosité d'un support blanc et vierge.

Couches superposées

1 La surface réfléchissante donne des bleus et des blancs qui se mêlent aux bruns. L'artiste a donc commencé par un lavis gris-bleu, légèrement plus dense à l'emplacement des ombres. Il aura pratiqué des réserves incolores où se placeront les rehauts.

2 Chaque lavis doit être parfaitement sec avant de poser le suivant. Dans votre atelier, un sèche-cheveux sera d'un grand secours et accélérera ce processus.

3 Le même brun léger sera appliqué sur le couvercle et la panse de la théière. Il est préférable, chaque fois que c'est possible, de travailler de haut en bas pour éviter d'endommager le lavis à peine déposé et encore humide.

6 (Ci-dessus) *Les surfaces brillantes reflètent les lumières et les ombres visibles autour, créant des zones très contrastées sur toute la surface de la théière. La technique employée, humide sur sec, est particulièrement bien adaptée à un tel rendu.*

4 *Un lavis brun plus intense sert à traiter les surfaces plus sombres. Notez que, sur le couvercle, un reflet gris-bleu (formé par un brun sur le bleu de l'étape 3) a été soigneusement réservé.*

5 *Les couleurs les plus foncées sont gardées pour la fin et très soigneusement définies. Ces ombres, comme d'ailleurs les rehauts, donnent le modelé de l'objet.*

Le travail humide sur humide

Dans cette technique, moins classique que la méthode humide sur sec, qu'apprécient certains artistes, on applique un ou plusieurs lavis sur un lavis encore humide. Il est plus courant, pour une même œuvre, d'associer les deux manières. La technique humide sur humide est très plaisante à pratiquer. L'une des grandes joies de l'aquarelle est son caractère imprévu, qui s'exprime ici de la plus belle façon : il est, en effet, presque impossible de prévoir ce qui va se passer. Lorsqu'on laisse tomber une goutte de couleur sur une autre couleur encore humide, elles ne se mélangent pas complètement. Le poids de l'eau de la goutte fait refluer légèrement la première couche de couleur, de sorte que les teintes s'entremêlent en bavant l'une dans l'autre, tout en conservant leur nature propre. Ce qui provoque la plupart du temps des effets tout à fait saisissants, modulés selon le degré d'humidité des lavis, la nature du papier et les couleurs en présence (chaque pigment, mis en contact avec un autre, réagit différemment).

Travail sur papier sec

1 Selon l'effet souhaité, vous travaillerez sur un papier humecté ou sec. Ici, l'artiste recherche une nette délimitation pour le haut de la colline et utilise donc un papier sec.

2 Plusieurs applications de couleur ont bien détrempé le papier. Le vert du premier plan se répand et se dilue assez librement. Pour maîtriser les couleurs, l'artiste pose de très légères touches avec l'extrême pointe du pinceau.

Maîtrise des couleurs

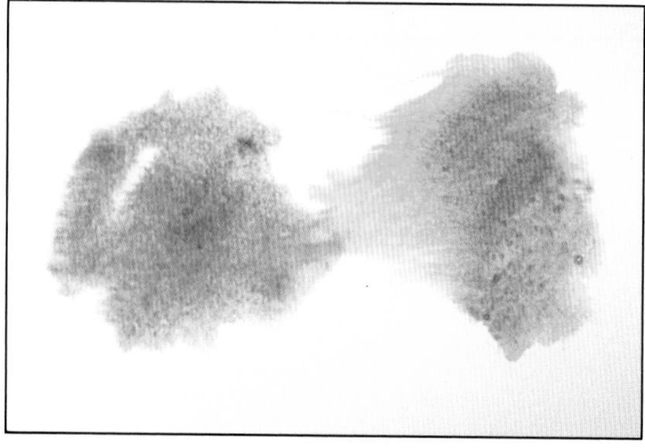

1 Une fois le papier humecté, deux couleurs ont été déposées côte à côte. Le support est incliné légèrement vers la gauche pour laisser le rouge couler vers le bleu.

2 Un bleu plus intense a été appliqué au-dessus du premier et le papier est à présent incliné pour que les couleurs coulent vers le bas. Si le papier est d'un faible grammage, il sera prudent de fixer la feuille pour éviter son gondolage.

3 *À présent, le papier a été mouillé sur une partie du ciel. La couleur bleue ne se répandra pas hors de la zone des nuages, qui a été réservée. La pointe du pinceau est utilisée pour restituer les légères zébrures du ciel.*

4 (Ci-dessus) *La même technique est employée pour le gros nuage – ici, un gris-mauve colore un lavis de même ton mais plus léger. D'autres petits nuages, plus pâles, sont déposés au-dessus de l'horizon, avec la pointe du pinceau.*

5 *L'effet délicat de la technique humide sur humide est rehaussé par les quelques lignes nettes de la technique humide sur sec ; une partie du mur et le petit arbre ont été traités ainsi, tandis que le lavis mauve du nuage a formé une limite qui se découpe bien à la frontière entre technique sèche et technique humide.*

La grande interrogation, c'est d'imaginer quelle image l'emportera au séchage complet, sachant que la peinture évolue encore au cours de ce laps de temps, et qu'il est donc difficile de conserver jusqu'au bout tel effet particulier. Cependant, en inclinant le support dans différentes directions, vous pourrez influencer les mouvements des lavis. Certains artistes procèdent parfois de la manière suivante : ils bougent le support de manière à obtenir un mélange qui leur convienne puis s'empressent de figer l'effet obtenu au sèche-cheveux.

La technique humide sur humide crée des ambiances délicates, c'est pourquoi on l'emploie souvent pour les paysages ou pour suggérer des atmosphères. Il arrive que, dans le rendu de zones nébuleuses, cotonneuses, l'effet soit mièvre ; à l'étape finale, l'artiste rehausse de quelques touches vives. On peut toujours donner une dimension autre à la facture d'une aquarelle, en recourant aux contrastes doux créés par la méthode humide sur humide pour de grandes surfaces, et aux effets plus nerveux de l'humide sur sec pour insister sur les parties accidentées.

LE TRAVAIL DU PINCEAU

Moins important pour l'aquarelle que pour l'acrylique ou la peinture à l'huile, le travail du pinceau joue pourtant un rôle non négligeable. Parfois, les touches déposées au pinceau n'interviennent que dans les dernières étapes de l'élaboration, pour suggérer, par exemple, quelques branches ou quelques brins d'herbe folle au premier plan, qui feront contraste avec les tons fondus de l'arrière-plan.

La touche est évidemment plus importante dans la technique humide sur sec. Dans ce cas, les lavis peuvent donner l'impression d'une exécution au pinceau ; une série de touches rapprochées rendra un feuillage, des ondulations, des reflets dans l'eau, et les traînées d'un gros pinceau matérialiseront le mouvement des nuages chassés par le vent. Certains artistes négligent même complètement les grands lavis et recourent à un entrelacs de touches.

Bien évidemment, chaque pinceau donnera des touches particulières. Il est donc indispensable d'expérimenter tel ou tel pinceau pour en connaître toutes les possibilités. Avec le même, vous pourrez obtenir une série de touches très différentes les unes des autres, selon la pression exercée ou la manière de le tenir. En général, nous tenons le pinceau comme un stylo. Mais essayez de le tenir par le bout du manche en donnant un petit à-coup avant de le relever. Essayez de changer l'orientation d'un pinceau plat à mi-touche. Essayez aussi d'étirer le trait jusqu'à ce que le poil ne contienne plus de couleur. En testant toutes ces manières, vous n'aurez pas perdu de temps puisque vous vous serez familiarisé avec votre outil de travail.

Dessin à la peinture

1 L'artiste a choisi de travailler sur un papier aquarelle fin, qui permettra de combiner des touches nerveuses avec une peinture humide sur humide, aux effets plus moelleux. Il travaille à grands coups de pinceaux en laissant les couleurs se fondre doucement.

2 Les premières couches commencent à sécher mais sont encore suffisamment humides pour recevoir les touches suivantes, qui viendront s'y mêler délicatement.

3 *Des coups de pinceaux, nerveux et d'une couleur presque pure, sont donnés humide sur humide. Notez bien la position des poils ; au lieu de les étirer du haut vers le bas, l'artiste travaille par petits coups vifs en sens inverse.*

4 (Ci-dessus) *Dans la partie supérieure de la peinture, les touches entrecroisées créent une impression très vivante de lumière et de mouvement.*

5 *La tache plus large du feuillage est suggérée par un fondu vert sombre appliqué humide sur humide sur un vert plus clair.*

6 (Ci-dessous) *Les petites coulures en haut des arbres et les limites bien marquées de quelques troncs et feuillages se sont formées au fur et à mesure des séchages successifs. Au lieu de tenter de corriger ces petits incidents semi-volontaires, caractéristiques de l'aquarelle, les peintres confirmés préfèrent en tirer parti.*

La réserve

Comme nous l'avons déjà vu, les rehauts en aquarelle se détachent des couleurs qui les environnent.

Il existe cependant une autre méthode qui consiste en quelque sorte à gommer la couleur. Les rehauts par réserve ont des bordures nettes et incisives mais il est parfois intéressant d'employer une méthode qui donnera des effets plus moelleux, en particulier pour les nuages ou autres éléments à surface mate.

Cette méthode, dite du retrait, est d'une grande simplicité. Après application de la couleur, et avant séchage, il suffit d'enlever par endroits un peu de cette couleur à l'aide de divers médiums absorbants – éponge, chiffon, essuie-tout ou papier-buvard. Si vous ratez régulièrement vos nuages blancs sur ciel bleu, vos problèmes sont désormais résolus. Étendez simplement un dégradé de bleu puis tapotez verticalement à l'emplacement des nuages ou, s'il fait du vent, dessinez des traînées. Des effets plus compliqués peuvent être obtenus en retirant une couleur qui en révèle une autre, sous-jacente. Pour le rendu d'un feuillage, par exemple, vous pourrez étendre un lavis vert foncé sur un vert clair que vous aurez laissé sécher, puis que vous enlèverez par tapotements.

De légers rehauts pour rendre des surfaces mates ou une eau dans le lointain seront réalisés en laissant un Coton-Tige ou un pinceau presque sec absorber légèrement la couleur. Il est même possible d'enlever un peu de peinture déjà sèche en accentuant la pression ou en employant un peu plus d'eau. En outre, il est toujours possible de gratter la peinture avec une lame quelconque. Cette technique de grattage est couramment employée pour représenter les minuscules détails, tels que les reflets sur un brin d'herbe.

Nuages

1 Après dépôt d'un lavis bleu pâle, laissez sécher et recouvrez d'un lavis multicolore. L'artiste tapote la peinture humide à l'aide d'un bout d'essuie-tout chiffonné.

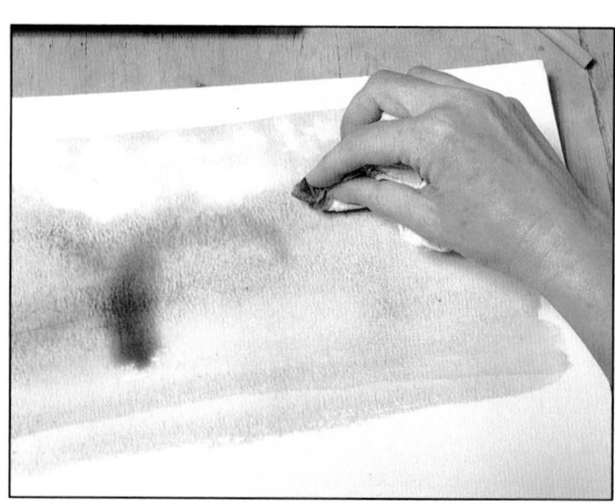

2 Pour assombrir la partie inférieure des nuages, on a ajouté, humide sur humide, un peu de couleur, en partie enlevée avec l'essuie-tout.

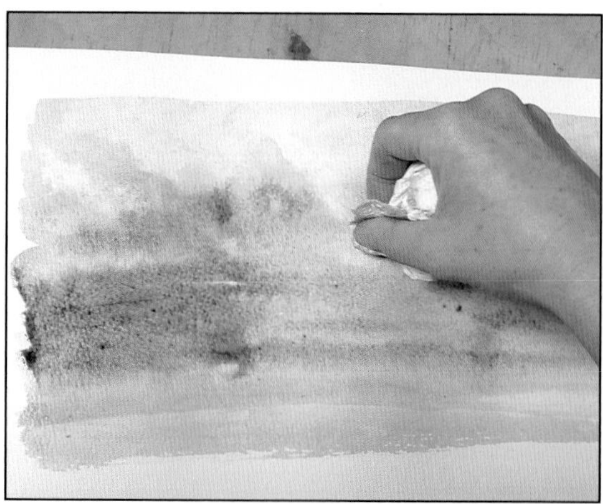

3 L'effet final, très réaliste, a été obtenu rapidement et facilement. Les nuages vaporeux du haut contrastent avec le découpage plus net du bas, auquel l'on parvient par séchage des couches sombres.

Retrait d'une couleur sèche

1 *Différents verts ont été déposés sur un fond jaune ; les petites réserves pratiquées fourniront les futurs rehauts.*

2 (À droite) *Un Coton-Tige humecté servira à enlever un peu de la couleur verte, créant de délicates variations.*

3 *Une fois sèche, la couche verte est grattée au cutter (couteau universel) pour signaler les détails les plus fins. Comme cette technique endommage légèrement le papier, on n'y procédera qu'à la dernière étape du travail.*

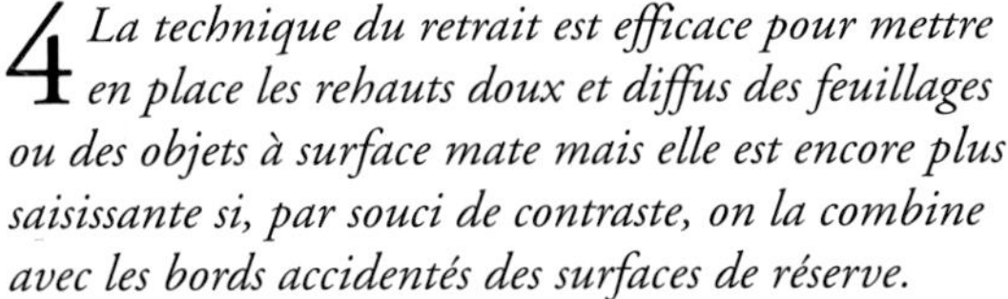

4 *La technique du retrait est efficace pour mettre en place les rehauts doux et diffus des feuillages ou des objets à surface mate mais elle est encore plus saisissante si, par souci de contraste, on la combine avec les bords accidentés des surfaces de réserve.*

Le masque

Définir les rehauts par la réserve, c'est-à-dire en peignant tout autour celle-ci, est une possibilité pleine d'intérêt mais, souvent, les rehauts sont limités et imbriqués. Il sera donc préférable de se tourner vers la technique du masquage. Certains aquarellistes la refusent sous prétexte qu'elle n'est qu'un artifice mécanique. D'autres, au contraire, sont passés maîtres dans ce procédé.

Le masque libère l'artiste de certains soucis inhérents à la technique même de l'aquarelle. Il est parfois stressant de devoir penser en permanence à de minuscules réserves et la qualité de votre travail risque de s'en ressentir. En revanche, grâce au masque, l'artiste pourra travailler l'esprit libre en sachant que les parties protégées ne risquent ni les éclaboussures ni les bavures.

Le liquide de masquage est une épaisse solution jaune ou blanche, vendue en petites bouteilles. Le liquide jaune est préférable car il est plus visible sur le papier blanc. On l'applique au pinceau et on peint par-dessus. Lorsque les lavis sont secs, on se débarrasse du masque en le frottant sous le doigt ou avec une gomme plastique. Il faut laver le pinceau immédiatement après application du liquide car, après séchage, la tâche sera beaucoup plus ardue ; d'ailleurs, n'employez pas pour cela vos meilleurs pinceaux.

Les rehauts obtenus par masque

1 *Ici, l'artiste utilise le liquide pour réserver de très petites surfaces qui traduiront les taches de lumière. Elle dessine au crayon puis peint sur le liquide de masquage au pinceau.*

Peindre des formes blanches

Le masque n'est pas seulement un moyen pratique de réserver du papier blanc pour les rehauts, mais il peut aussi être utilisé d'une façon plus positive, pour donner des coups de pinceau blancs. Étant épais, il les rend très efficaces, comme vous pouvez le voir sur ces exemples, où le liquide a été retiré après séchage de l'aquarelle. Ainsi, vous avez pratiquement peint avec du blanc, obtenant un résultat qui aurait été impossible avec de l'aquarelle uniquement.

2 *Un lavis gris-bleu léger est appliqué sur les trois troncs et sur le feuillage. On laisse sécher avant d'ajouter, humide sur humide, des verts et des jaunes.*

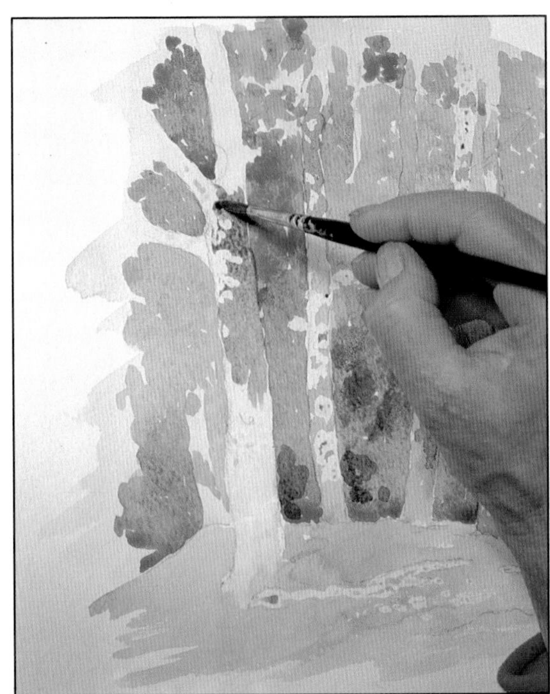

3 *Les teintes du feuillage doivent être séparées de celles des troncs. Les premières ont donc été séchées au sèche-cheveux. Puis les bruns sont peints directement sur le masque.*

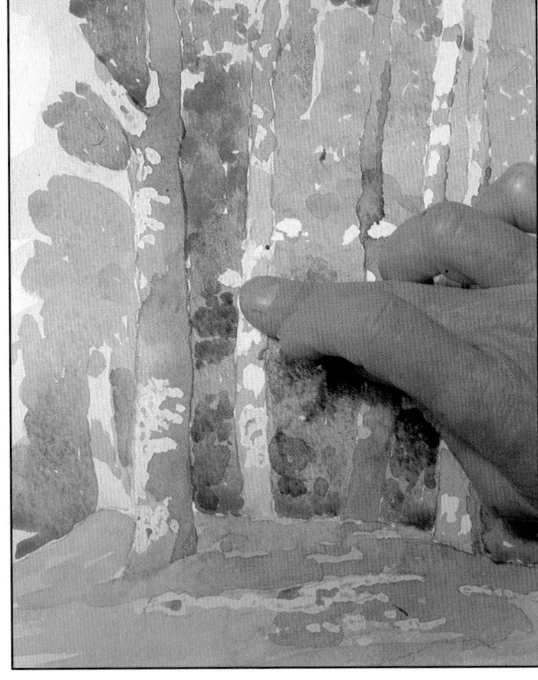

5 (Ci-dessus) *Il arrive, après élimination du masque, que les réserves blanches paraissent trop vives. Il est possible alors de foncer très légèrement quelques-unes de ces surfaces. Le feuillage central et les parties les plus claires du premier plan ont reçu un lavis jaune pâle.*

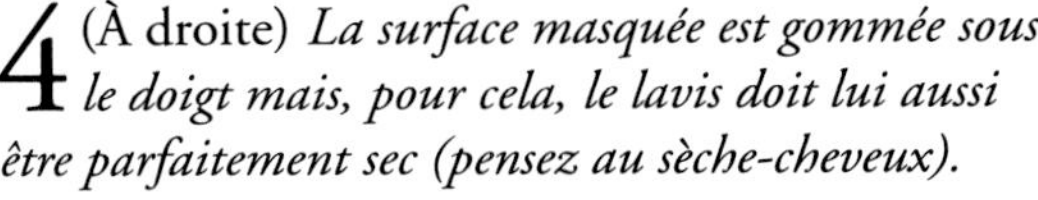

4 (À droite) *La surface masquée est gommée sous le doigt mais, pour cela, le lavis doit lui aussi être parfaitement sec (pensez au sèche-cheveux).*

La peinture opaque

Dans le passé, l'aquarelle n'a pas toujours été employée comme une technique basée sur la transparence et c'est encore parfois le cas aujourd'hui. Des artistes de la Renaissance, comme Albert Dürer, ou du XIXe siècle, comme William Turner, ont peint à l'aquarelle comme on emploie la gouache de nos jours. De nombreux artistes modernes associent gouache et aquarelle sur le même tableau. Parfois encore, ils mélangent un peu de blanc opaque dans leurs couleurs, ce qui leur donne du corps sans nuire à leur transparence.

Les peintures opaques, comme le liquide de masquage, sont parfois dédaignées par les puristes qui les considèrent, à tort, comme des subterfuges. En peinture, il faut tirer parti de toutes les possibilités et de tous les effets. Si, par l'utilisation d'une peinture opaque, vous atteignez parfaitement vos objectifs, rien ne doit vous retenir. Cette technique sera particulièrement utile pour le rendu d'effets atmosphériques tels que la brume enveloppant des collines ou la lumière se reflétant sur l'eau.

En utilisant un papier coloré, vous donnerez une autre dimension à votre travail, que vous utilisiez ou non du blanc dans vos couleurs. Le fond coloré est une base de départ pour établir la tonalité de votre œuvre, surtout si elle est sombre et sans brillances bien marquées. On peut se procurer ces papiers aquarelle teintés, mais il est parfois plus facile de trouver des papiers pour pastel, disponibles, eux, en une très grande variété de coloris. Il ne faut toutefois pas oublier, dans ce cas, de les fixer sur le support car ils sont plus fins que la plupart des papiers aquarelle.

Travail sur papier teinté

1 *Le papier utilisé ici est semblable au papier Ingres pour le pastel. Plus épais cependant, il n'ourle pas lorsqu'il est mouillé. Avant d'employer la moindre couleur, l'artiste fait un dessin assez précis des bâtiments dans le paysage.*

2 *Le secret de la technique de l'aquarelle opaque consiste à ajouter quelques touches de blanc là où c'est utile. Ici, on a employé du blanc pour le ciel. En revanche, les touches plus sombres sont de l'aquarelle pure.*

3 *Pour les maisons, un mélange blanc et cramoisi peint sur du blanc pur humide favorise un léger mélange des teintes. Les effets humide sur humide sont moins imprévisibles avec le blanc opaque, car il s'écoule moins.*

4 Du blanc opaque a été mélangé à l'aquarelle pour traiter les toits. L'artiste a trouvé la gouache blanche plus satisfaisante que l'encre de Chine blanche vendue pour aquarelle.

5 À la fin, l'artiste utilise un pinceau très mince pour souligner les arêtes des toits et les fenêtres ; puis, le feuillage de premier plan est progressivement travaillé par accumulation de petites touches d'aquarelle pure. Les couleurs sombres sont restées transparentes.

6 Le tableau achevé est d'une extrême délicatesse, grâce aux qualités de transparence de l'aquarelle. Le papier teinté qu'on a laissé délibérément transparaître sous les lavis joue un rôle majeur dans le chromatisme de l'ensemble.

Rendre les textures

Comment faire, avec l'aquarelle qui est tellement fluide, pour représenter le bord de mer ou un champ sans dessiner laborieusement chaque galet ou chaque épi de blé ? En fait, les textures peuvent être rendues selon différentes manières. C'est d'abord celle dite de la brosse (pinceau) sèche, qui se pratique avec une quantité très minime de peinture sur le pinceau, pour ne couvrir qu'imparfaitement le support. Cette méthode fait merveille pour représenter l'herbe, les lointaines futaies ou les fourrures animales. Dans ce cas, le pinceau sera plat, les poils ayant été légèrement écartés entre le pouce et l'index puis traînés sur un papier-buvard pour en ôter l'excédent de peinture.

On peut aussi éclabousser le papier de peinture à l'aide d'une vieille brosse à dents. Celle-ci est chargée de couleur et frottée au doigt ou avec un manche de crayon. De cette manière, le papier reçoit une projection de fines goutte-

Herbes peintes à la brosse sèche

1 *Cette technique s'exécute au pinceau (presque) sec, trempé dans la couleur et tapoté sur une feuille d'essuie-tout, pour en ôter tout excédent de peinture.*

2 *L'artiste écarte légèrement les poils entre le pouce et l'index et traîne le pinceau à bout carré sur le papier, créant ainsi une série de lignes très fines.*

3 *Deux couches à la brosse sèche, orientées différemment, ont été superposées pour suggérer des herbes penchées dans plusieurs directions.*

Projections à la brosse à dents

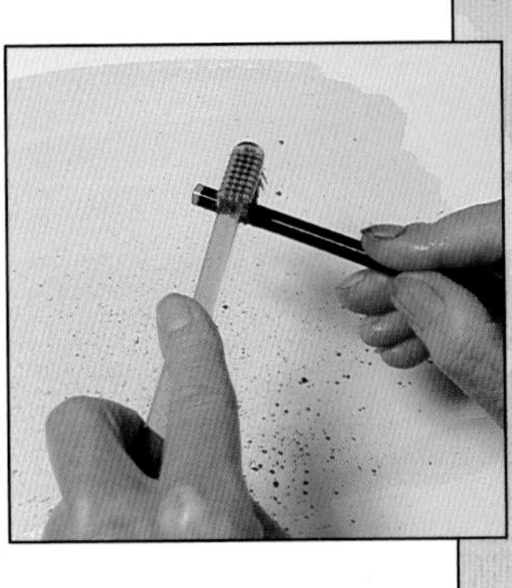

1 *Une brosse à dents chargée de peinture est frottée avec un crayon ; la couleur est alors projetée en fines gouttelettes.*

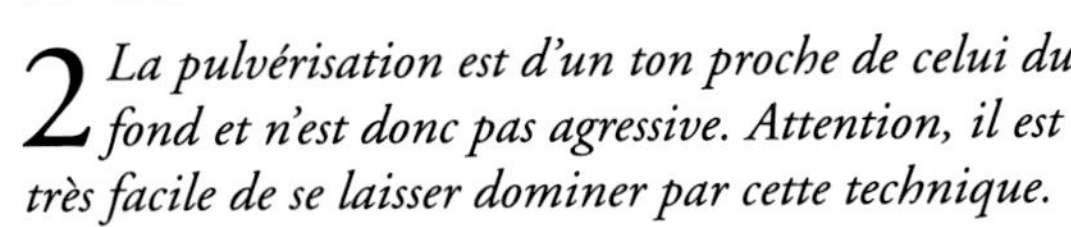

2 *La pulvérisation est d'un ton proche de celui du fond et n'est donc pas agressive. Attention, il est très facile de se laisser dominer par cette technique.*

Projections à la brosse

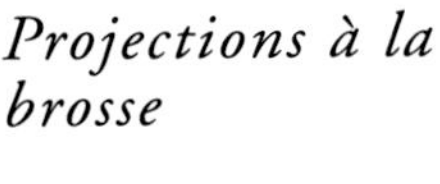

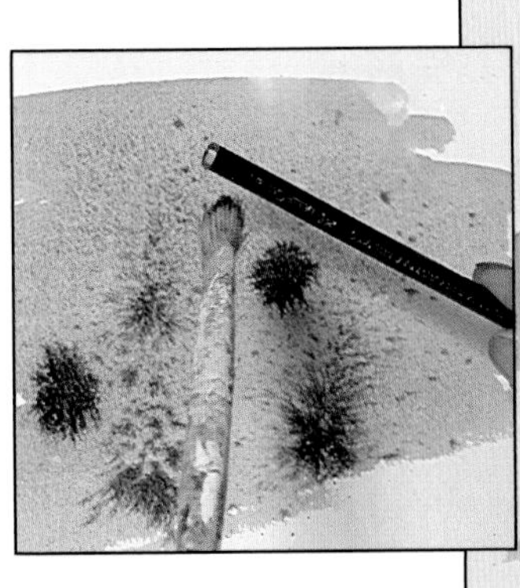

1 *Ici, la peinture projetée avec une brosse forme des gouttes plus grosses qu'avec une brosse à dents.*

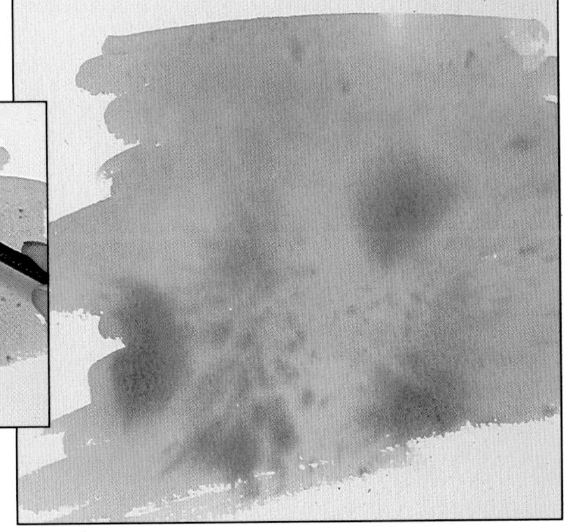

2 *À cause de la projection humide sur humide, la couleur foncée s'est répandue et un peu fondue dans la teinte plus claire.*

lettes de peinture. Cette technique permettra de suggérer une texture sans tomber dans le descriptif mais elle sera plus efficace si elle est employée avec discrétion et élégance. Pour représenter une plage de sable sur un lavis léger, par exemple, n'utilisez pas une teinte trop soutenue, l'effet en serait trop artificiel. Par ailleurs, cette technique peut être utilisée à des fins purement décoratives.

La technique au gros sel est idéale pour représenter un vieux mur décrépi ou une roche piquetée. Elle consiste à saupoudrer un lavis encore humide de cristaux de gros sel. Les grains de sel absorbent l'eau et repoussent le pigment, ce qui laisse de petites traces cristallines sur le papier. Les effets obtenus varient selon le degré d'humidité du lavis et la teinte employée ; en effet, certains pigments sont plus lourds que d'autres et ne se laissent pas déplacer aussi facilement. Pour vous assurer du meilleur résultat, déposez le sel dès que le lavis a perdu sa brillance, indice que le séchage a commencé. Le sel lui-même est très long à sécher mais cette technique vaut la peine d'être travaillée car elle est extrêmement riche en possibilités.

Projections au gros sel

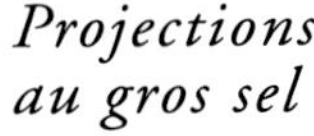

1 *Cette technique fonctionne mieux sur une surface lisse, peu absorbante. C'est le cas ici. Le gros sel est projeté sur le lavis et commence aussitôt à absorber l'eau.*

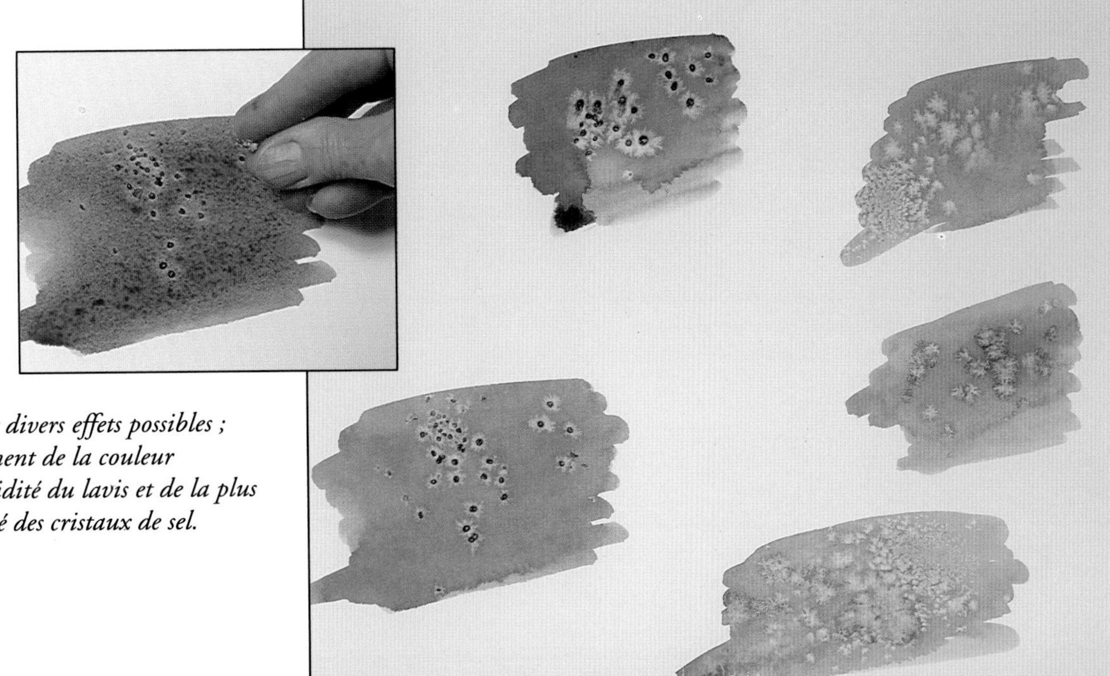

2 *Ces exemples illustrent divers effets possibles ; les différences proviennent de la couleur employée, du degré d'humidité du lavis et de la plus ou moins grande contiguïté des cristaux de sel.*

La réserve à la cire

Cette technique ressemble, d'une certaine manière, à celle faisant appel au masque. Toutes deux sont fondées sur le principe de la réserve, qui empêche la couleur de se fixer sur le papier. Cependant, la réserve à la cire donne un effet bien différent de celui de la réserve simple. Il repose sur la répulsion naturelle de l'huile (la cire) et de l'eau (la peinture). Si vous dessinez sur un bout de papier avec une bougie de ménage et, qu'ensuite, vous appliquez un lavis quelconque, la couleur refusera de se fixer sur les traces de cire. Mais à la différence du liquide de masquage, qui laisse des bordures bien nettes, la cire crée des effets plus imprécis, grainés, parce que le grain du papier aquarelle retient la cire de manière irrégulière.

C'est une technique simple, qui peut être spectaculaire. On l'emploie souvent pour les paysages, les ciels faiblement nuageux ou les discrets reflets sur l'eau. Elle renouvelle le traitement des textures. La patine d'un vieux mur, une falaise qui s'effrite, un arbre tortueux et multicentenaire peuvent être rapidement et habilement suggérés par une simple application de cire sous des lavis humide sur humide classiques.

Si vous souhaitez travailler à la cire colorée, utilisez des pastels à l'huile (ou similaires) qui vous donneront toute satisfaction. Le dessin à la cire sous-jacent peut être simple ou complexe. Certains artistes superposent crayons gras, peinture, crayons de nouveau, parfois grattages sur le tout avant de passer une dernière couche de peinture. Cette technique passionnante, qui ne ménage pas les surprises, est inépuisable : tout peut réellement arriver.

Aquarelle et bâton de cire

1 Cette artiste aime beaucoup le travail à la cire. Elle construit ses effets par superposition de couches. Elle a commencé par quelques lavis très libres puis elle griffonne à la cire transparente sur la peinture sèche.

Types de cire

Le résultat final dépend de la texture du papier, de la pression exercée sur le bâton de cire et du type de cire. Une bougie de ménage a été utilisée pour le premier exemple montré ici et deux bâtons de cire pour artistes pour les deux autres. Avec un crayon gras, on obtiendra un dessin plus délicat.

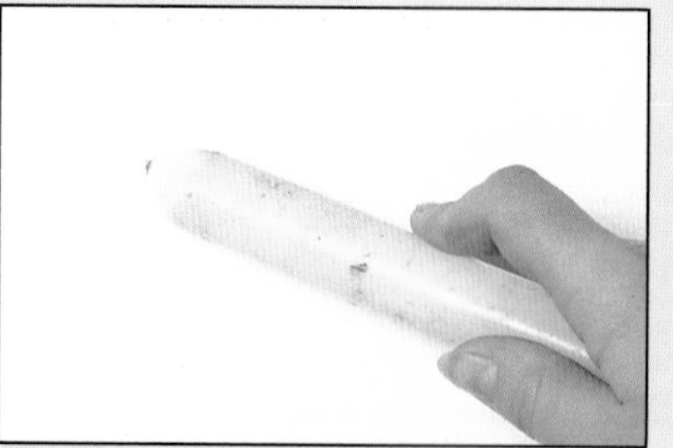

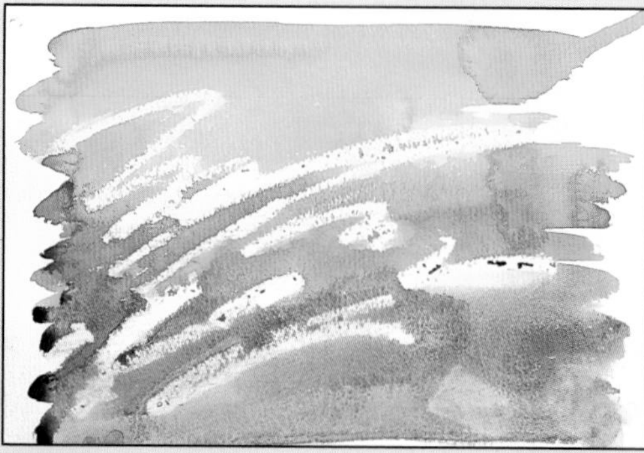

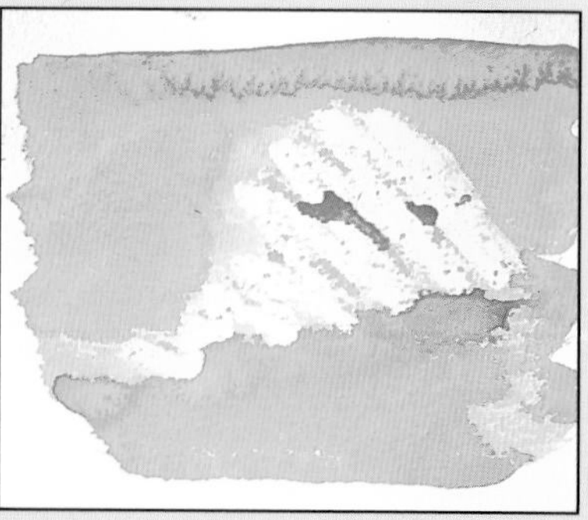

2 *La dernière couche d'aquarelle glisse sur les couches sous-jacentes de cire, formant petites taches irrégulières et gouttes. Cette technique est souvent utilisée pour suggérer les textures.*

3 *Nouvelle application de cire puis nouveau lavis frotté à l'essuie-tout pour donner l'illusion de coups de pinceau.*

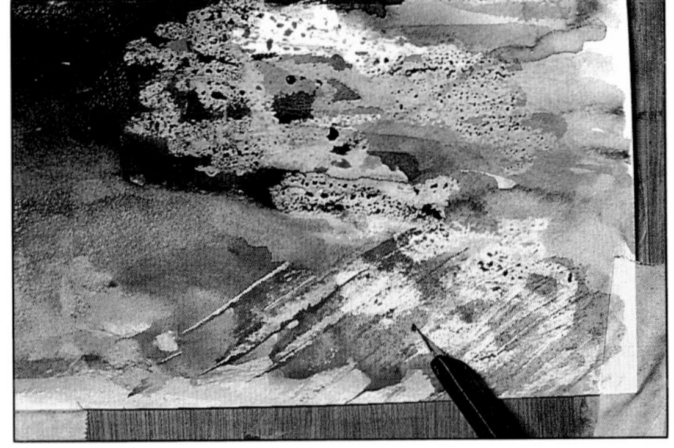

4 *Pendant que la peinture du premier plan est encore humide, l'artiste se sert d'un grattoir pour racler la cire et la peinture. Des lignes sombres se forment à la place des retraits de matière ; la peinture s'immisce dans les microscopiques éraflures du papier.*

5 *Pour le ciel, le grattage est plus superficiel, mais l'effet est différent car le grattoir enlève la couche de couleur qui recouvre la couche de cire en laissant apparaître des traces blanches.*

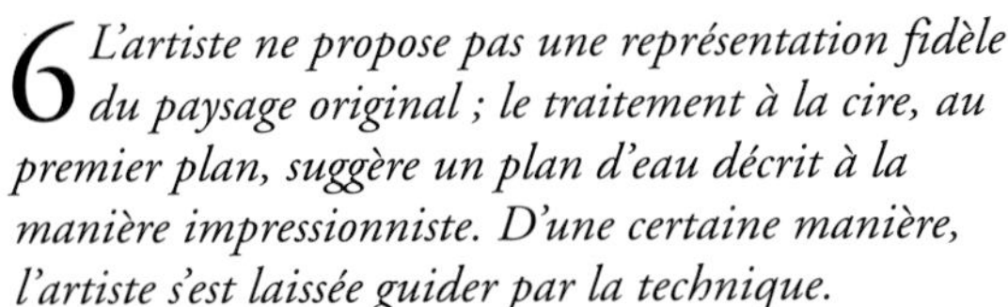

6 *L'artiste ne propose pas une représentation fidèle du paysage original ; le traitement à la cire, au premier plan, suggère un plan d'eau décrit à la manière impressionniste. D'une certaine manière, l'artiste s'est laissée guider par la technique.*

Trait et lavis

Cette technique associe le dessin et la peinture. Elle est employée depuis très longtemps et n'a pas perdu de son charme. C'est la technique traditionnelle des illustrateurs pour introduire la couleur dans des dessins au trait. Des artistes contemporains ont su exploiter et renouveler son invention expressive.

Trait et lavis est une technique mixte et, comme dans tout travail de ce type, il est important de savoir harmoniser les ressources qu'offrent les composantes. Il n'est pas toujours conseillé de commencer par le dessin ou du moins, de le mener à son terme ultime avant d'appliquer la couleur. D'une manière générale, les effets les plus picturaux jaillissent du travail simultané du trait et de la couleur, en fonction de l'avancement de l'œuvre.

Le trait peut se faire à la plume ou au crayon, ce dernier se mariant particulièrement bien avec l'aquarelle, car il offre une expression moins vigoureuse que la plume.

Toutefois, la plume est, dans l'ensemble, l'outil le plus employé ; essayez-la et vous n'aurez, dans ce domaine, que l'embarras du choix. Vous pourrez choisir une pointe fibre, un feutre (qui ne devra pas baver), un stylo classique ou une plume d'acier traditionnelle, que le débutant devrait préférer car un porte-plume et quelques bonnes plumes interchangeables restent très abordables. On utilise généralement de l'encre indélébile mais l'encre soluble à l'eau est également agréable car, au moment de l'application du lavis coloré, elle produit des fondus intéressants et permet d'adoucir le trait.

Encre et aquarelle

1 *L'artiste emploie ici la technique mixte trait et couleur. Il a donc commencé par un dessin au crayon pour mettre en place les grandes lignes, puis il a très librement appliqué, humide sur humide, les premiers lavis.*

2 *Après séchage des lavis, il dessine à la plume avec une encre non soluble. À ce stade, le dessin est encore très succinct.*

3 *Le dessin s'est considérablement étoffé – lignes épaisses, hachures simples et croisées, etc. Pour éviter que le trait ne domine l'ensemble, l'artiste ajoute de la couleur en nuances assez soutenues.*

4 La maison est évoquée par un travail à la plume très précis. Notez que les lavis du premier plan ont laissé, en séchant, des marques nettes et irrégulières qui complètent le travail à la plume.

5 Plusieurs lavis sont superposés dans les branches du gros arbre. Là encore, la couleur a été appliquée librement ; les touches finales sont déposées avec une plume très fine.

6 Si la partie graphique est entièrement terminée avant la mise en couleurs, la facture au trait et au lavis risque de se réduire à un remplissage un peu scolaire. L'artiste a évité ce piège en introduisant en permanence le trait dans la couleur et vice versa, tout en conservant un contraste indispensable entre linéarité et chromatisme.

Techniques

TACHES FONDUES

Si vous avez déjà tenté de travailler sur un lavis encore humide, vous avez donc rencontré le problème des taches fondues. Le nouveau lavis se répand dans le précédent, créant une tache irrégulière bordée d'une lisière caractéristique – désignée parfois sous le sobriquet de chou-fleur, pour des raisons évidentes. Souvent, les taches fondues provoquent la panique chez le débutant, qui se voit contraint de reprendre une autre feuille de papier, ou du moins de laver à l'éponge ces taches pour recommencer.

Toutefois, une bonne part de la technique de l'aquarelle consiste à tirer parti des accidents plus ou moins heureux qui peuvent apparaître au cours du travail. Certains artistes provoquent d'ailleurs délibérément ces taches qu'ils intègrent ensuite dans leur œuvre. Les effets de cette manière de travailler sont bien différents et beaucoup plus surprenants que ceux obtenus par les moyens habituels : un fondu dans un ciel, par exemple, pourra ressembler à un nuage, probablement bien loin de celui que vous aviez en tête tandis qu'une tache au premier plan apportera une touche de perfection inattendue. Dans la peinture de fleurs, les fondus sont particulièrement heureux car ils évoquent facilement les formes complexes des pétales.

Les taches peuvent difficilement être maîtrisées mais vous n'êtes pas pour autant entièrement à leur merci. Vous pourrez les provoquer à volonté en laissant couler une peinture très fluide dans une première peinture en train de sécher (le contraire ne fonctionne pas). Vous accentuerez l'effet en inclinant le support, comme pour une technique humide sur humide classique, puis vous utiliserez un sèche-cheveux pour arrêter le processus dès que l'effet souhaité sera atteint. Souvenez-vous toutefois qu'avec la technique humide sur humide, la couleur continuera de se répandre jusqu'à séchage complet.

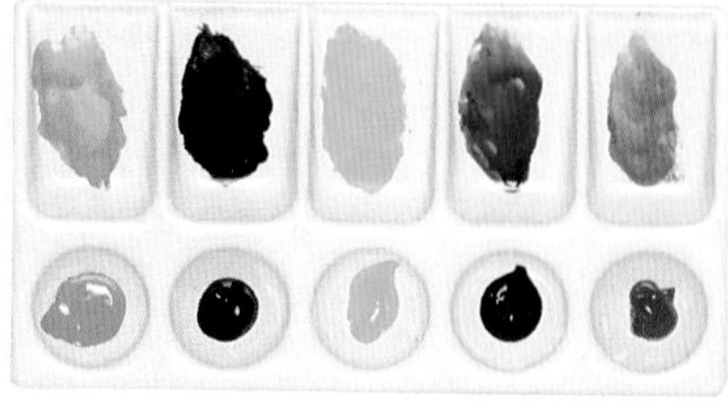

PALETTE D'AQUARELLE

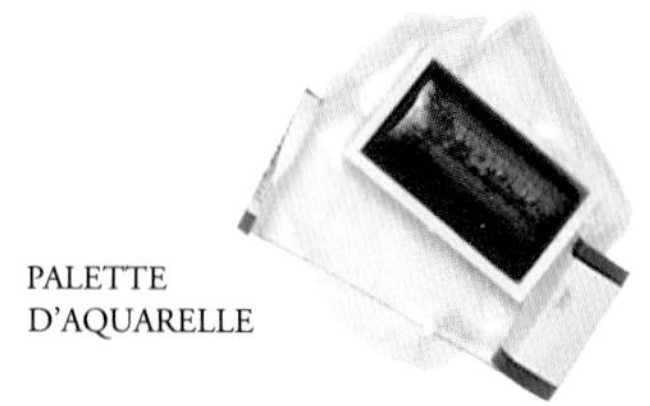

COULEURS EN GODETS

Taches fondues accidentelles

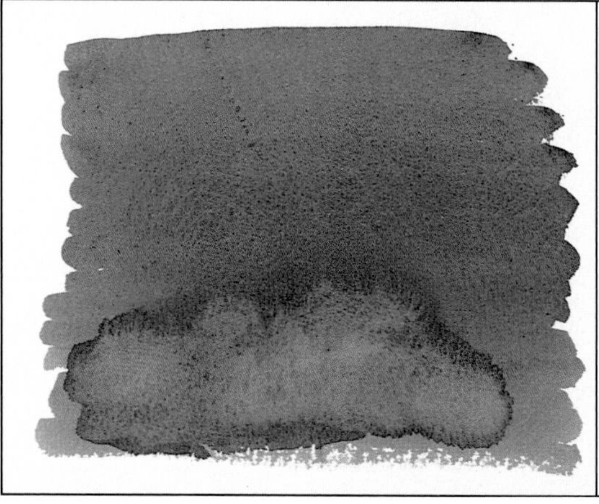

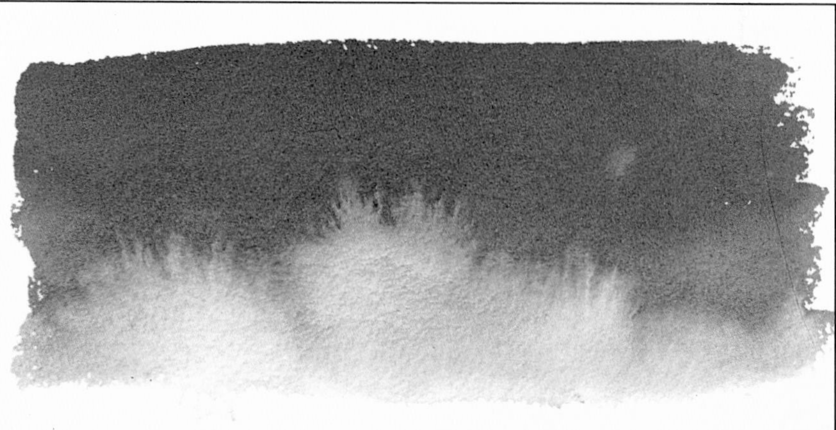

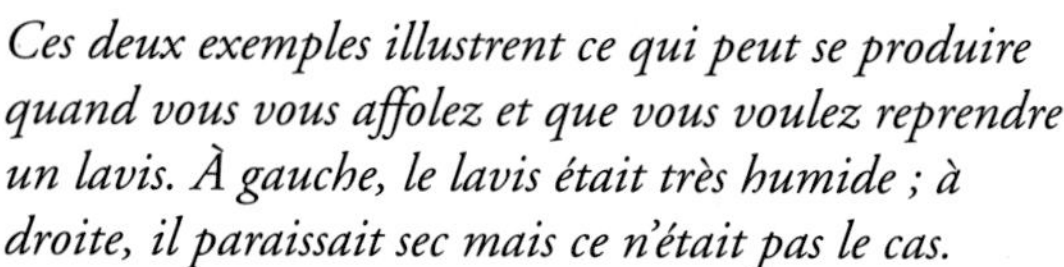

Ces deux exemples illustrent ce qui peut se produire quand vous vous affolez et que vous voulez reprendre un lavis. À gauche, le lavis était très humide ; à droite, il paraissait sec mais ce n'était pas le cas.

Taches fondues provoquées

1 Le premier lavis est un bleu indigo dans lequel, encore humide, a été déposé un lavis carmin d'alizarine beaucoup plus mouillé. Immédiatement, la seconde couleur se répand dans la première.

2 On dépose à présent un peu de jaune, qui chasse à son tour le carmin et crée une zone pâle au centre des couleurs plus sombres.

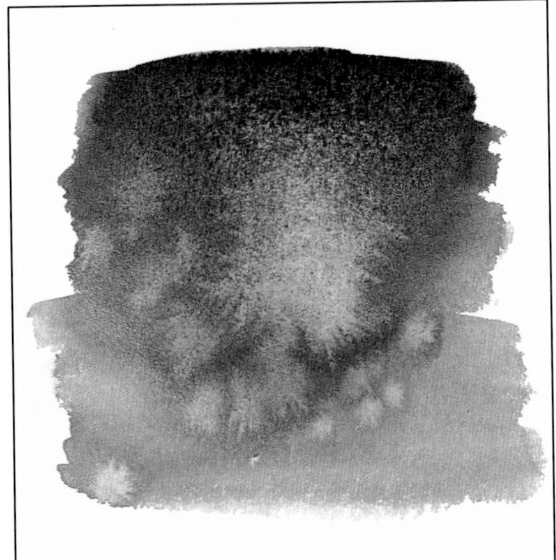

3 La couleur continue à se modifier jusqu'au séchage complet. À ce stade, le premier lavis a commencé à sécher sur les bords mais sa partie centrale est encore bien humide.

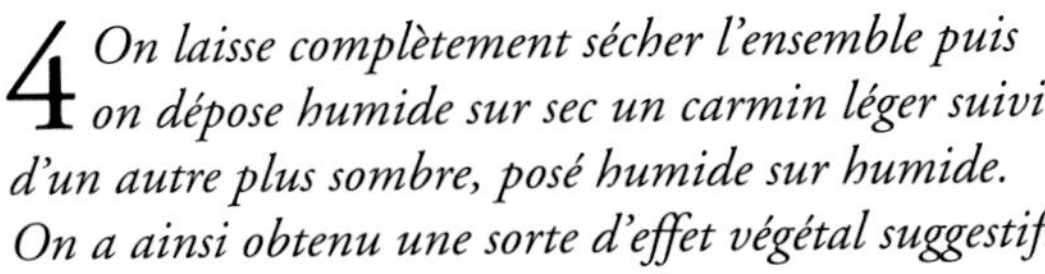

4 On laisse complètement sécher l'ensemble puis on dépose humide sur sec un carmin léger suivi d'un autre plus sombre, posé humide sur humide. On a ainsi obtenu une sorte d'effet végétal suggestif.

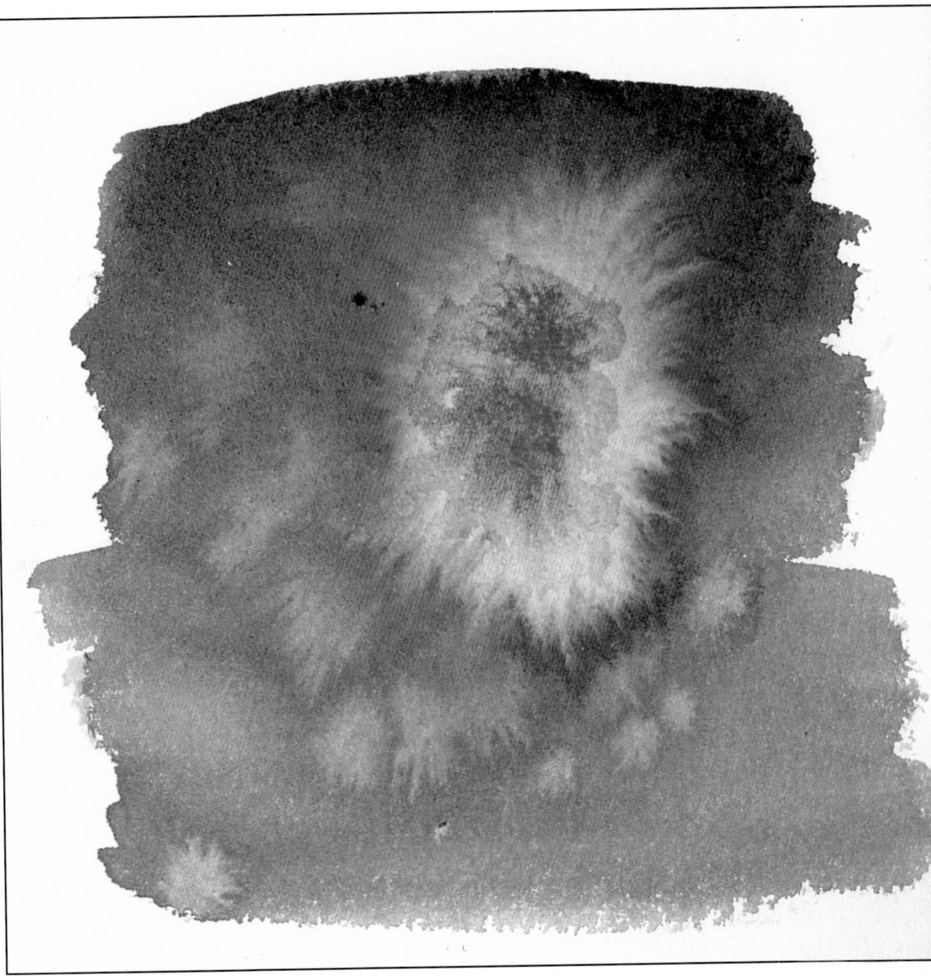

Les additifs

Les pigments d'aquarelle sont liés à la gomme arabique, qui peut, par ailleurs, être utilisée comme médium à part entière. On la trouve chez tous les fournisseurs spécialisés. Si on dilue un peu de cette gomme dans de l'eau et qu'on l'intègre à la couleur, cette dernière paraîtra plus brillante et coulera moins facilement – elle aura davantage de corps. Cette méthode vous permettra de créer, sur le papier, en petites touches séparées, des zones isolées où vous pourrez travailler de manière spécifique et plus détaillée. Cette technique autorise également le retrait de couleurs déjà sèches. Si vous appliquez une couleur à la gomme arabique sur un lavis plus pâle et que vous laissiez sécher l'ensemble, la couche supérieure pourra être enlevée très facilement au pinceau humide car l'eau dilue la gomme arabique et révèle la couleur sous-jacente.

Aquarelle à la gomme arabique

1 *L'artiste a commencé par des lavis classiques puis a traité les arbres à la peinture vert sombre mélangée à de l'eau gommée (deux parts d'eau pour une de gomme arabique). Notez la richesse des tons et les touches bien séparées.*

2 *La gomme arabique facilite la technique du retrait. Comme elle est soluble à l'eau, on peut retirer de la matière sur la dernière couche posée en tapotant avec un pinceau humide.*

3 (Ci-dessus) *On tapote légèrement la peinture avec un chiffon humecté pour créer des rehauts subtils et diffus. Remarquez que le lavis jaune reste intact car l'eau gommée n'a pas été employée pour cette première couche.*

4 *L'eau gommée donne une profondeur particulière à votre travail. Ici, les effets des rehauts obtenus par retrait de matière sont différents de ceux des techniques classiques. Ce procédé a enchanté l'artiste, qui l'utilisait pour la première fois.*

Mélange peinture-savon

1 Le pinceau a été trempé dans une épaisse dilution de peinture puis frotté sur un savon. Cela a pour effet d'épaissir encore plus la peinture. La touche devient alors bien visible sans que la transparence de la couleur à l'eau soit sacrifiée.

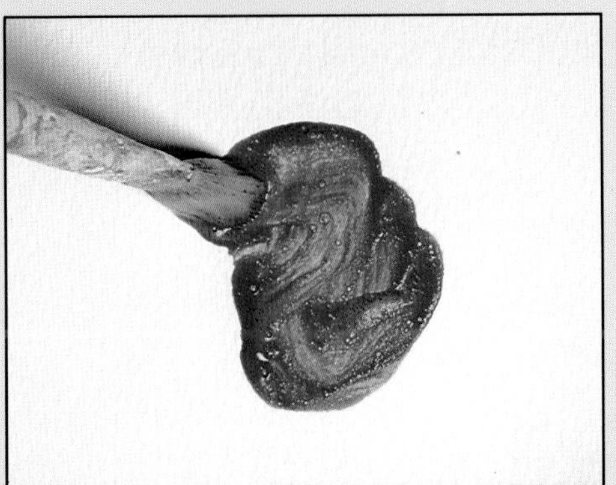

2 Avec un pinceau de soie, le résultat est différent car le mélange couleur-savon peut être travaillé en épaisseur par des mouvements circulaires. Ces traces de matière subsistent après le séchage, donnant une curieuse impression de petites taches mousseuses et de bulles.

Aquarelle et térébenthine

1 Le pinceau a été trempé dans l'essence de térébenthine puis dans la peinture. Le lent retrait de la couleur sur la pellicule grasse de la térébenthine crée un effet de strates.

2 Ici, avant d'appliquer le lavis, la térébenthine a été étendue sur toute la surface du papier au pinceau de soie.

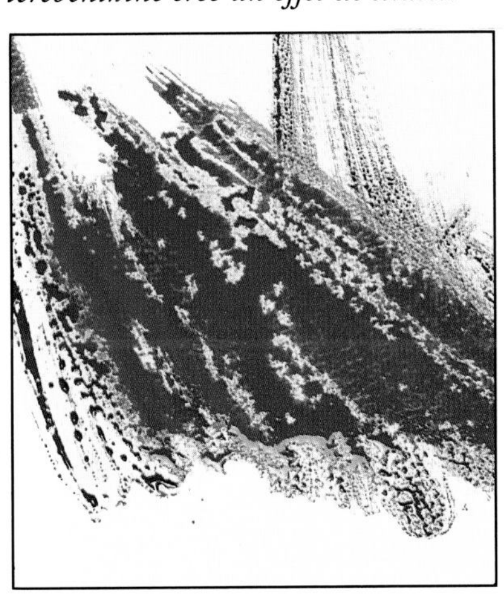

3 La même technique a été employée ci-dessus mais les coups de pinceau sont plus lâches, d'où une facture rude, violente bien que transparente.

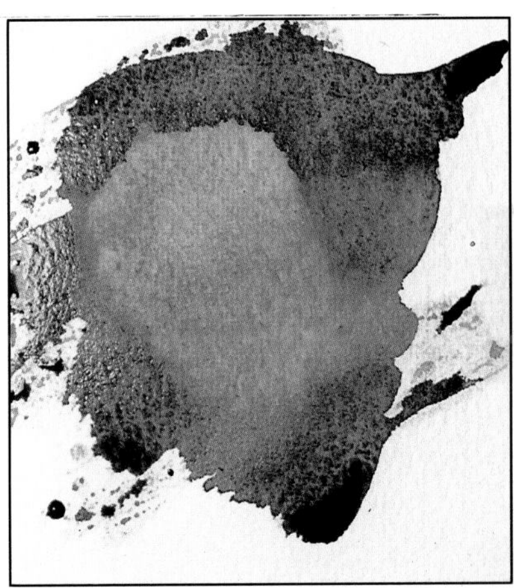

4 Lorsqu'on laisse tomber quelques gouttes de térébenthine, le mélange eau-peinture humide est repoussé vers la périphérie et laisse au centre un effet de nuage pâle.

Le fiel de bœuf raffiné est un médium qui produit un effet opposé car il favorise l'adhérence et la fluidité des couleurs.

Passons aux additifs moins habituels, tel le savon, qui présente des effets semblables à ceux de la gomme arabique : épaississement de la couleur, d'où bonne tenue de la touche du pinceau. Les microscopiques bulles qui se forment laissent des traces inhabituelles – cercles, taches – après séchage. Le savon est particulièrement utile dans la traduction de textures ou la représentation d'un ciel d'orage torturé.

Il est également possible de créer des effets d'aquarelle intéressants en exploitant une variante du travail à la cire. On emploie de l'essence de térébenthine, qui, en tant que médium gras, est incompatible avec l'eau. Si vous déposez un lavis sur une couche de térébenthine, la couleur et l'essence se sépareront mais seulement partiellement, ce qui donnera un aspect marbré ou parfois effrangé. De même, on peut préparer un lavis puis tremper le pinceau dans la térébenthine juste avant l'application. Toutes ces techniques particulières conduisent à des effets aussi imprévisibles et surprenants les uns que les autres.

Leçons comparées

Les aquarellistes amateurs se limitent souvent à l'imitation pure et simple d'un peintre dont ils aiment particulièrement le style. Cette démarche présente une certaine valeur au début – chaque artiste a eu un maître qui lui a servi de modèle – mais elle peut aussi inciter à penser qu'il n'y a qu'une seule façon de peindre et que certaines techniques sont à proscrire. Pour illustrer le fait que deux personnes ne peignent jamais de la même façon, nous avons demandé à deux artistes de représenter la même nature morte, dans leur technique de prédilection.

John Lidzey utilise une combinaison de techniques humide sur humide et humide sur sec, sur papier lisse, car il aime que les couleurs s'entremêlent en favorisant flaques et taches fondues. Rosalind Cuthbert, pour sa part, peint sur papier médian avec une technique humide sur sec, très classique.

Un bel arrangement de nature morte avec verrerie bleue et argenterie a été disposé sur une nappe à carreaux.

Aquarelle sur papier lisse

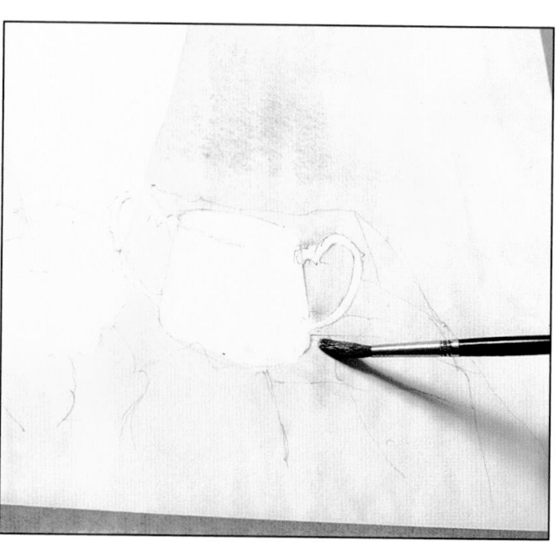

1 *Pour évaluer plus aisément les tons nécessaires au rendu du sucrier en argent, l'artiste commence par étendre un lavis clair sur l'ensemble de l'arrière-plan. Il a cependant pris soin de dessiner soigneusement au crayon le contour des objets pour en maintenir éloigné ce premier lavis.*

2 *Pour la panse du vase, un effet très léger a été obtenu en peignant humide sur humide. Les rehauts blancs, qui doivent au contraire être parfaitement définis, se détachent en réserve de la peinture qui les environne. Une partie du lavis jaune orange sera aussi réservée pour servir de rehaut, à l'instar de la petite tache à droite, laissée en blanc.*

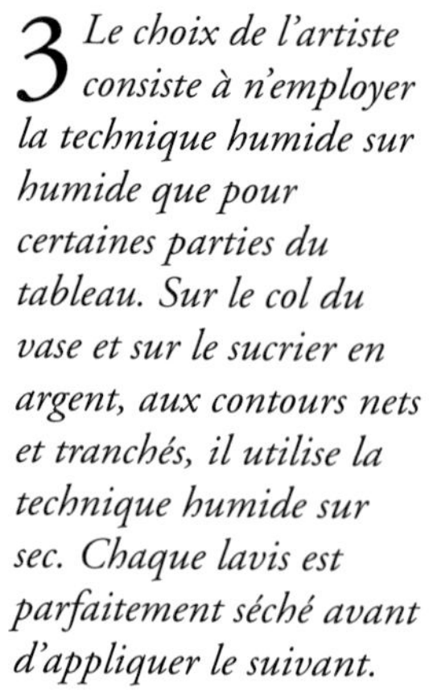

3 *Le choix de l'artiste consiste à n'employer la technique humide sur humide que pour certaines parties du tableau. Sur le col du vase et sur le sucrier en argent, aux contours nets et tranchés, il utilise la technique humide sur sec. Chaque lavis est parfaitement séché avant d'appliquer le suivant.*

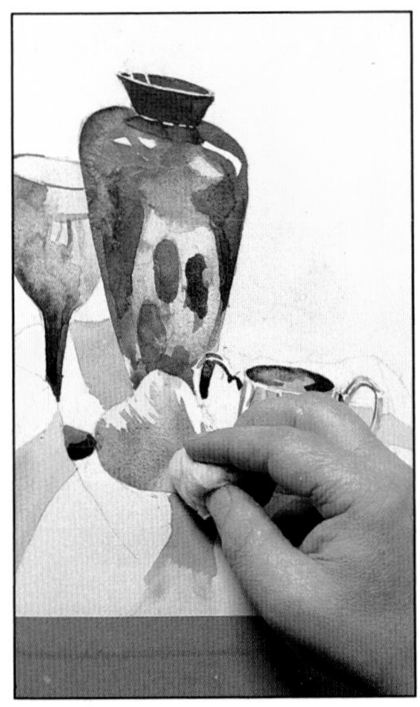

4 *Sur la pomme, le lavis plus sombre a été tamponné avec une boule de coton humide pour obtenir un effet différent, plus imprécis. Le coton hydrophile et le sèche-cheveux sont tous deux des outils importants de la trousse d'un artiste.*

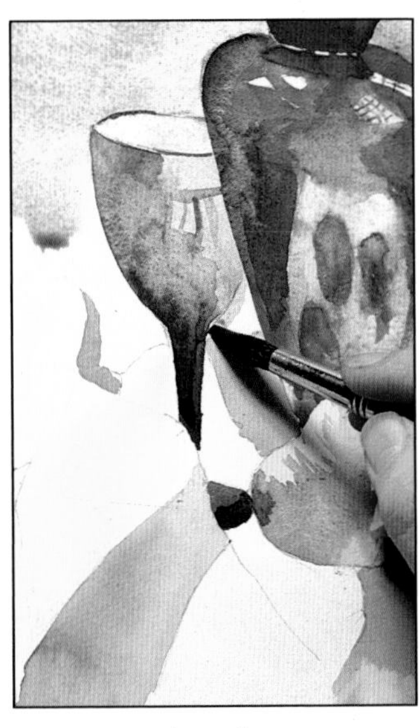

5 *La couleur de l'arrière-plan est soigneusement passée autour des contours du verre. Bien que l'artiste ait utilisé la technique humide sur humide pour peindre le verre et le vase – on en voit parfaitement le résultat sur la photo ci-dessus –, le travail a été séché pour éviter que la nouvelle couleur ne bave dans le bleu.*

6 *Pour adoucir certaines parties de l'arrière-plan et trouver une légère variante de couleur et de tonalité, une boule de coton humide est de nouveau utilisée pour enlever un peu de la couleur encore humide. Une granulation – effet accidentel recherché par les aquarellistes – se produit souvent sur le papier lisse.*

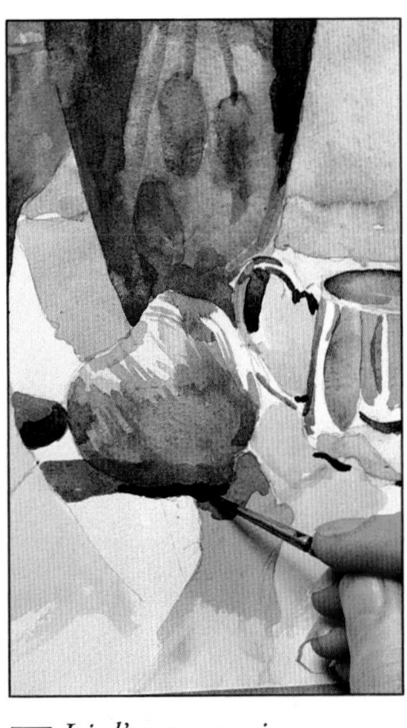

7 *Ici, l'on peut voir comment le premier lavis de la pomme (étape 2) a été réservé aux rehauts, alors que les couleurs plus sombres ont été peintes humide sur sec. L'ombre renforce considérablement le modelé de la pomme.*

8 *La combinaison des effets moelleux humide sur humide et des bordures bien nettes est très séduisante. Le traitement du sucrier et du col du vase illustre l'importance de l'esquisse préliminaire dans le travail de l'aquarelle. Chaque rehaut et chaque reflet, blanc ou coloré, doivent être habilement placés, de manière à souligner judicieusement les formes des objets.*

Suite page suivante ⇨

Humide sur sec sur papier médian

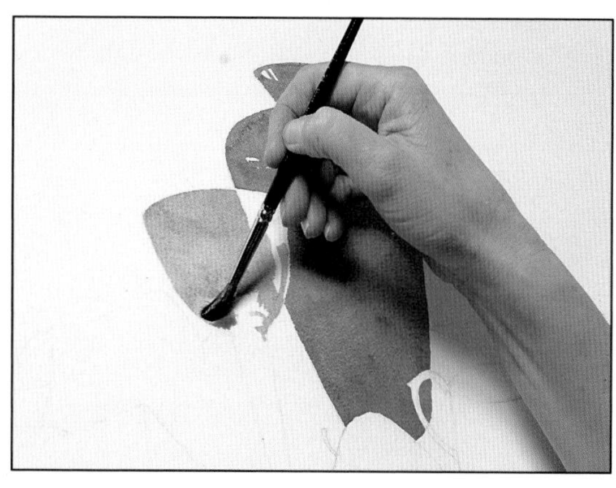

1 Comme dans la démonstration précédente, l'artiste a commencé par une ébauche, cependant exécutée d'un trait plus léger. Elle ne débute pas par l'arrière-plan mais place d'emblée les couleurs du verre et du vase.

2 Aucun ton autre que le bleu, la couleur dominante, n'a été placé. Deux bleus ont été utilisés pour cela : bleu outremer pour le vase et bleu de phtalocyanine – plus froid – pour le verre et le tissu.

3 L'artiste, qui a décidé de fixer les tons de l'arrière-plan en fonction de ceux du vase et du verre, se concentre d'abord sur eux. Le vase reçoit un outremer foncé et une nuance plus claire du même bleu pour les reflets colorés.

4 Un lavis jaune pâle est appliqué sur le tissu et la pomme ; à l'endroit où le jaune recouvre le bleu clair, les deux couleurs se mélangent pour donner un vert. Un jaune orangé, plus chaud, est passé sur le pied du vase pour signaler le reflet de la pomme.

5 En terminant le vase et le verre avant les autres objets, l'artiste est en mesure d'évaluer quelles valeurs donner aux couleurs de la pomme et de son reflet dans le sucrier, le dernier motif qu'elle peint.

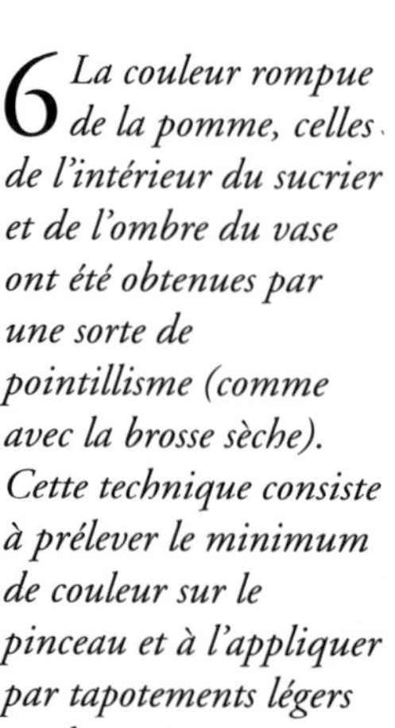

6 La couleur rompue de la pomme, celles de l'intérieur du sucrier et de l'ombre du vase ont été obtenues par une sorte de pointillisme (comme avec la brosse sèche). Cette technique consiste à prélever le minimum de couleur sur le pinceau et à l'appliquer par tapotements légers sur le papier.

9 *À la dernière étape, l'artiste ajoute quelques jus légers çà et là sur la nappe pour accentuer les drapés. De même, il fonce d'un chaud gris-bleu l'arrière-plan proche de la table. Cette partie est la seule à avoir été travaillée humide sur humide, pour obtenir précisément un effet très doux.*

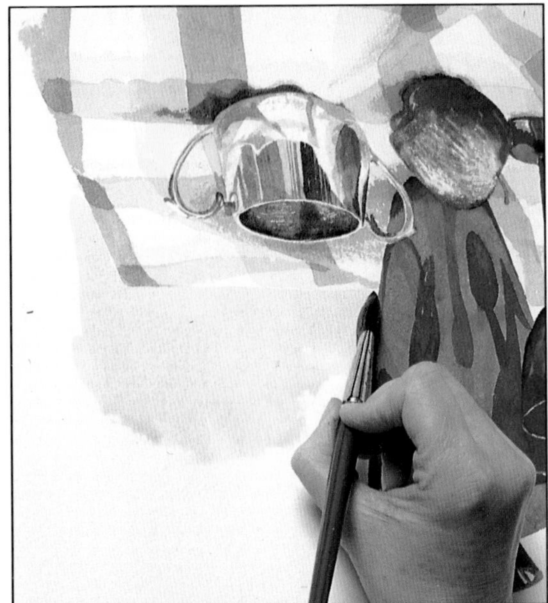

7 *Dans la peinture d'une nature morte, c'est souvent une bonne idée de garder l'arrière-plan pour la fin, car il est plus facile de le traiter une fois les objets terminés. Ici, c'est un jaune proche de celui de la nappe qui a été choisi. Le support a été retourné pour faciliter l'application du lavis.*

8 *Pour souligner davantage les limites de certains objets, tel le verre bleu, de fins rehauts sont posés sur les bords, là où la lumière s'accroche.*

Le paysage

Pour beaucoup de gens, la technique de l'aquarelle est associée au thème du paysage, peut-être à cause de la longue tradition des esquisses à l'aquarelle. Mais, quelle qu'en soit la raison, il ne fait aucun doute que la limpidité et la légèreté de cette technique en font un excellent médium pour le travail sur ce motif.

Certes, il n'est pas nécessaire de toujours travailler dehors – nous examinerons plus loin d'autres possibilités. Toutefois, si le paysage vous intéresse, il faut prendre des notes sur le vif, sous forme de croquis ; rien, en effet, ne remplace la perception directe. Avant d'exprimer définitivement cette sensation sur le papier, vous aurez à vous décider sur la forme que prendra la composition de votre œuvre.

L'image peinte

Même si vous vous contentez de peindre ce que vous avez devant les yeux, vous devrez

Unité et contraste
Dans la peinture ci-dessous, Juliette Palmer a créé des liens visuels entre le ciel et le paysage en utilisant des motifs comparables pour représenter les nuages et les arbres. Cela donne une grande unité à sa composition ; les traits rectilignes des bâtiments fournissent le contraste indispensable à l'équilibre de l'ensemble. Pour la Véranda *(à gauche), l'artiste a exploité encore davantage ce type de contrastes, prenant les formes géométriques et les couleurs claires de la structure comme fond pour les formes souples et les couleurs vives des fleurs.*

Centre d'intérêt
S'il existe un point fort dans le paysage choisi, comme un arbre sombre se détachant sur une surface colorée, il pourra servir de pivot à votre tableau. Il vous restera à décider de son emplacement dans la composition et de la meilleure manière de le mettre réellement en valeur. Dans Printemps à Peak District *(ci-contre), Juliette Palmer a choisi la maison blanche comme centre d'intérêt. Elle l'a très légèrement décentrée et l'œil y est conduit par les diagonales ondoyantes et le mur du premier plan, ainsi que par le gros arbre.*

Liens visuels
Les premiers plans s'avèrent relativement dangereux pour la composition d'un paysage ; en effet, ils sont souvent travaillés avec plus de soin que les autres plans, ce qui entraîne une impression de désorganisation. Dans Chemin muletier au figuier, *Joan Elliott Bates a traité le premier plan avec juste ce qu'il faut de détail ; elle a pris soin de lier le figuier au reste du tableau en laissant les branches envelopper les bâtiments, comme un rappel des courbes des collines dans le lointain.*

malgré tout organiser une composition. Ce qui ne signifie pas pour autant bousculer le paysage ou inventer des ombres qui n'existent pas. Vous devrez tout simplement décider d'un point de vue, d'un centre d'intérêt et des importances relatives du premier plan et de l'arrière-plan. Avant de commencer, promenez-vous pour découvrir parmi les différents points de vue possibles celui qui offrira le meilleur angle. Ce choix est primordial pour votre composition.

Il faudra aussi déterminer l'emplacement de l'horizon dans le tableau et quels éléments du paysage pourront servir de point d'appui à la composition finale. Souvenez-vous qu'il ne s'agit en aucune manière de copier ce qui se présente devant vous mais de l'interpréter selon votre personnalité et votre sensibilité. Il n'est donc pas raisonnable de vouloir peindre chaque brin d'herbe, même situé au premier

Mouvement
Une bonne peinture de paysage doit, par l'impression de mouvement qui l'habite, inciter l'œil du spectateur à s'y promener. Dans la Route vers Ronda, *Pip Carpenter a réussi ce tour de force grâce à une technique énergique et à une composition dynamique. Tout dans ce paysage, pourtant hâtivement traité, mène naturellement vers la courbe de la route et au-delà. Chemins, routes, cours d'eau conduisant du premier à l'arrière-plan sont des classiques de la composition picturale.*

plan, l'important étant surtout de donner l'impression d'herbe. Vous pourrez ainsi éliminer de votre composition tout élément d'intérêt mineur qui, de plus, masquerait un élément plus intéressant. Il est également possible de faire un simple pas de côté pour donner à cet élément une importance moindre.

La règle d'or de la composition dicte de fuir toute symétrie. Un tableau strictement partagé en deux par un horizon plat – comme dans une marine – véhiculerait un ennui profond.

De même, et pour des raisons similaires, l'élément principal ne doit en aucun cas être placé exactement au centre du tableau. Ces erreurs ôteraient à votre œuvre toute impression de vie et de mouvement.

La lumière

Les variations de la lumière sont l'une des grandes préoccupations des artistes travaillant sur le motif. Le soleil, de par son mouvement apparent continu, modifie en permanence la direction des ombres.La seule façon de résoudre ce problème est de travailler vite, sans pour autant se précipiter. Limitez votre format pour pouvoir peindre plus rapidement. Dès le début, indiquez d'une manière ou d'une autre la direction de la lumière de telle sorte que vous ne soyez plus tenté de faire de modification par la suite.

N'essayez pas de travailler toute la journée sur le même tableau. En effet, sauf par temps couvert, le paysage de l'après-midi sera sensiblement différent de celui que vous aurez découvert le matin même. Ne peignez pas plus de trois heures, durée raisonnable. Vous pouvez également répartir ce temps de travail sur deux journées successives. Les peintres confirmés sont souvent capables de continuer sur leur lancée, quelles que soient les variations de la lumière, car leur mémoire visuelle, entraînée par l'expérience, leur permet de conserver à l'esprit les conditions originelles de luminosité.

La présence de l'homme
Vous ajouterez de l'intérêt à un paysage en y introduisant un ou plusieurs personnages. Dans Dure Journée, *Ronald Jesty a opté pour deux personnages se protégeant des embruns tandis qu'un troisième les met en garde, ce qui introduit un élément de narration. Personnages et rochers sombres concentrent l'intérêt sur la bande horizontale centrale du tableau.*

Le travail en atelier

Les grands formats s'élaborent difficilement dehors. La solution consiste à exécuter des croquis sur place puis à revenir chez soi pour entreprendre le travail au format définitif. Cela présente le double avantage de la perception directe et du travail dans la sérénité.

Le croquis préparatoire se distingue sensiblement dans sa réalisation du croquis spontané car il réclame une masse d'informations permettant, de retour à l'atelier, de reproduire sans hésitations majeures les grands traits du paysage choisi. Les professionnels n'hésitent pas à prendre, sur le carnet de croquis, des notes sur les couleurs, les formes et autres informations, qui raviveront leur mémoire visuelle quand ils peindront. Même s'il s'agit d'esquisses, commentez-les : il vaut mieux trop de notes que pas assez.

Vous pouvez aussi partir de photographies. Certains puristes prétendent qu'on ne doit pas le faire, mais cette position n'est pas réaliste. La plupart des peintres disposent de très peu de temps et le climat rend souvent très difficile le travail en extérieur. Il vaut mieux se référer à des photos que ne pas peindre du tout.

Cependant l'appareil photo rend rarement justice aux couleurs naturelles ; les nombreuses subtilités risquent d'être perdues et l'épreuve écrase souvent les couleurs sombres en les réduisant à une masse informe. La photo tend également à aplatir les perspectives et donc à réduire l'impression tridimensionnelle.

Pour se donner le maximum de chances, les artistes qui utilisent la photo prennent généralement plusieurs versions d'un même sujet, qu'ils peuvent combiner par la suite pour créer une composition de leur invention. Ce qui ne les empêche pas d'avoir encore recours au croquis classique.

Travail en atelier
Patrick Cullen peint des aquarelles de grand format à partir de croquis sur le vif et, parfois, d'esquisses de composition. Cette œuvre, par exemple, intitulée Paysage de Toscane, *mesure plus de 1,50 m de large. L'artiste peint plans après plans, mettant petit à petit en place ses couleurs chaudes et riches par une succession de touches et disposant, ici ou là, un lavis pour parfaire les dégradés de tons et de couleurs.*

Étude de paysage

LEÇON

L' AQUARELLE

Hazel Soan, connue essentiellement comme aquarelliste de paysages, peint parfois à l'huile. Elle aime, chaque fois que possible, aller peindre sur le terrain mais ne néglige pas, si nécessaire, de puiser dans la documentation photographique. Elle ne travaille presque jamais à partir d'une seule photo mais en utilise tout une panoplie, sélectionnant, selon le cliché, l'élément qui lui convient le mieux ou, au contraire, éliminant le moins intéressant. Dès que le travail a atteint un certain stade, elle met de côté toutes les photos, de sorte que la peinture se développe en toute indépendance.

COULEURS UTILISÉES
mauve, rose permanent, bleu de cobalt, bleu de cœruléum, bleu outremer, ocre jaune, jaune de cadmium, vert anglais, terre de Sienne brûlée et une pointe de rouge de cadmium. Le liquide de masquage utilisé est de la gomme gutte.

1 *L'artiste utilise généralement un liquide de masquage à base de gomme pour réserver quelques zones particulières. Ici, elle commence par placer ses réserves en fonction des photos et de sa première esquisse au crayon.*

2 *L'artiste commençe par les lavis les plus clairs dans la plus pure tradition de l'aquarelle. Le travail se fait humide sur sec, en recourant toutefois, par endroits, à la technique humide sur humide. Un mélange de rose léger et de mauve est appliqué sur le liquide de masquage, qui sera ensuite gommé.*

3 *Les couleurs des fleurs et le brun-rouge éclatant du premier plan donnent les tons de référence de l'ensemble du tableau, qui doivent donc être déterminés et fixés dès les premières étapes.*

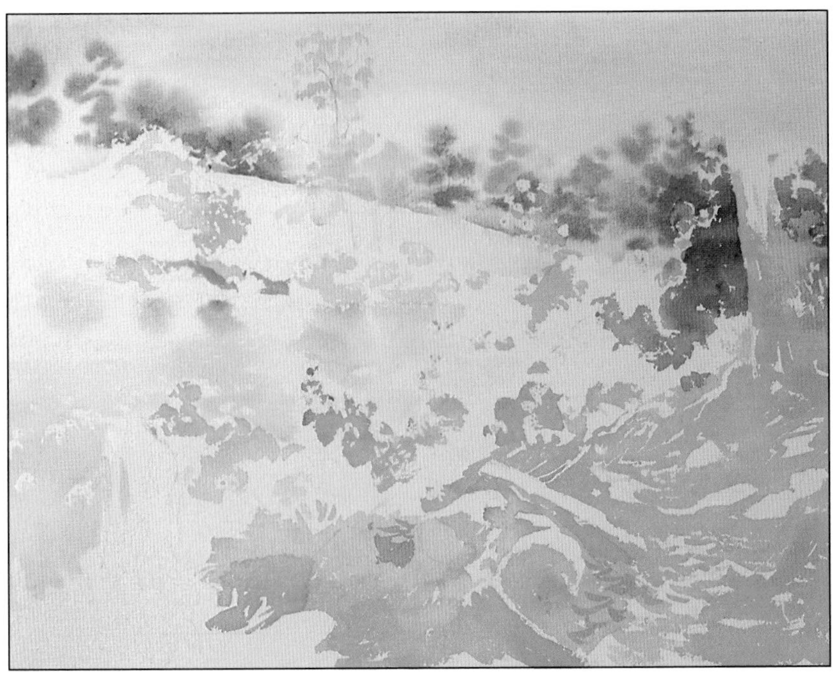

4 *Après environ une heure de travail, les principales couleurs ont été posées et seront renforcées ou assombries par de nouveaux lavis, à un stade ultérieur. La technique humide sur humide a été utilisée, jusqu'à présent, uniquement pour l'arrière-plan, où les effets tout en douceur sont plus naturellement recherchés.*

5 *Les arbres du fond sont terminés. L'artiste se concentre alors sur les plans éloignés du lac. Ici, les couleurs sont plus intenses mais, afin d'obtenir un effet relativement doux, les couleurs humides sont délicatement tamponnées pour ne pas paraître trop saturées.*

6 *Pour renforcer le premier plan, l'artiste dépose un lavis assez dense de rose léger et de brun-rouge. Cette partie du tableau est travaillée humide sur sec, ce qui donne au premier plan une présence plus grande que les parties du paysage les plus éloignées.*

7 (À droite) *Le liquide de masquage a été gommé à l'emplacement de certaines fleurs, rehaussées ensuite de quelques touches de rose. Les réserves sont démasquées au fur et à mesure de l'avancement du travail et en fonction de l'effet désiré.*

Suite page suivante ⇨

8 *Le feuillage du gros arbre de droite a tout d'abord été peint humide sur humide pour lui donner un peu de poids et de couleur, les jaunes et les bleus-verts s'interpénétrant subtilement. Quelques touches vives marquent les feuilles du premier plan.*

9 *Avec une gomme mie-de-pain, le liquide de masquage est éliminé des floraisons du premier plan. Quelques plages vierges sont laissées sur les roseaux, créant ainsi une matière mouchetée semblable à celle obtenue par le travail à la cire.*

10 *Des traces de papier blanc, non peintes, apparaissent sous les fleurs jaunes. L'artiste aurait pu les peindre sur le bleu pâle de l'eau sans employer de masque, mais alors même la plus pâle des couleurs sous-jacentes aurait gâché la pureté et l'éclat de ce beau jaune.*

11 *Des touches de rose intense sont ajoutées aux floraisons du premier plan.*

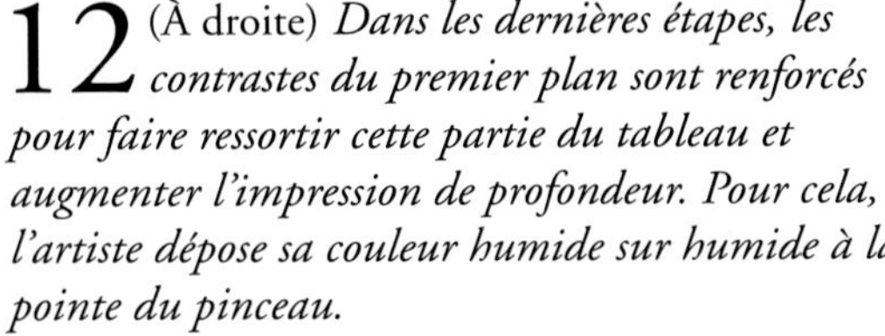

12 (À droite) *Dans les dernières étapes, les contrastes du premier plan sont renforcés pour faire ressortir cette partie du tableau et augmenter l'impression de profondeur. Pour cela, l'artiste dépose sa couleur humide sur humide à la pointe du pinceau.*

13 (Ci-dessus) *L'artiste a davantage mis en valeur le triangle de la pièce d'eau que la multiplicité de ses reflets qui apparaissait clairement sur l'une des photographies.*

Étude

Les Fleurs

Si le paysage est le sujet préféré des aquarellistes, les fleurs sont également très prisées. Parfois, bien sûr, les deux sujets se télescopent dans le même tableau. Si vous peignez les fleurs dans leur milieu naturel – parc ou jardin –, vous êtes un paysagiste, mais si vous peignez ces mêmes fleurs dans un vase, vous réalisez une nature morte.

Que vous travailliez en atelier ou en extérieur, il est préférable d'éviter les grands changements de lumière, les caprices du climat et les aléas de l'environnement. Peindre des fleurs exige concentration et patience. Commencez, par exemple, par prendre tout votre temps pour préparer votre arrangement floral et travaillez à votre rythme.

L'arrangement floral

L'arrangement demande beaucoup de soin et les natures mortes de fleurs ne font guère exception à la règle. Tout d'abord, prenez en compte l'équilibre des couleurs et tentez de limiter les variétés pour ne pas créer une trop grande concurrence entre les différentes formes de fleurs. Les arrangements floraux les plus beaux sont souvent ceux qui proposent une couleur prédominante. Vous pouvez ne choisir que des fleurs blanches, par exemple, ou une sélection de tons bleus avec, juste pour le plaisir du contraste, une fleur jaune au milieu.

Préférez un vase qui se marie bien avec les fleurs et qui les met en valeur. Favorisez absolument l'aspect naturel et rejetez les arrangements compliqués que l'on rencontre généralement dans les lieux officiels – églises, mairies, etc.

Le travail sur papier

Votre peinture sera plus assurée si vous couchez sur le papier un bon dessin de l'ensemble ; cependant, avant de tracer quoi que ce soit, étudiez soigneusement l'emplacement des différents éléments sur le papier. Là

Restons simple
Les bouquets compliqués que les fleuristes adorent font rarement d'excellentes peintures. Faites en sorte de préparer vous-même votre arrangement floral, généralement en vous limitant à un nombre restreint d'éléments. Dans Pavots, *Elisabeth Harden a privilégié les formes et les couleurs par un jeu d'opposition entre les pavots, quelques fleurs blanches et un ou deux réservoirs à graines. Le contraste des pavots sur le feuillage vert étant suffisamment spectaculaire en soi, l'artiste a intelligemment renoncé à traiter l'arrière-plan.*

Nature morte avec fleurs
(Ci-contre) *Les fleurs peuvent n'être qu'un élément d'un ensemble comme dans cette* Nature morte *de Joan Elliott Bates. Elles constituent certes le principal centre d'intérêt mais les objets alentour et le rideau jouent un rôle au moins aussi important dans la composition. Remarquez surtout le drapé particulier du rideau qui crée une solide ligne de force en arrière-plan. Il s'agit d'une peinture mixte dans laquelle l'aquarelle côtoie le crayon Conté et le pastel.*

encore, évitez à tout prix la symétrie ; ne placez pas le vase exactement au centre, sauf s'il existe une dissymétrie interne au bouquet suffisante pour contrebalancer cette position. Certains artistes utilisent l'astuce qui consiste à recadrer une partie du bouquet en laissant l'extrêmité supérieure sortir du tableau.

Le premier et l'arrière-plan demandent également beaucoup d'attention. Évitez de laisser de trop grands espaces vides de chaque côté du vase. Il suffit parfois de se servir de l'ombre du vase comme d'un élément à part entière ; mais vous pouvez aussi disposer une nappe à motif ou quelques fleurs sur la table pour remplir élégamment les vides. Dans les aquarelles de fleurs, les arrière-plans sont souvent négligés et laissés à l'abandon, mais ce n'est pas une solution souhaitable. Une fenêtre simplement suggérée peut apporter un élément de composition intéressant ; de même le fond choisi – ce peut être un papier peint – renforcera ou contrebalancera le motif floral. Cependant, en règle générale et en dehors de l'élément principal, il est préférable d'éviter la surabondance de détails.

La peinture

La légèreté et la grâce sont l'essence même de la peinture florale. En surchargeant votre composition, vous trahirez ces caractéristiques fondamentales. Essayez de travailler librement et à grands traits, du moins au début, pour

Unité des couleurs
Dans Jonquilles et fruits, *Elisabeth Harden a porté son attention sur les associations de couleurs, s'assurant de liens colorés entre les fleurs et les objets. Le citron et le pamplemousse répondent au jaune des jonquilles, et des bleus et gris proches apparaissent sur le vase, la tasse, la soucoupe et la nappe. Les verts éteints des feuilles donnent plus de présence aux blancs, aux jaunes et aux gris.*

Motifs
Tous les arrangements floraux renferment naturellement une forte charge picturale, singulièrement bien exploitée par Audrey Macleod dans ses Lys de Casablanca. *Malgré un traitement à la limite de l'hyperréalisme, l'ensemble du tableau frappe surtout par l'opposition des motifs en clair sur sombre. Les doux effets des feuilles et d'une partie du fond ont été obtenus par un lavage contrôlé des couleurs.*

arrêter les formes et les couleurs générales, en réservant les détails pour la fin. Le liquide de masquage peut être ici d'une grande utilité. Si des fleurs claires et délicates doivent apparaître devant un rideau de feuillage vert sombre, il sera judicieux de les masquer et de les réserver pour les dernières étapes.

Essayez également de jouer sur le contraste des lisières fondues et franches par l'utilisation alternée des techniques humide sur humide et humide sur sec. Ne vous embarrassez pas de petits détails avant d'être certain que tous les volumes et toutes les couleurs vous paraissent convenir. Vous vous servirez de votre plus petit pinceau seulement vers la fin.

Une seule fleur
Bien que les fleurs soient généralement peintes en bouquet dans un vase, elles donnent largement autant de satisfaction représentées individuellement. Les artistes chinois et japonais ont porté l'art de la peinture monoflorale à son sommet, et le délicat Tournesol *de Vicky Lowe doit beaucoup à cette tradition picturale orientale. Chaque pétale est traité d'un seul coup de pinceau sûr et rapide. L'effet adouci du centre sombre de la fleur qui se fond dans les pétales, a été obtenu en mouillant délicatement la zone choisie puis en y déposant un lavis très dilué.*

Couleur
(À droite) *La manière de représenter les fleurs – ou tout autre sujet – dépend évidemment de l'élément que vous souhaitez mettre en valeur. Pour Gerry Baptist, la couleur constitue l'élément primordial. Dans* Fleurs de Clandon Garden, *il a mis l'accent sur les rouges et les jaunes en les opposant aux bleus, mauves et verts sombres. Il a pourtant traité les formes des fleurs assez précisément pour que les pensées du premier plan soient clairement reconnaissables.*

Premiers et seconds plans

(À droite) *Lorsqu'il s'agit de peindre une grande composition florale, le problème principal est de ne pas défavoriser les parties qui entourent le vase. Dans les* Pavots *d'Elisabeth Harden, les* Lys de Casablanca *d'Audrey MacLeod et ces* Roses *de Debra Manifold – traité à l'aquarelle et à la réserve à la cire –, les artistes ont résolu le problème en escamotant la base du vase. L'effet de fondu des fleurs dans l'arrière-plan sombre est également très important car on a l'impression d'une irrésistible poussée vers le haut pour s'élancer hors du premier plan, un peu comme un feu d'artifice en pleine explosion.*

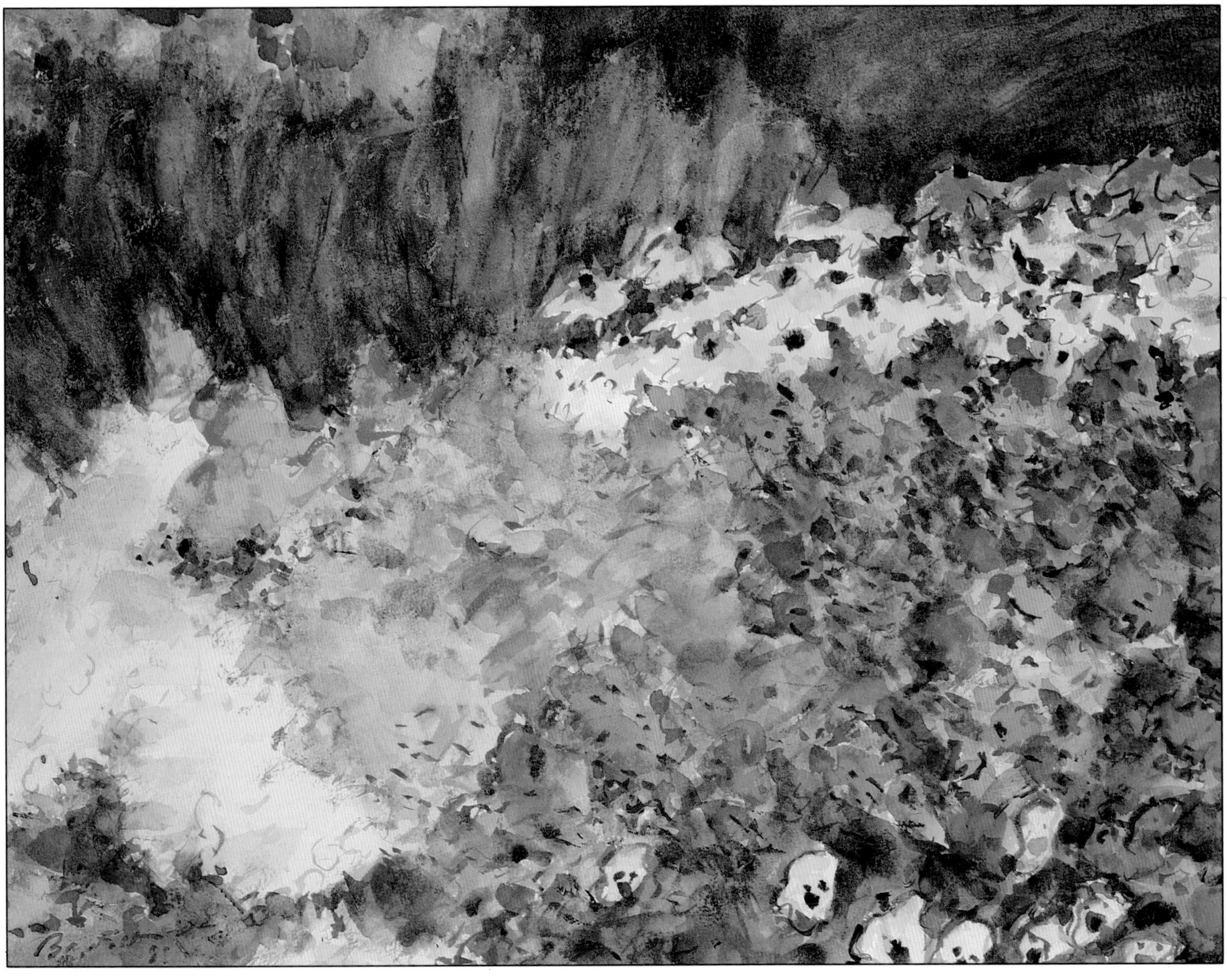

Étude de fleurs

Leçon

John Lidzey ne pratique que l'aquarelle car il aime ses effets imprévisibles et la liberté qu'elle autorise. Il peint essentiellement des paysages et des intérieurs lumineux dans lesquels natures mortes et bouquets de fleurs ont leur part. Cet artiste autodidacte a élaboré un style très personnel qui emprunte très peu à d'autres artistes. Il aime beaucoup la technique humide sur humide qu'il maîtrise avec application, peignant le plus souvent sur des surfaces lisses pour laisser les lavis s'apancher encore plus librement.

COULEURS UTILISÉES *ocre jaune, jaune d'auréoline, jaune de cadmium, bleu outremer, rouge de cadmium, carmin, indigo, gris de Payne*

Avant toute chose, l'artiste prépare une composition florale contrastée et lumineuse.

1 *L'artiste commence par un dessin détaillé au crayon tendre (4B) et respecte les proportions des fleurs par rapport au vase, notant quelques points clés de la composition.*

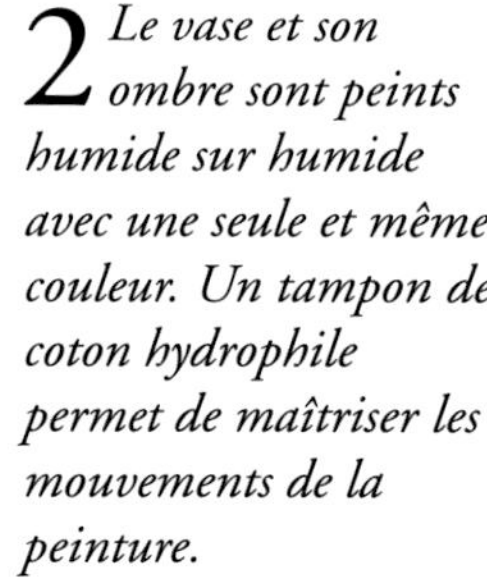

2 *Le vase et son ombre sont peints humide sur humide avec une seule et même couleur. Un tampon de coton hydrophile permet de maîtriser les mouvements de la peinture.*

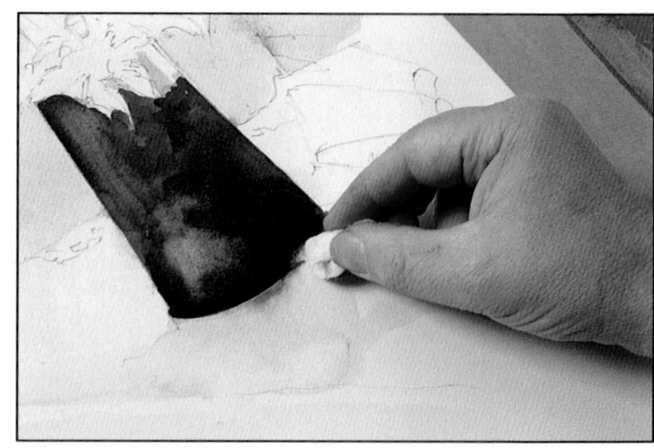

3 *Les premières couleurs sèchent légèrement, puis l'artiste applique une teinte plus dense qu'il corrige au tampon de coton pour marquer reflets et ombres.*

4 *Il est assez inhabituel de commencer par les couleurs sombres – généralement obtenues par accumulation et superposition successives. Ici, l'artiste a voulu, pour peindre le bouquet, s'appuyer sur la couleur profonde du vase.*

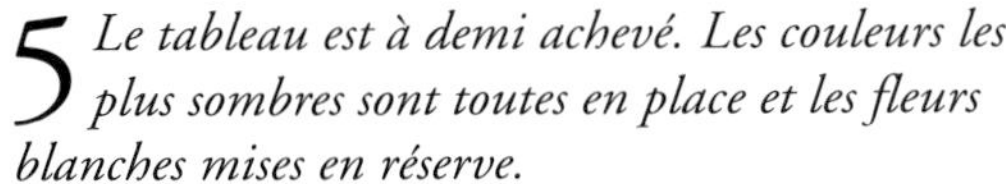

5 Le tableau est à demi achevé. Les couleurs les plus sombres sont toutes en place et les fleurs blanches mises en réserve.

6 Une bonne partie du papier est laissée vierge pour représenter les fleurs, mais les détails apportés doivent suggérer leur structure. L'artiste utilise un pinceau très fin pour déposer quelques touches d'ombres gris-bleu.

7 La structure des pétales d'œillet est très caractéristique. Quelques touches de peinture sombre sur le lavis rose de base sont indispensables pour décrire ces formes spécifiques.

8 Fleurs et feuillage sont repris en technique humide sur sec. Les marques de crayon sur les fleurs blanches ont été délibérément conservées car elles fournissent quelques indications de forme supplémentaires. Finalement, l'artiste améliore son œuvre en meublant très sommairement mais très efficacement les grands espaces vides du premier et de l'arrière-plan. Reportez-vous à l'étape 5 pour constater les différences.

Huile & acrylique

Huile et acrylique

Considérée comme la technique, par excellence, de la peinture, la peinture à l'huile est en réalité plus récente que l'aquarelle, ou du moins qu'un certain type de peinture à l'eau. Avant « l'invention » de la peinture à l'huile, les procédés a tempera, utilisés pour les panneaux et les fresques, étaient obtenus à partir de pigments dilués à l'eau et liés par des agglutinants tels que le blanc d'œuf ou la caséine (à partir du lait caillé).

L'idée de mélanger les pigments à l'huile est souvent attribuée au peintre flamand Jan Van Eyck (début du XVe siècle), mais d'autres artistes, sans doute, avaient déjà tenté de semblables expériences. Quelle que soit son origine, cette nouvelle technique se répandit rapidement et les possiblités offertes par les pigments liés à l'huile apparurent vite, car le travail a tempera était plus délicat.

Les premiers utilisateurs de la peinture à l'huile appliquaient le plus souvent la pâte à la manière de la peinture a tempera, en couches minces, mais avec des couleurs que la pratique du glacis rendait plus riches, et la facture, lisse, ne laissait apparaître aucun coup de brosse. Puis, tirant parti de plus en plus habilement des qualités propres à la matière, les peintres tinrent compte des traces laissées par la brosse (parfois le couteau) dans l'élaboration de leur œuvre. Les tableaux de Rembrandt, notamment, témoignent du goût du peintre pour la matière picturale elle-même et pour ses effets, tandis que chez les impressionnistes, le travail de la brosse et le traitement de la matière sont indissociables du sujet traité.

La peinture à l'huile aujourd'hui

Au cours de la visite d'un musée ou d'une exposition apparaissent immédiatement la diversité et la liberté d'expression que permet la peinture à l'huile, qualités qui lui ont valu

Red Lane, près de Dronfield
Sur cette toile peinte à l'huile, le travail de la brosse domine. Chaque coup donné par David Curtis suit la direction des troncs et des branches, décrits avec une grande économie de moyens. L'effet de profondeur est suggéré par le contraste entre les épaisseurs de peinture : l'arbre de droite est exécuté dans une pâte épaisse et onctueuse, tandis que les lointains sont à peine brossés sur la surface.

Pins à Beauvballa
(Ci-dessous) *Dans ce tableau (acrylique sur toile), la peinture est légèrement diluée à l'eau pour donner un effet de matière semblable à de la gouache. Gerry Baptist a soigneusement juxtaposé les couleurs, en jouant des complémentaires comme le jaune et le mauve pour obtenir une impression forte, tout en gardant une vision réaliste du paysage.*

Scène de neige
(Ci-dessus) *Alors que David Curtis juxtaposait les tons chauds et dorés du brun avec les bleus et les gris de la neige, la tonalité générale de ce tableau de Ted Gould est froide ; le jaune du bonnet et de l'écharpe est la seule touche de couleur qui contraste avec les bleus, bleu-vert, gris et gris-brun de l'ensemble. L'artiste, qui recourt essentiellement à l'huile, travaille ici de la même manière avec l'acrylique posée en pâte épaisse sur la toile.*

Église à San Donnino
Certains artistes aiment peindre sur un fond coloré, mais lorsque la peinture est posée en couche mince, comme dans cette huile de Patrick Cullen, où le blanc de la toile transparaît derrière les couleurs, elle donne à l'ensemble une luminosité qui est plus généralement celle de l'aquarelle.

MALVERN HILLS
(À gauche) *Bien connu pour la sensibilité de ses paysages de la campagne anglaise, Brian Bennett, qui pratique la technique traditionnelle de l'huile sur toile, peint cette fois au couteau, en adaptant cet instrument à son style. La peinture au couteau permet d'obtenir des effets à la fois spectaculaires et vigoureux, mais aussi, curieusement, tout en délicatesse, comme dans ce tableau.*

son succès jusqu'à nos jours. Toute technique picturale devant servir l'artiste, l'huile se montre d'une telle souplesse d'emploi et si riche de possibilités que chaque artiste peut l'adapter à sa propre manière. Étendue en couche mince ou épaisse, appliquée à la brosse ou au couteau – voire avec les doigts –, elle peut couvrir entièrement la surface d'une toile et convenir à tous les formats. Enfin, avantage pour des peintres à leurs débuts, elle peut être grattée complètement et le support repeint.

Autrefois les artistes devaient faire broyer les pigments et préparer leur peinture par des aides. Aujourd'hui, les couleurs sont fournies en tube ; ainsi elles se conservent mieux et le travail en plein air s'en trouve facilité. Fabriquées selon les meilleurs critères de qualité, elles sont également proposées dans une gamme plus étendue qu'auparavant. De même, on trouve des toiles et des supports déjà apprêtés, ainsi que des brosses convenant à tous les styles et à tous les métiers. Enfin, grâce aux nouveaux médiums pour la peinture à l'huile, il est possible de retrouver certaines techniques anciennes, tel le glacis, abandonnées vers la fin du XIXe siècle. Aucun peintre ne s'est jamais trouvé dans des conditions aussi favorables.

VASES DE ROSES VICTORIA
Cette charmante composition à l'huile est un exemple parfait du parti habile que l'on peut tirer d'une gamme colorée limitée, presque exclusivement des roses et des verts profonds. En dépit de son apparente simplicité, ce tableau a été méticuleusement préparé et composé par Madge Bright : suivant la diagonale du tableau, les fleurs forment une masse irrégulière et s'opposent aux lignes entrecroisées des tiges.

CHAMBRE 15, KATHMORE HOUSE, FALMOUTH
(À gauche) *La lumière est le thème principal de ce tableau (huile sur toile). Si le choix des couleurs rappelle celui du tableau de Karen Raney (ci-dessous), Paul Bartlett a employé ici une technique très différente : les coups de brosse sont pratiquement indiscernables tandis que les détails et la texture des objets sont minutieusement décrits.*

CLAIRMONT ROAD
(Ci-dessus) *Les intérieurs peuvent offrir des sujets qui se prêtent à l'étude des effets d'éclairage. Dans cette huile sur toile, l'ombre des croisillons sur les rideaux crée un curieux jeu de lumière, que Karen Raney a pris pour thème principal. Elle a choisi une toile en hauteur pour accentuer l'élan vertical de la composition.*

MAISON ROSE, PROVENCE
Suivant l'éclairage, la pierre et la brique peuvent prendre de riches et étonnantes tonalités. Cette maison, terne sans doute sous un ciel gris, a inspiré Stewart Geddes dans la recherche chromatique de cette huile sur bois. Les couleurs apparaissant toujours plus vives par contraste, le peintre a joué des tons neutres pour accentuer les nuances chaudes et éclatantes de la façade.

UNE RUE, LA NUIT
Peintre de paysages et de scènes urbaines, Oliver Bevan utilise les couleurs d'une manière qui n'est pas uniquement naturaliste mais qui suggère avec efficacité une atmosphère. Dans cette peinture à l'huile, les contrastes marqués des tons et des couleurs produisent l'effet théâtral désiré ; l'ambiance un peu inquiétante est accentuée par les deux silhouettes de gauche et les masses sombres du premier plan.

INTÉRIEUR BLEU
(À gauche) *Cette huile sur toile peinte par Anne Vancatova est un tableau évocateur et fascinant d'un intérieur, un hymne à la couleur. Sur le fond bleu ciel intense recouvrant la plus grande partie de la toile, la perspective de la composition est indiquée par quelques traits noirs, tandis que des touches de jaune-vert, de rouge et de blanc évoquent des détails, par exemple la lumière du soir, de l'autre côté des fenêtres.*

RESTAURATION
L'étonnante maîtrise de Timothy Easton se manifeste dans sa minutieuse description, en particulier celle des détails de la peinture écaillée des vantaux et du blouson de cuir du personnage au premier plan. Souvent, les figures humaines constituent le principal intérêt d'une œuvre, mais ici, la forte géométrie créée par le bleu, le gris sombre et le brun les relègue au second plan. Les couleurs font presque de cette peinture à l'huile une représentation abstraite.

CHRYSANTHÈME GÉANT
L'acrylique, qui n'est pas une peinture à l'huile, peut être utilisée avec d'autres peintures à l'eau, ou combinée à différentes techniques de dessin ; c'est l'un de ses intérêts. Dans cette œuvre sur papier, Rosalind Cuthbert associe acrylique et gouache ; en jouant sur les effets d'épaisseur des matières et en utilisant un procédé, le sgraffite, elle donne relief et nuance à la fleur et au vase.

L'ACRYLIQUE

Produit dérivé de l'industrie des matières plastiques, la peinture acrylique (et vinylique) fut mise au point dans les années 1950. Peut-être ne faut-il attribuer qu'à sa nouveauté la prévention dont elle a fait l'objet, car, outre ses propriétés spécifiques, elle est d'une utilisation aussi souple que la peinture à l'huile.

L'une de ses propriétés, essentielle pour l'amateur, est sa grande rapidité de séchage, qui permet de superposer les couches à volonté sans risque de redilution des dessous. Bien sûr, on peut repeindre sur l'huile mais, comme la pâte sèche plus lentement, le risque est grand de provoquer des mélanges involontaires et d'obtenir une bouillie. En revanche, une fois sèche, la peinture acrylique ne s'altère pas, et chaque nouvelle couche recouvre la précédente sans en prendre la couleur. Autre avantage de l'acrylique, elle s'applique sur n'importe quel support – papier, carton, toile – sans qu'il soit nécessaire d'en apprêter la surface.

La peinture acrylique peut s'employer pour imiter la peinture à l'huile parce que ces deux techniques, malgré des différences de préparation et de pratique, se comportent sensiblement de la même manière. Toutes les peintures sont obtenues à partir de pigments de couleur broyés très finement, placés en suspension dans un liquide et liés par un agglutinant (une résine polymère). Comme on dilue l'acrylique dans l'eau, c'est celle-ci et non l'huile qu'il faut employer pour allonger la pâte. De même, les pinceaux utilisés pour l'acrylique se nettoient à l'eau et non au white spirit (essence minérale).

Toutefois, l'acrylique présente certains inconvénients : si l'artiste souhaite procéder à des modifications, il ne peut le faire que par recouvrement et la peinture sèche si vite qu'il n'est pas possible d'obtenir des modelés comparables à ceux de la peinture à l'huile. D'ailleurs, pour éviter que le dessèchement ne les rende inutilisables, les pinceaux doivent constamment tremper dans un pot d'eau et être régulièrement nettoyés. Mais ces inconvénients sont mineurs et l'acrylique est bien la technique idéale pour des premiers travaux, celle qui donnera aux débutants le plus de satisfactions.

Les peintures, les brosses et les médiums

La peinture à l'huile et l'acrylique s'achètent le plus souvent en tubes ; mais on les trouve en pots, conditionnement plus économique. D'une très grande rapidité de séchage, la peinture acrylique qui reste sur la palette est inutilisable à la fin d'une séance de travail ; si vous disposez de pots, prélevez la quantité de couleur nécessaire et refermez immédiatement le couvercle. La pâte acrylique, plus liquide en pot qu'en tube, ne permet pas d'obtenir les effets d'épaisseur à la manière de la peinture à l'huile.

TUBES DE PEINTURE À L'HUILE

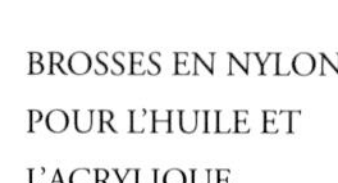

BROSSES EN NYLON POUR L'HUILE ET L'ACRYLIQUE

Brosses

Les brosses, pinceaux en soie de porc à long manche utilisés pour la peinture à l'huile, conviennent également à l'acrylique. La touffe peut avoir trois formes : ronde, plate, en amande (ou en langue de chat) ; chacune correspond à un coup de brosse différent. Seule l'expérience vous apprendra quelle forme vous préférez utiliser ou celle qui convient le mieux à votre style. Commencez avec un nombre limité de pinceaux, deux de chaque sorte par exemple.

La plupart des boîtes de peinture comprennent une ou deux brosses douces, qui servent pour l'exécution des détails et la réalisation des aplats et des lavis. Les pinceaux en martre sont de bien meilleure qualité mais ils sont chers (et très fragiles) ; commencez donc à travailler avec une brosse en poils synthétiques ou en martre et synthétique mélangé. On trouve également toute une gamme de pinceaux en nylon blanc destinés à l'acrylique (qui peuvent aussi servir pour la peinture à l'huile).

Médiums

L'huile et l'acrylique peuvent être travaillés dès la sortie du tube, mais on recourt souvent à des médiums pour diluer la pâte ou en modifier les propriétés. La peinture acrylique, à base d'eau, est donc diluée avec de l'eau ; la

DIVERS MÉDIUMS POUR L'HUILE ET L'ACRYLIQUE

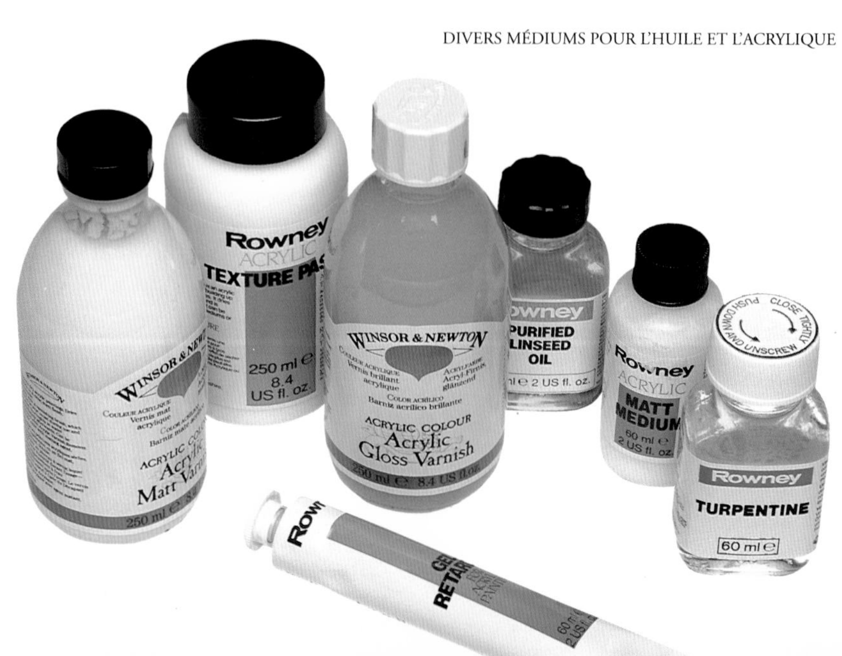

POT D'ACRYLIQUE

peinture à l'huile est étendue soit de térébenthine, soit d'un mélange de térébenthine et d'huile de lin ou d'huile de lin seule.

À chaque type de peinture correspond un médium particulier. Pour la peinture à l'huile et à l'acrylique, par exemple, les vernis à glacis rendent la pâte plus transparente et plus souple sans pour autant qu'elle devienne liquide. Pour ceux qui préfèrent peindre en pleine pâte, il est possible d'épaissir la consistance de la matière avec des liants. Si vous souhaitez connaître les effets de ces médiums, qui ne vous seront pas très utiles lors de vos premiers travaux, reportez-vous à leur emploi dans les chapitres consacrés à la technique.

Vous aurez toutefois besoin d'un médium spécial dès vos premiers essais à l'acrylique. C'est un gel retardateur qui ralentit le temps de séchage de la peinture, vous permettant de la travailler plus aisément. Il n'est employé que pour une peinture en pâte épaisse (peu allongée d'eau, qui en modifie les propriétés) mais particulièrement pour l'acrylique façon peinture à l'huile.

TUBES D'ACRYLIQUE

BROSSES EN SOIE POUR L'HUILE ET L'ACRYLIQUE

Les palettes et les supports

Les palettes recommandées pour la peinture à l'huile sont en bois, de forme ovale ou rectangulaire (pour prendre place dans le couvercle d'une boîte de peinture). Elles sont percées d'un trou où l'on passe le pouce de manière à les tenir sans effort dans la main lorsqu'on travaille debout. Mais vous n'êtes pas obligé de travailler dans cette position, ni même de tenir la palette. De nombreux artistes préfèrent une palette improvisée – plaque de verre épais ou planche de bois – qu'ils posent à côté d'eux sur une table basse ou une chaise.

Le verre convient bien à l'acrylique. En effet, une fois sèche, elle s'enlève moins facilement sur une surface en bois et il préférable de disposer d'une surface imperméable. Un modèle de palette en plastique blanc a été conçu pour l'acrylique ; certains artistes l'apprécient, d'autres lui reprochent sa surface blanche et brillante, qui rend plus difficile l'appréciation des couleurs au moment du mélange.

Une autre palette, destinée à l'acrylique, est adaptée au travail en plein air. Cette palette, de type « toujours humide », est un plateau de plastique légèrement creux, recouvert de deux épaisseurs de papier : l'une en papier buvard, l'autre en papier non absorbant. L'eau versée dans le plateau traverse le papier buvard et maintient une humidité suffisante pour éviter le dessèchement des couleurs. De plus, un couvercle transparent maintient plus ou moins indéfiniment l'état de fraîcheur de la peinture.

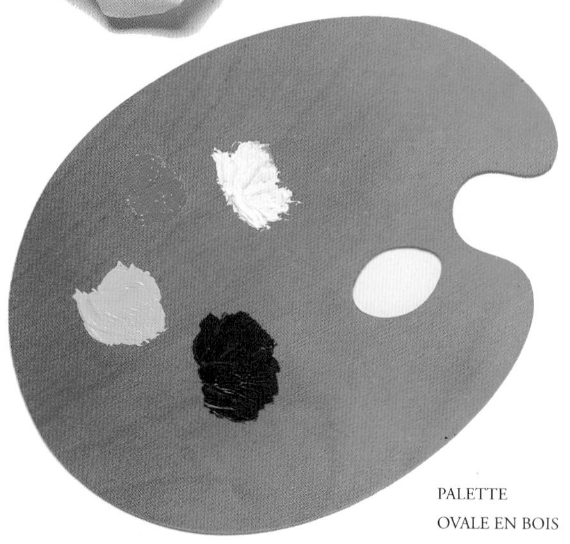

PALETTE OVALE EN BOIS

PALETTE RECTANGULAIRE EN BOIS

Supports

Le support le plus classique et le plus connu pour la peinture à l'huile, comme pour l'acrylique, reste la toile – coton ou lin – tendue sur un châssis de bois. Comme les toiles sur châssis vendues dans le commerce sont assez chères, vous pouvez réaliser vous-même l'entoilage d'un châssis. Les principaux fournisseurs de matériel d'art vendent des châssis et de la toile au mètre. Vous pouvez également maroufler de tissu (par exemple un morceau de vieux drap) un panneau rigide tel que l'Isorel à l'aide de colle de peaux ou d'un médium polyvinylacétate (PVA) dilué à l'eau.

L'enduit (ou fond) est une préparation plus ou moins opaque dont on recouvre la toile ou le panneau pour empêcher une absorption trop importante de l'huile par la toile, ce qui pourrait l'endommager. La plupart des toiles et des panneaux fabriqués aujourd'hui sont déjà préparés pour l'huile et l'acrylique.

On trouve différents types de panneaux. Les meilleurs, marouflés de toile, offrent une solution de remplacement bon marché par rapport à la toile sur châssis. Une fois apprêtés, avec le gesso acrylique par exemple, destiné à tous les usages, l'Isorel et le carton rigide peuvent aussi servir de support.

Peindre sur papier est une autre possibilité. Le papier à dessin ordinaire convient bien à l'acrylique appliqué en couches assez minces. Mais pour l'huile ou l'acrylique peintes en épaisseur, choisissez un support plus résistant, comme un papier épais à aquarelle.

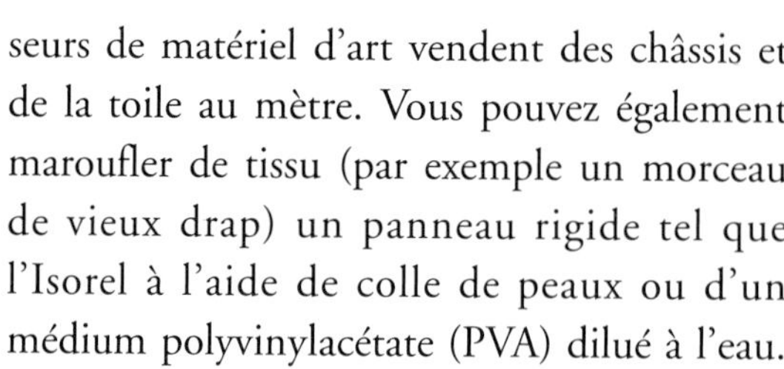

1 TOILE

COUTEAUX À PEINDRE

Entoilage d'un châssis

1 Une fois le châssis assemblé, mesurez soigneusement les diagonales. Si ces dimensions sont différentes, cela signifie que votre châssis est mal monté.

2 Placez le châssis sur la toile et tracez-en le contour au crayon en prévoyant une marge de 5 cm au moins du bord extérieur. Découpez ensuite la toile.

3 Clouez la toile en la tendant sur le châssis et en commençant par le centre d'un des côtés, puis par le côté opposé ; continuez ainsi sur tout le tour. Vous pouvez agrafer la toile, mais les clous sont plus faciles à enlever si vous devez réutiliser le châssis.

4 Repliez le coin de la toile sur le châssis et clouez-le (il y a différentes manières de marquer les coins, mais cette méthode est la plus simple).

5 Repliez les deux autres bords de la toile sur le châssis et clouez-les. Une toile non apprêtée ne doit pas être excessivement tendue, car, en séchant, l'apprêt va encore la tendre. Une pince sera nécessaire pour tendre une toile apprêtée.

2 TOILE APPRÊTÉE TENDUE SUR CHÂSSIS

3 CHÂSSIS

4 TOILE BRUTE (SANS APPRÊT)

Couleurs primaires et complémentaires

Tout le monde connaît les couleurs, et celles du spectre visible, c'est-à-dire de l'arc-en-ciel, sont identifiées par beaucoup de gens. On en compte sept : le violet, l'indigo, le bleu, le vert, le jaune, l'orangé et le rouge, produites par la décomposition de la lumière blanche par un prisme, chacune ayant sa propre longueur d'onde. Utiles peut-être en photographie ou en imprimerie, ces informations ne le sont pas en peinture. Car, contrairement aux pigments des artistes, les couleurs du spectre sont uniques et absolues ; il n'existe qu'un seul rouge, qu'un jaune, qu'un bleu, etc.

Mélange de couleurs complémentaires

La propriété des couleurs du spectre laisserait à penser qu'il est possible d'obtenir n'importe quelle couleur en combinant entre elles les trois couleurs fondamentales (ou primaires) : les reproductions en couleurs de cet ouvrage sont effectivement obtenues à partir de ces trois couleurs (plus le noir). En réalité, dans l'impression en quadrichromie, la couleur se forme sur la rétine de l'œil par mélange des minuscules points de couleurs primaires qui la constituent (mélange optique). En peinture, les pigments sont physiquement mélangés et combinés entre eux. De plus, ils ne sont pas purs et, pour chaque couleur primaire, il existe plusieurs variantes. Alors, quel rouge, quel bleu ou quel jaune choisir pour obtenir une nouvelle couleur ?

Pour réussir un mélange de couleurs, il est essentiel de connaître les caractéristiques de chaque couleur primaire ; la complémentaire (ou secondaire) d'une primaire correspond au mélange des deux autres primaires. En observant les rouges, les jaunes et les bleus de la

Mélange des couleurs complémentaires
(Ci-contre) La rangée du haut présente des mélanges de couleurs primaires proches – celles qui tendent l'une vers l'autre – tandis que celle du bas montre des couleurs plus atténuées produites par le mélange de deux couleurs primaires dissemblables. Les couleurs primaires (petit rectangle) encadrent les couleurs complémentaires résultantes (les trois carrés), le carré central étant obtenu par un mélange des deux couleurs primaires en proportions égales.

La palette du débutant

En règle générale, il est conseillé de commencer avec le moins de couleurs possible pour augmenter progressivement la gamme. Avec la pratique ou l'expérience, vous saurez quelles sont les couleurs difficiles, voire impossibles à mettre au point, et vous pourrez étendre votre gamme. Comme les plus beaux violets ou mauves ne s'obtiennent pas par mélange de couleurs, les artistes spécialisés dans la peinture de fleurs recourent à un ou deux roses et à quelques rouges particuliers.

Les couleurs présentées ici conviennent parfaitement pour démarrer et s'utilisent autant pour l'huile que pour l'acrylique, même si, pour celle-ci, les mêmes couleurs portent, selon les marques, une appellation différente (vert Guignet pour vert de phthalocyanine).

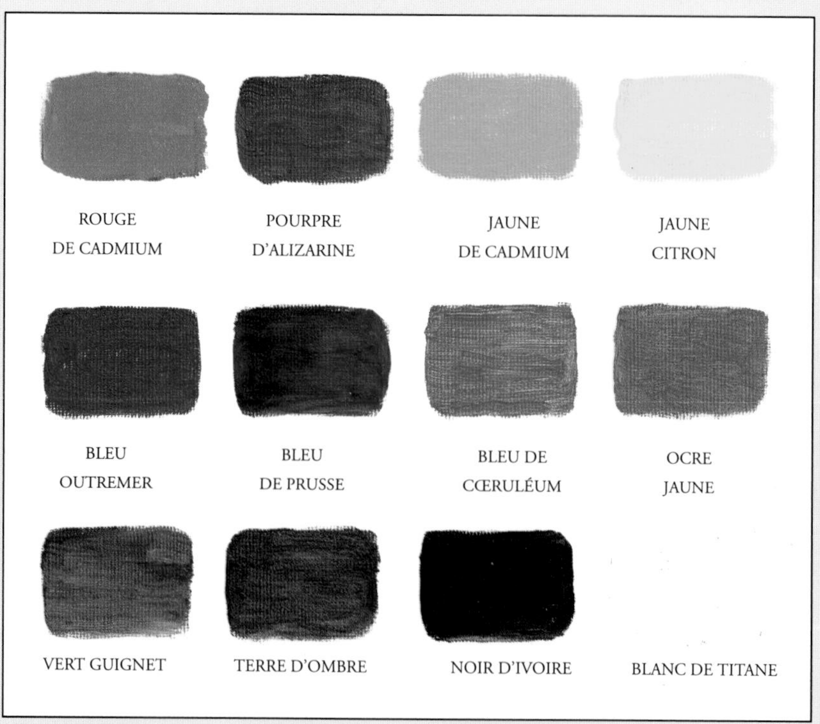

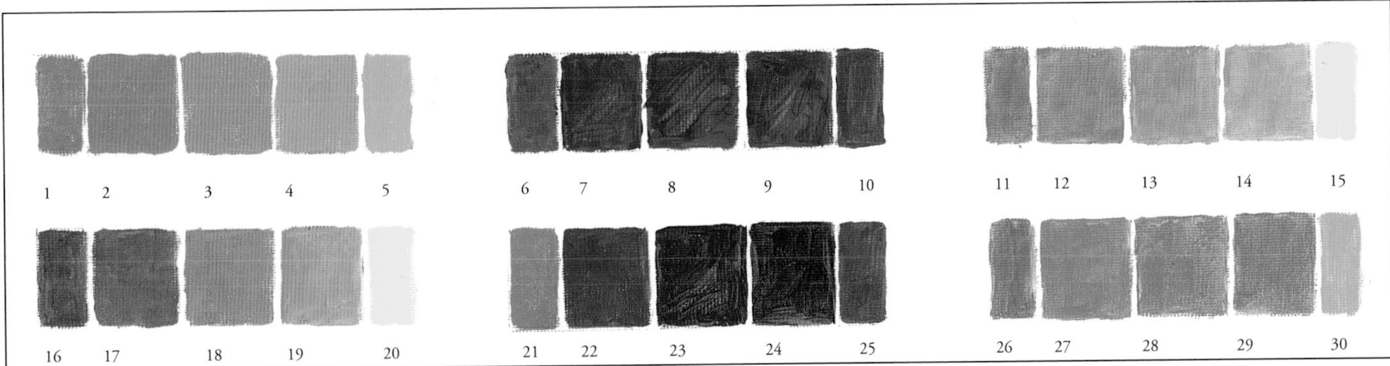

1 ROUGE DE CADMIUM 2, 3 ET 4 MÉLANGES 5 JAUNE DE CADMIUM 6 POURPRE D'ALIZARINE 7, 8 ET 9 MÉLANGES 10 BLEU OUTREMER 11 BLEU DE CŒRULÉUM 12, 13 ET 14 MÉLANGES 15 JAUNE CITRON 16 POURPRE D'ALIZARINE 17, 18 ET 19 MÉLANGES 20 JAUNE CITRON 21 ROUGE DE CADMIUM 22, 23 ET 24 MÉLANGES 25 BLEU OUTREMER 26 BLEU DE CŒRULÉUM 27, 28 ET 29 MÉLANGES 30 JAUNE DE CADMIUM

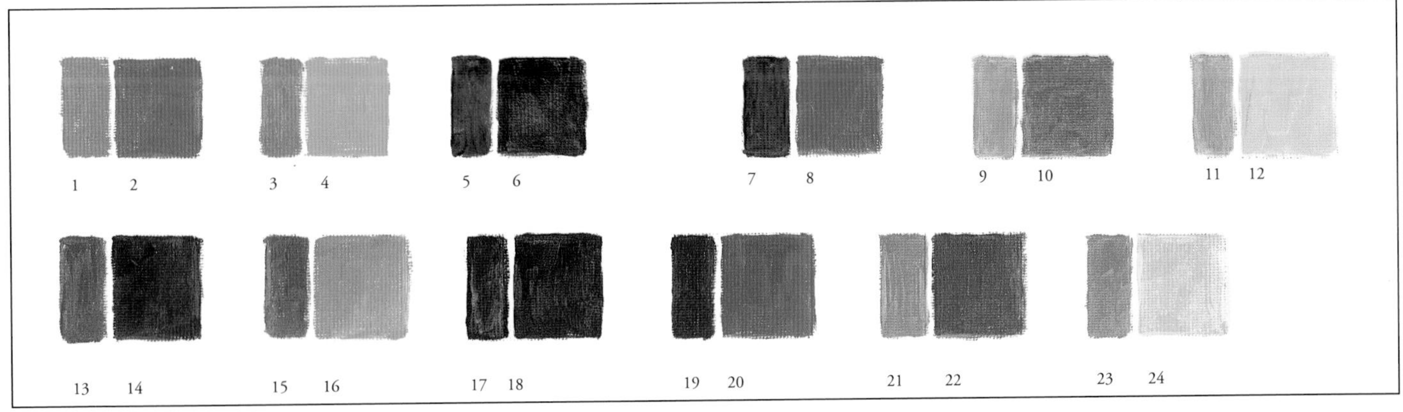

1 ORANGE (ROUGE DE CADMIUM ET JAUNE) 2 PLUS NOIR 3 ORANGE 4 PLUS BLANC 5 VIOLET (POURPRE D'ALIZARINE ET BLEU OUTREMER) 6 PLUS NOIR 7 VIOLET 8 PLUS BLANC 9 VERT (JAUNE CITRON ET BLEU DE CŒRULÉUM) 10 PLUS NOIR 11 VERT 12 PLUS BLANC 13 ORANGE ATTÉNUÉ 14 PLUS NOIR 15 ORANGE ATTÉNUÉ 16 PLUS BLANC 17 BRUN-VIOLET 18 PLUS NOIR 19 BRUN-VIOLET 20 PLUS BLANC 21 VERT 22 PLUS NOIR 23 VERT 24 PLUS BLANC

Ajouter du blanc et du noir

(Ci-dessus) Ce nuancier donne une idée de l'étendue de la gamme des couleurs que l'on peut obtenir en ajoutant du noir ou du blanc aux mélanges. On a pris comme base les mélanges à proportions égales de couleurs primaires (tableau du haut), en ajoutant d'abord du noir puis du blanc.

palette du peintre débutant (voir p. 142), vous remarquerez que les nuances de chacune sont différentes. Un des rouges tend vers le violet ou le bleu tandis que l'autre est plus orangé ; le jaune citron est plus vert que le jaune de cadmium ; l'outremer est légèrement plus rouge que le bleu de Prusse ou le bleu de cœruléum. Les couleurs complémentaires les plus vives sont obtenues en mélangeant des primaires qui s'attirent l'une l'autre : un bon orange clair ne se prépare pas en combinant du jaune citron et du pourpre d'alizarine, ou un bon violet avec du rouge de cadmium et du bleu outremer. Vous vous familiariserez avec le maniement des couleurs en réalisant des tableaux chromatiques, comme ceux présentés ici, à l'aide des six couleurs primaires, d'abord seules puis en y ajoutant du blanc et du noir. De même, c'est en cherchant à créer des couleurs secondaires vives que vous découvrirez des mélanges heureux, à l'origine de teintes plus feutrées. Notez-le car beaucoup d'œuvres sont gâchées par des couleurs neutres et trop fades. Un gris sera plus riche si vous mélangez plusieurs couleurs au lieu de ne combiner que le blanc et le noir.

Exercice

PEINDRE AVEC UNE PALETTE RESTREINTE

Peindre avec une palette limitée de couleurs est un exercice souvent proposé par les écoles d'art ; comme dans celui qui suit, il ne faut utiliser que les six couleurs primaires : rouge de cadmium, pourpre d'alizarine, jaune de cadmium et jaune citron, bleu outremer et bleu de Prusse, auxquelles s'ajoute le blanc. Le noir est proscrit car, même si c'est une couleur pratique, elle est cependant trop tentante. En effet, vous pourriez succomber à la facilité d'ajouter du noir à vos couleurs pour les assombrir, au risque de parvenir à une teinte sale et terne. Le blanc est permis parce que c'est le seul moyen d'éclaircir les couleurs lorsque l'on utilise une peinture opaque. D'ailleurs vous réaliserez vite que cette solution n'est pas toujours la bonne : éclairci avec du blanc, le rouge vire au rose, mais avec du jaune, il reste juste.

Composez une simple nature morte comme celle qui est présentée, en choisissant avec soin des motifs aux couleurs contrastées et en créant quelques zones d'ombre ; vous pouvez peindre à l'huile ou à l'acrylique car, plus qu'une leçon de technique picturale, c'est un entraînement destiné à la maîtrise des mélanges et à l'acquisition de couleurs sombres sans recourir au noir.

COULEURS UTILISÉES (PEINTURE À L'HUILE) *blanc de titane, bleu de Prusse, bleu outremer, pourpre d'alizarine, rouge de cadmium, jaune citron, jaune de cadmium*

Nature morte en six couleurs

1 *La couleur employée ici, qui ressemble à un ocre jaune, a été obtenue en mélangeant du blanc, du jaune citron et un peu de rouge de cadmium.*

2 *Pour les tomates, on associe les deux rouges, avec quelques touches de jaune citron pour les parties claires. On laisse transparaître le blanc du support pour les rehauts.*

3 *La base du vert du poivron est composée de bleu outremer et de jaune de cadmium, deux couleurs qui peuvent s'associer selon différentes proportions pour créer des nuances de vert variées.*

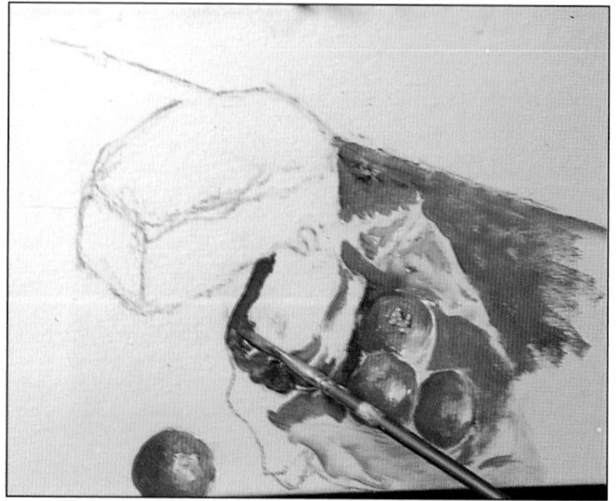

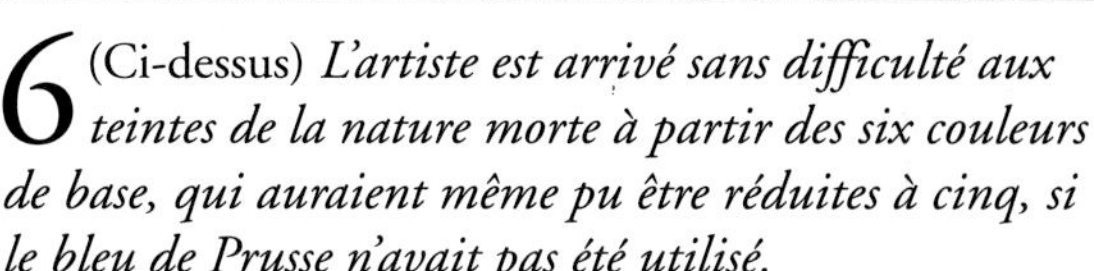

6 (Ci-dessus) *L'artiste est arrivé sans difficulté aux teintes de la nature morte à partir des six couleurs de base, qui auraient même pu être réduites à cinq, si le bleu de Prusse n'avait pas été utilisé.*

4 *Le brun du pain est semblable à la couleur employée pour le papier dans l'étape 1, mais un peu assombri par quelques touches de pourpre d'alizarine et de bleu outremer.*

5 (À droite) *Le bleu de Prusse, couleur sombre et très forte , à employer avec parcimonie, est mélangé avec les rouges et les jaunes pour peindre le fond. La même combinaison, encore renforcée de bleu de Prusse, se retrouve dans la peinture des feuilles des tomates.*

Les rapports de couleurs

Dans l'étude de la technique picturale, il est primordial de savoir comment on obtient sur sa palette des couleurs semblables à celles que l'on observe dans la réalité, mais il faut également comprendre comment elles s'influencent et réagissent les unes par rapport aux autres. Une couleur ne se définit que par le contraste ou la juxtaposition avec les autres couleurs. À titre d'exemple, la couleur d'une orange ou d'un citron posés sur un tissu de couleur neutre ou sombre ressort mieux et se trouve mise en valeur par le contraste, tandis qu'elle perd de son éclat et semble plus terne lorsque le même fruit est placé sur un tissu orange ou jaune.

Dans la couleur, le contraste se traduit en tons clairs ou en tons foncés : c'est la valeur ; mais dans un tableau, on peut jouer sur d'autres contrastes, couleurs éclatantes contre couleurs neutres, couleurs dites chaudes avec celles dites froides.

Couleurs chaudes, couleurs froides

Les artistes parlent souvent de couleurs chaudes ou de couleurs froides pour traduire la sensation visuelle – et relativement subjective – que donne une couleur. La gamme des bleus, des bleu-vert et des bleu-gris est dite froide, tandis que celle des rouges, des jaunes et des couleurs contenant du rouge et du jaune est dite chaude.

L'opposition couleur chaude/couleur froide est un moyen d'exprimer la profondeur. En effet, si les couleurs chaudes semblent toujours venir au-devant du tableau, les couleurs froides ont au contraire tendance à reculer vers l'arrière-plan.

Tout est relatif dans le domaine de la couleur, si le contraste avec des teintes chaudes est trop peu marqué, la capacité de la couleur froide à s'éloigner peut s'atténuer. Pour compliquer les choses, chaque couleur se décline en différents tons, chauds et froids. Le bleu outremer, qui tend vers le rouge, est ainsi plus chaud que le bleu de cœruléum ou que le bleu de Prusse, tout comme le jaune de cadmium est plus chaud que le jaune citron, légèrement acide et où domine le vert.

Couleurs neutres

Souvent négligées, les couleurs dites neutres (les gris, les bruns, les beiges et leurs nuances intermédiaires) jouent un rôle essentiel de faire-valoir et exaltent les couleurs plus lumineuses.

Cependant, il est difficile d'analyser les couleurs neutres pour mettre en valeur leur dominante, et donc de savoir quelles couleurs mélanger pour les obtenir, d'autant plus qu'elles ne sont neutres que par réaction. Ainsi, un gris verdâtre, qui paraît fade près d'un rouge, peut sembler presque vif s'il est posé à côté d'une véritable couleur neutre – un mélange de blanc et de noir.

À l'exception de cette dernière couleur (le mélange de blanc et de noir), qui ne contient d'ailleurs pas de couleur du tout et ne doit être employé que rarement, sinon jamais, en peinture, toutes les couleurs neutres possèdent leurs dérivés colorés ; les gris peuvent être jaunâtres, brunâtres, légèrement bleus ou tendre vers le mauve. Lorsque vous employez ces couleurs, elles doivent être en harmonie avec la tonalité générale du tableau. Pour cela, il suffit de gratter votre palette en cours de travail et de prendre le mélange comme base de couleur neutre. Mais ce n'est possible qu'avec l'huile car l'acrylique sèche trop rapidement.

On peut rendre une couleur neutre par l'adjonction de sa complémentaire. Les couleurs complémentaires sont celles qui s'opposent l'une à l'autre sur le cercle chromatique : vert et rouge, violet et jaune, orange et bleu. Une fois mélangées, ces couleurs s'annulent l'une l'autre, créant des neutres raffinés dont la tonalité varie selon la proportion des couleurs employées. Des neutres réussis ajoutent toujours à l'effet du tableau.

Couleurs chaudes et froides
Les couleurs chaudes – rouge, orange et jaune – « avancent » par rapport à des couleurs plus froides, le vert et le bleu. Sur un bleu plus chaud, l'orange se détache moins.

Valeurs relatives
Bien que la couleur au centre des deux premiers carrés soit froide, elle ne « recule » pourtant pas car celle du cadre est encore plus froide. Dans les deux derniers carrés, peints en couleurs chaudes, le pourpre d'alizarine et le jaune citron paraissent plus froids que l'orange.

Teintes neutres
Toutes ces teintes neutres sont obtenues par addition de couleur à un mélange de blanc et de noir. Si elles ne sont pas d'une couleur bien définie, certaines présentent une dominante rouge, verte ou bleue. Dans les carrés du bas, on voit comment ces couleurs neutres se transforment en fonction de leur environnement : une couleur neutre placée sur un fond vif dans le premier et le troisième carré, et sur un fond gris neutre (obtenu par mélange de blanc et de noir) dans le deuxième et le quatrième carré.

ORANGE SUR BLEU OUTREMER — ROUGE DE CADMIUM SUR BLEU-VERT — ORANGE SUR BLEU DE CŒRULÉUM — JAUNE CITRON SUR VERT

BLEU OUTREMER SUR BLEU DE PRUSSE — JAUNE-VERT SUR BLEU-VERT — ORANGE SUR POURPRE D'ALIZARINE — JAUNE DE CADMIUM SUR JAUNE CITRON

BRUN NEUTRE SUR ROUGE DE CADMIUM — LA MÊME COULEUR SUR DU GRIS — GRIS NEUTRE SUR BLEU OUTREMER — LA MÊME COULEUR SUR DU GRIS

Exercice

PEINDRE EN BLANC

Il n'est pas de meilleur exercice pour apprendre à analyser et à mélanger les couleurs neutres que de peindre un ou deux objets de couleur vive placés sur un fond blanc. C'est aussi un bon moyen de comprendre comment la lumière modifie les couleurs. Alors que les couleurs sombres absorbent la lumière, le blanc la reflète : lorsqu'on observe un objet blanc, on peut distinguer toute une gamme subtile de couleurs dans laquelle entre très peu, voire pas du tout, de blanc pur. Les couleurs varient selon l'éclairage ou la lumière sous lesquels vous travaillez, tandis que les objets eux-mêmes projettent une partie de leur couleur dans leur ombre. Cette influence de la lumière sur les couleurs peut présenter pour vous quelques difficultés si votre nature morte est placée à proximité d'une fenêtre.

COULEURS EMPLOYÉES *noir, bleu outremer, bleu de cœruléum, rouge indien, rouge de cadmium, rouge vénitien, terre d'ombre brûlée, ocre jaune, jaune de cadmium, jaune citron, blanc de titane*

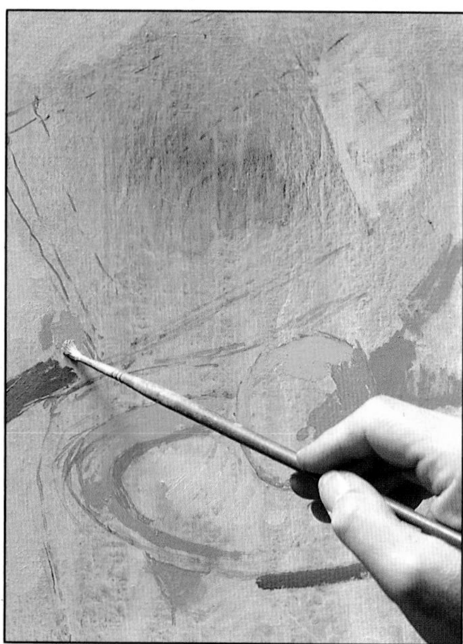

1 *Comme l'orange est la couleur la plus vive, elle est placée en premier et sert de référence pour poser les gris-vert et les bleu-vert de l'assiette et du fond.*

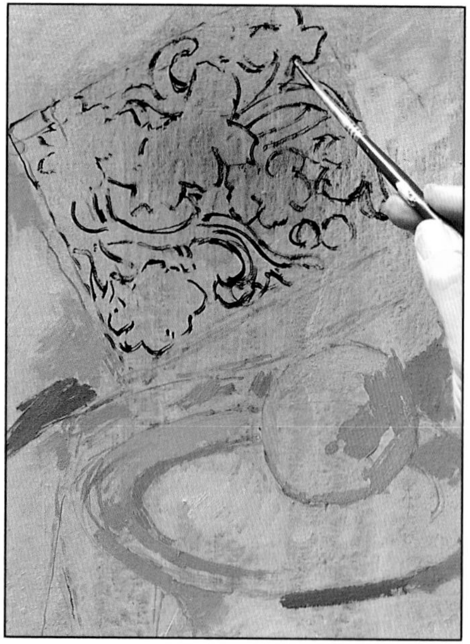

2 *En passant dans la partie du plus fort contraste, on dessine la dentelle de la nappe à l'aide d'une fine brosse en martre.*

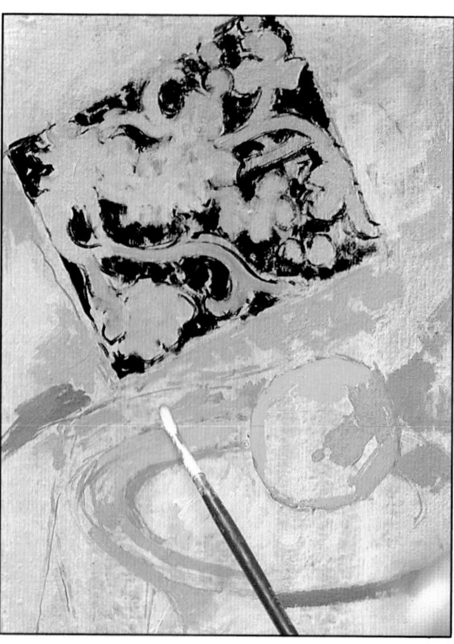

3 *Les couleurs sont soigneusement posées les unes par rapport aux autres, à mesure de l'avancement du tableau. Les gris de la nappe, légèrement colorés, restent neutres comparés à l'orange.*

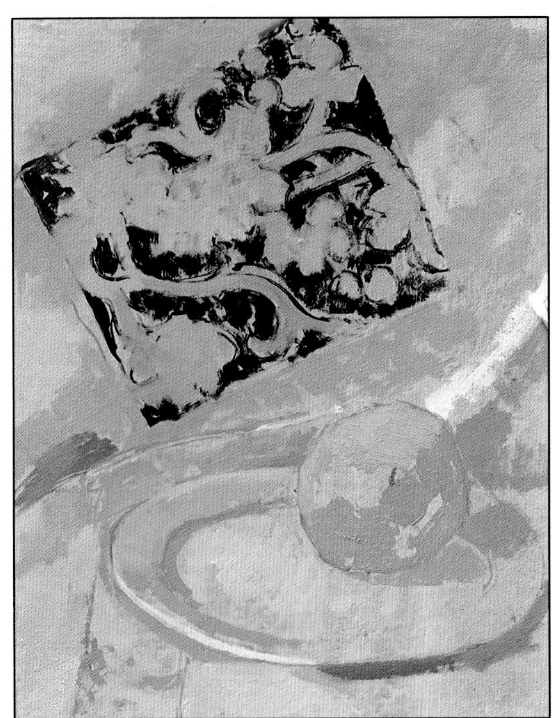

4 *Les tons moyens de la nappe ont été mis en place avant d'aborder les parties plus lumineuses, là où les plis accrochent la lumière. L'artiste a employé du blanc pur, mais en touches si légères qu'elles sont cassées par la texture même de la toile et que la couleur du fond apparaît.*

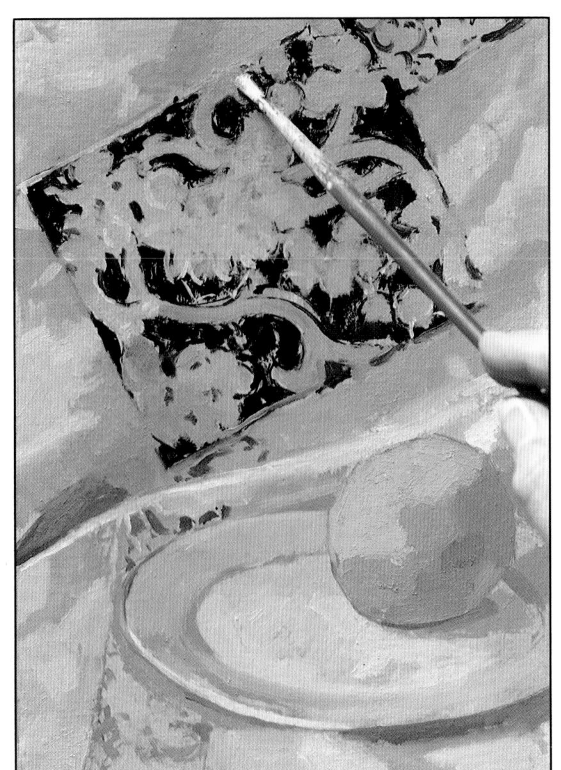

5 *Une fois l'orange et l'assiette bien construites, les touches finales sont apportées au fond. Pour que les contrastes ne soient pas trop marqués, le blanc est additionné d'un peu de jaune et de rouge pour l'assombrir et le réchauffer.*

6 *L'artiste a travaillé sur un panneau marouflé d'une toile fine légèrement teintée d'un lavis d'aquarelle. Il estime en effet qu'un fond coloré permet de mieux juger des tons de ses mélanges, ce qui se révèle très utile dans un sujet comme celui-ci, où les tons clairs l'emportent.*

Peindre alla prima

Les premières questions des débutants concernent l'élaboration du tableau à l'huile : par où commencer et quelles étapes suivre ? Il n'est pas facile de répondre à cela tant les manières de travailler sont nombreuses et différentes. Au cours des siècles, la technique de la peinture à l'huile a évolué et chaque artiste s'est inventé sa propre méthode.

Une révolution technique

Sur le plan technique, le bouleversement le plus important eut lieu au XIXe siècle, provoqué par les impressionnistes, qui bousculèrent nombre de conceptions antérieures touchant à la fois aux méthodes et à la perception même de l'art. Jusque-là, après préparation, les artistes élaboraient leurs œuvres peintes à l'huile par couches successives qui formaient la couche picturale. À la couche de l'esquisse, ou premier tracé, se superposait une couche monochrome. Ce stade d'ébauche indiquait les grandes lignes de la composition, le modelé des formes et la dominante colorée, ou tonalité de l'œuvre. La couleur n'était appliquée qu'en dernier lieu. Ces tableaux étaient exécutés en atelier, le travail en extérieur étant limité aux petites études.

Les impressionnistes travaillèrent en plein air et directement d'après nature et, abandonnant la superposition longue et complexe des couches, ils exécutaient directement leur tableau. Cette méthode dite alla prima, c'est-à-dire « de premier jet », fut rapidement adoptée, notamment pour le travail dehors, où la rapidité est essentielle. Aujourd'hui, certains artistes reviennent aux anciennes méthodes, modernisées et améliorées, et préfèrent travailler sur une couche picturale (ce procédé est expliqué dans les pages suivantes).

Travail dans le frais

Le terme alla prima ne décrit pas de technique particulière, dans la mesure où il existe différentes façons de commencer et d'achever un tableau en une seule séance. Ce qui caractérise les tableaux peints alla prima, c'est le travail frais sur frais (ou humide sur humide) : alors que, en laissant la peinture sécher avant de lui superposer une autre couche, chaque nouveau

Travail dans le frais

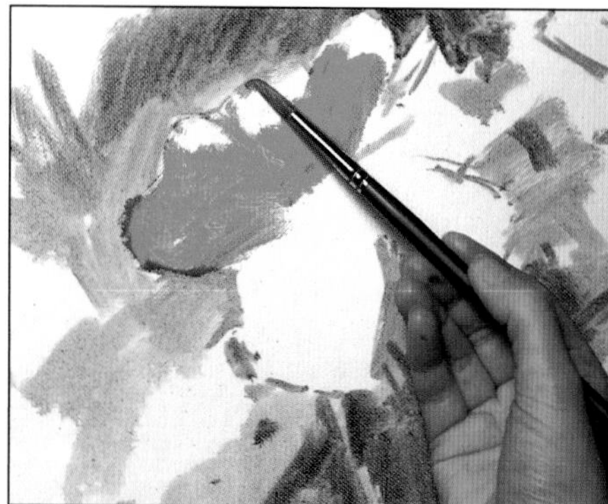

1 *On commence par appliquer sur la toile une couche mince de peinture à l'huile, uniquement diluée à la térébenthine. Légèrement huileuse, elle donne en effet une pâte plus luisante que le white spirit (essence minérale).*

2 *Après avoir mis en place les fleurs, toujours avec une peinture fluide, l'artiste pose un vert sombre sur la peinture encore fraîche du dessous. Il utilise une brosse en martre, plus souple et plus douce que celle en soie de porc.*

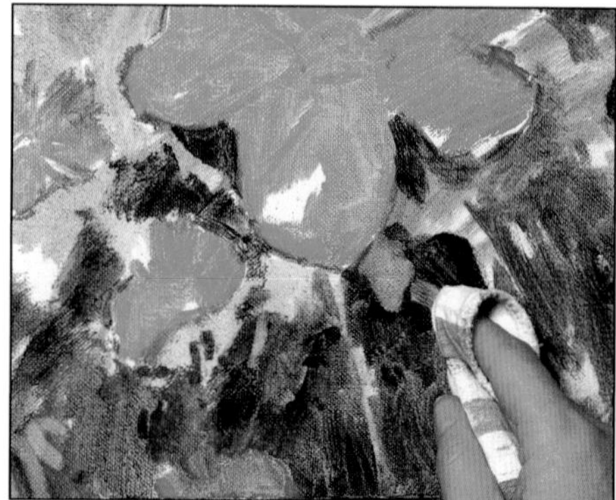

3 *Quelques discrets rehauts, volontairement flous, sont ajoutés en frottant légèrement la peinture avec un chiffon. La première couche de bleu-vert, déjà sèche, ne bouge pas.*

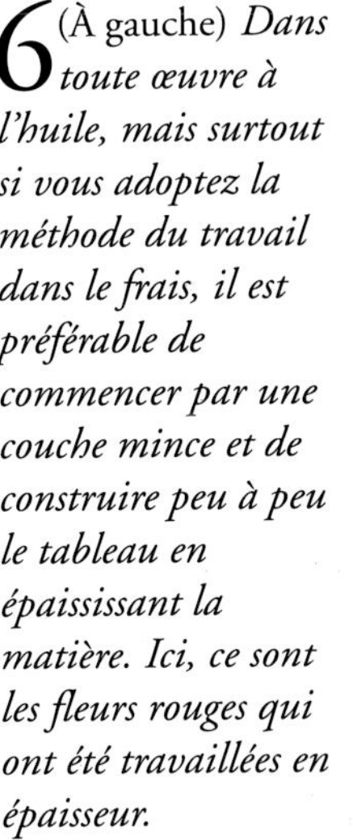

6 (À gauche) *Dans toute œuvre à l'huile, mais surtout si vous adoptez la méthode du travail dans le frais, il est préférable de commencer par une couche mince et de construire peu à peu le tableau en épaississant la matière. Ici, ce sont les fleurs rouges qui ont été travaillées en épaisseur.*

4 (À droite) *La peinture est maintenant employée en pâte plus épaisse, légèrement diluée par un mélange d'huile de lin et de térébenthine, et appliquée en faisant doucement fondre les touches les unes dans les autres.*

5 (À droite) *On dépose un peu de blanc sur le rouge frais pour que les deux couleurs se mélangent en surface et donnent un rehaut rose velouté.*

coup de brosse est bien défini, si vous étendez une couleur sur une précédente encore fraîche, l'effet en sera atténué, le ton de la nouvelle couleur étant modifié par celle qu'elle recouvre. Les impressionnistes peignaient couramment frais sur frais ; en procédant ainsi, Monet est parvenu aux effets d'estompe et de flou de ses magnifiques *Nymphéas*.

La méthode n'est pas aussi simple qu'elle paraît. Il faut un coup de pinceau preste et éviter de trop reprendre. Superposer trop de teintes donne une peinture « tournée », sans couleur ni caractère. Dans ce cas, il est préférable de gratter la partie ratée avec un couteau à palette et de recommencer. Pour travailler frais sur frais à l'acrylique, vous devrez utiliser un médium retardateur afin de conserver une peinture humide et souple.

L'ÉBAUCHE

Avant de commencer à peindre, la plupart des artistes dessinent leur sujet sur la toile, au crayon, au fusain ou au pinceau. Certains vont un peu plus loin et font une ébauche, à l'échelle, à la peinture monochrome, avant de poser les couleurs. Cela leur permet de concevoir l'ensemble de la composition et de définir la tonalité de leur tableau.

Ce dessous monochrome n'est pas nécessairement exécuté en grisaille et le terme de monochrome signifie simplement qu'il est d'une seule couleur. L'avantage de cette couche est de mettre en place les contrastes ; certaines parties resteront apparentes dans la composition finale ; au-dessus, la peinture pourra être appliquée en une couche assez fine pour que sa couleur soit modifiée par celle du dessous, méthode souvent associée à la technique du glacis, que l'on peigne à l'huile ou à l'acrylique. Les peintres de la Renaissance faisaient parfois un dessin en camaïeu verdâtre (verdaccio) sur lequel, progressivement, ils déposaient, en touches minces, les tons chair. De la même manière, un dessous jaune ou rouge peut convenir pour un sujet où prédominent les verts et les bleus.

Cependant ce dessous, qui est en fait une couche de fond sous la couche principale, n'est pas toujours monochrome et peut être composé de plusieurs couleurs. Certains artistes couvrent d'abord la toile d'un « jus » de peinture très étendue de térébenthine, au dessus duquel, après séchage, ils composent leur tableau en épaississant peu à peu leur pâte. Comme la peinture à l'huile peut recouvrir l'acrylique (mais pas l'inverse), cette dernière est parfois employée, en raison de sa grande siccativité, au début de l'exécution du tableau. Toutefois, la peinture à l'huile allongée à la térébenthine sèche également rapidement.

Couche de peinture à l'acrylique

1 *Un jus d'acrylique gris-vert bien dilué permet d'ébaucher directement sur la toile les traits fondamentaux du visage et de la tête.*

2 *Cette couche donne la tonalité sur laquelle on posera les couleurs. Même en travaillant à l'acrylique (une peinture qui sèche rapidement), on respecte la règle traditionnelle qui est de commencer à peindre en couche mince.*

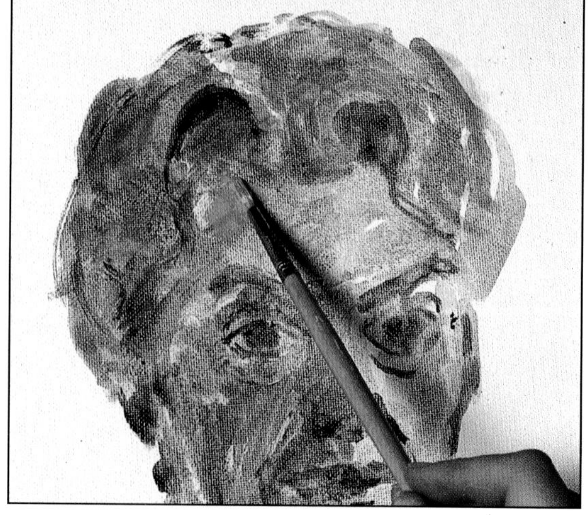

3 *La peinture à l'huile, encore bien diluée, sert à définir les cheveux puis, quelque peu épaissie, à placer les couleurs chaudes du front.*

4 *La couleur utilisée pour le front a été légèrement fondue dans le dessous afin d'obtenir un dégradé de tons. Le bleu-mauve du fond est appliqué en couche mince.*

5 *La matière s'empâte pour les rehauts et les traits du visage, mais, par endroits, elle laisse transparaître le dessous gris-vert, notamment dans les cheveux et sous l'œil gauche.*

6 (Ci-dessous) *La teinte choisie pour la couche de peinture dépend de la tonalité que vous souhaitez obtenir. Ce vert sourd est souvent employé pour les portraits, car il met bien en valeur le contraste entre les zones d'ombre et les rehauts.*

Gras sur maigre

La seule règle impérative, si vous travaillez un tableau par superposition de couches, c'est de toujours le peindre gras sur maigre, en commençant par une matière très diluée pour finir par les épaisseurs. Des craquelures apparaissent lorsqu'une peinture diluée à la térébenthine (maigre) a été passée sur une couche épaisse et chargée en huile (grasse). Lorsque celle du dessous sèche, elle rétrécit et craquelle légèrement. Réserver aux finitions les épaisseurs de matière limite le risque de malmener celle-ci lors des applications de peinture suivantes.

TRAVAILLER SUR UN FOND COLORÉ

Jusqu'au milieu du XIXe siècle, peindre sur une toile couverte d'un dessous teinté, appelé imprimatura (c'est-à-dire impression), était pratique courante. Les impressionnistes et bien d'autres y renoncèrent, préférant travailler sur des toiles blanches qui, à leur avis, faisaient ressortir la luminosité des couleurs (Monet revint cependant à ces fonds colorés à plusieurs époques).

Les artistes contemporains sont divisés sur cette question, mais un fond coloré peut avoir son utilité. Le blanc étant une couleur artificielle (il y a très peu, voire pas du tout, de véritable blanc dans la nature), il est beaucoup plus difficile d'apprécier l'effet des premières couleurs que vous appliquez en commencant avec une toile toute blanche. Comme toute couleur semble sombre sur du blanc, vous risquez notamment de peindre trop clair. En revanche, un fond coloré vous donnera un ton moyen, à partir duquel vous pourrez travailler soit en éclaircissant, soit en assombrissant.

Cette teinte du fond va influencer, dès le commencement, la tonalité de votre tableau. On adopte généralement une couleur neutre, un brun, un jaune-brun, un gris ou ou bleu-gris, sur laquelle sont superposées des couleurs plus lumineuses. Certains artistes choisissent un fond dont la teinte contraste avec la dominante du tableau, par exemple un brun chaud pour une peinture où les bleus prédominent ; d'autres préfèrent jouer sur l'harmonie entre le fond et le sujet traité. Dans l'un et l'autre cas, on laisse transparaître par endroits cette couleur du fond sans chercher absolument à la couvrir, ce qui permet d'unifier et d'harmoniser l'ensemble des couleurs du tableau. L'effet produit s'apparente alors tout à fait à celui obtenu par une application d'une couche de peinture. Préparer un fond est une opération très simple où l'on peut employer aussi bien la peinture à l'huile diluée au white spirit (essence minérale), l'acrylique ou l'aquarelle – l'une des deux dernières si vous travaillez à l'acrylique. Étendez la peinture sur la surface de la toile avec une brosse large ou un chiffon, sans vous inquiéter d'éventuelles inégalités ou marbrures ; un dessous trop lisse aurait un aspect artificiel et sans intérêt.

Acrylique sur fond bleu

1 *Dans la peinture à l'huile, le fond est souvent choisi dans la gamme des bruns ou des gris discrets. L'acrylique permet toutefois un choix de couleurs plus hardi, comme ce bleu profond. On couvre d'abord rapidement toute la surface du tableau – ici, un papier aquarelle – avec une large brosse en nylon.*

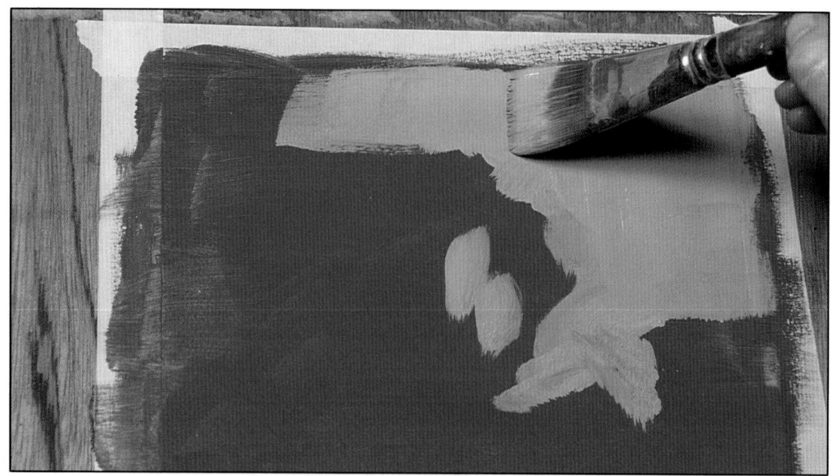

2 *Le ciel, plus clair, est balayé à grands traits à l'aide d'une large brosse en nylon carrée. La peinture est employée en couche assez épaisse, étendue avec juste ce qu'il faut d'eau pour rendre la pâte malléable. Aucun dessin préliminaire n'a été exécuté car les reprises se font aisément par superposition.*

3 *Un vert sombre est maintenant déposé sur le bleu en touches nerveuses et rapides à l'aide d'une petite brosse en soie, mais il ne couvre pas tout le fond. La matière picturale est assez maigre pour que le bleu soit modifié sans être assombri.*

6 (Ci-dessus) *Les quelques reflets sombres sont estompés légèrement par l'application d'un glacis de peinture bien diluée à l'eau, appliqué avec une brosse souple et large.*

4 *Pour rendre l'aspect trouble de l'eau, on frotte un peu de noir avec la brosse presque sèche, sur les couleurs maintenant sèches, sans recouvrir tout le bleu du fond.*

5 *Avant les finitions, quelques accents de vert-jaune clair, introduits dans les arbustes, conduisent l'œil vers le centre de la composition.*

Le travail de la brosse

Les peintures à l'huile et à l'acrylique ont des pâtes d'une consistance naturellement épaisse et crémeuse, qui conservent très bien les traces de la brosse (à moins que l'on choisisse une exécution par superposition de couches minces ou de glacis). Le coup de brosse (ou coup de pinceau) fait partie de l'œuvre et participe totalement à son expression. L'idée de jouer de la présence physique de la matière se manifeste déjà dans les œuvres d'artistes comme Titien (XVIe siècle) et Rembrandt (XVIIe siècle), mais a été exploitée avec plus de vigueur encore par Cézanne et Van Gogh.

Trop souvent, des tableaux qui seraient intéressants perdent de leur force d'expression uniquement parce que l'artiste a négligé l'importance du travail du pinceau. Certes, venant d'un amateur débutant qui peut, entre autres, être davantage préoccupé par la qualité de sa composition et de son dessin que par la réussite de ses mélanges, cela se comprend. En réalité, l'application des coups de pinceau demande autant de vigilance et de soin que le reste, et peut même être d'un grand secours dans la représentation de votre motif. Qu'il s'agisse de peindre un tronc d'arbre, d'indiquer la courbe d'une colline ou l'étendue d'un champ, il est bien préférable d'en suggérer la forme et la direction par un long trait de brosse dynamique plutôt que de s'efforcer de les construire méticuleusement à petits coups de brosse.

L'approche du thème et la facture doivent être cohérents. Mais cohérence ne signifie pas, bien au contraire (sinon de volonté délibérée), que les coups de brosse doivent tous avoir la même direction ou la même largeur. Dans le cas d'un paysage, par exemple, votre ciel ne peut pas être peint en aplat si vous décrivez arbres et collines à grands traits vigoureux et vifs. Les ciels sont souvent d'exécution délicate, parce qu'ils paraissent manquer de relief ; à vous d'user de votre sens créatif pour les faire vibrer. Cézanne animait les siens de quelques coups de tons variés.

Essayez des brosses de taille et de forme différentes, tenez-les de plusieurs manières, en modifiant la pression de la main. Ce travail sur le trait vous aidera à définir votre propre style. Cézanne préférait les grandes brosses plates, peignant en touches larges et courtes, tandis que Monet préférait les brosses effilées et déposait la peinture en petites touches précises.

L'expression par le trait

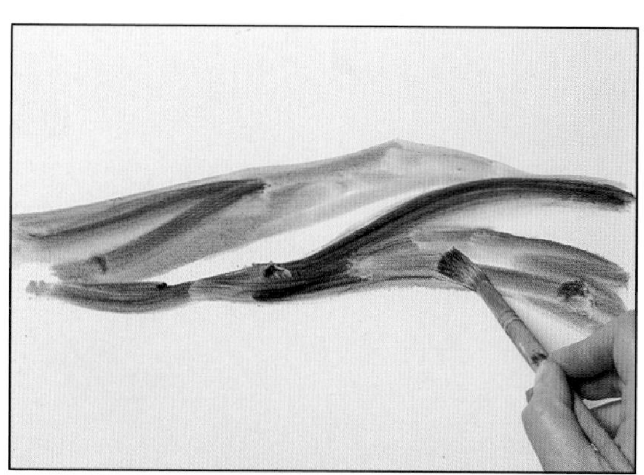

1 *Dans ce tableau à l'huile sur papier, la brosse en soie de porc est utilisée pour dessiner la silhouette des collines en longs traits souples.*

2 *Il n'est pas nécessaire de travailler en pâte épaisse pour tirer parti des traces de la brosse. Lorsqu'elle est assez maigre (diluée à la térébenthine), la peinture permet d'obtenir des rayures inégales, qui laissent transparaître le papier blanc dans certaines parties.*

3 (Ci-dessus) *Bien que la peinture soit plus épaisse pour le ciel, les touches – longs coups de brosse balayés et orientés suivant la pente des collines – sont disposées de la même manière que pour le sol.*

4 *La peinture, employée assez maigre dans les premières étapes, est maintenant sèche. Il est donc possible de superposer une couleur plus épaisse sans nuire au dessous.*

5 *Le mur de pierre, à mi-distance, est suggéré en quelques coups de brosse, orientés dans un autre sens, les touches de pâte épaisse étant plus verticales.*

6 (Ci-dessous) *Le tableau donne une impression d'unité dans son exécution ; très apparents, les coups de brosse ne décrivent pas seulement le paysage mais ils donnent mouvement et vigueur à la composition.*

L'EMPÂTEMENT

Aux yeux de certains peintres, l'un des principaux attraits de la peinture à l'huile et de l'acrylique, c'est la possibilité de travailler la pâte en couche épaisse et dense, l'empâtement, pour transposer sur la surface de la toile modelés et textures suggestifs.

Les techniques d'empâtement sont presque aussi anciennes que la peinture à l'huile. Rembrandt et, au XIXe siècle, l'un des plus grands peintres anglais, J. M. W. Turner, employaient une peinture épaisse et solide pour restituer et faire surgir certains détails de leurs compositions en opposition à d'autres parties plus maigres. Dans certains portraits de Rembrandt, les visages, et plus particulièrement les zones rehaussées, ont une pâte si riche qu'on les dirait façonnées dans la matière. Van Gogh fut le premier artiste à couvrir sa toile de touches épaisses, chargées de matière, appliquées à coups de brosse vrillés ou irréguliers. Depuis, nombre d'artistes ont exploité les ressources dynamiques et expressives de l'empâtement, travaillant parfois directement la couleur à la sortie du tube et la modelant à la brosse, la déposant au couteau ou avec les doigts.

Peindre en empâtement exige que l'on utilise généreusement la matière. Il est possible d'enrichir la pâte – huile ou acrylique – et d'en augmenter le volume en lui ajoutant un médium gel spécial empâtement. Cette adjonction est particulièrement utile pour l'acrylique, plus liquide que la peinture à l'huile. Ces médiums sont efficaces et permettent de doubler, voire tripler, la quantité de peinture sans en modifier la couleur. Le seul autre moyen d'enrichir la pâte est d'y ajouter du blanc.

On réserve d'habitude les empâtements à certaines parties du tableau, notamment les finitions, les rehauts et les accents de couleur vive posés au premier plan. En effet, les empâtements ont une présence plus forte qu'une pâte moins riche et tendent à faire avancer la couleur vers nous.

Travail en empâtement

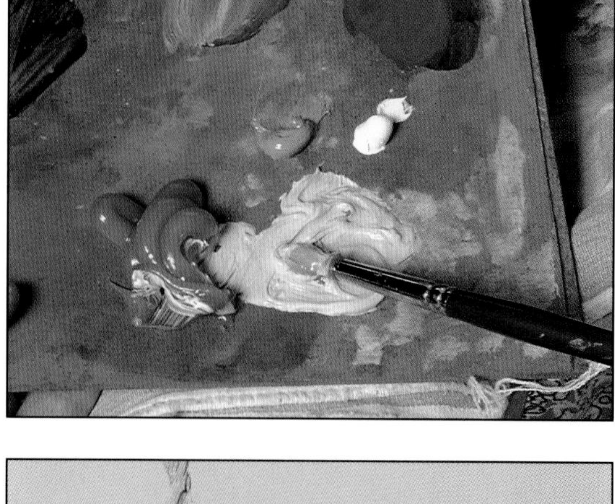

1 La couleur à l'huile est mélangée avec un médium gel spécial empâtement (la substance brunâtre à gauche), qui l'enrichit. Il existe également des médiums semblables pour l'acrylique.

2 L'utilisation des empâtements est parfois réservée à certains morceaux que l'on travaille au moment des finitions. Cette technique devient ici un mode d'expression qui va donner son caractère au tableau. À ce stade, les couleurs sont posées avec soin les unes à côté des autres, en évitant qu'elles se mélangent et se brouillent.

3 Le ciel est balayé par quelques coups de pinceau pâteux et lourds d'où émergent des rides et des spirales qui renvoient la lumière dans de multiples directions.

6 (À gauche) *Les couleurs plus sombres sont ajoutées en quelques touches rapides, jetées à la pointe de la brosse, dans le brun-jaune du tronc des arbres. Un tableau exécuté avec de tels empâtements mettra plusieurs jours à sécher complètement.*

4 *Il faut veiller à déposer chaque couleur avec délicatesse, sans qu'elle recouvre la voisine. Si l'épaisse peinture vert sombre se mélangeait au brun-jaune plus clair, cela donnerait une teinte sale.*

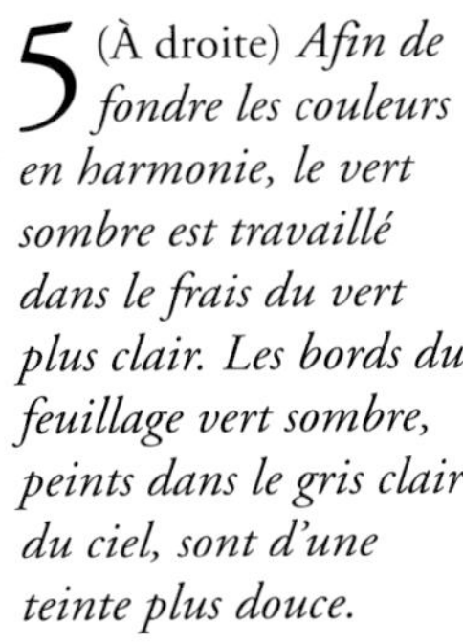

5 (À droite) *Afin de fondre les couleurs en harmonie, le vert sombre est travaillé dans le frais du vert plus clair. Les bords du feuillage vert sombre, peints dans le gris clair du ciel, sont d'une teinte plus douce.*

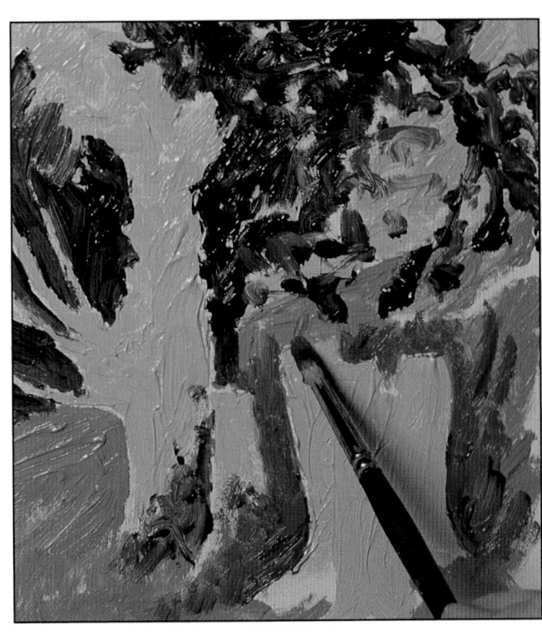

LA PEINTURE AU COUTEAU

Bien sûr, la brosse est l'instrument le plus classique et le plus utilisé pour peindre, mais on peut aussi travailler au couteau, sorte de truelle coudée à lame triangulaire en acier souple. Technique particulièrement expressive, la peinture au couteau permet de créer des effets très différents de ceux obtenus avec une brosse. En écrasant la pâte déposée à la surface du tableau, le couteau y laisse une empreinte lisse avec des bords relevés qui lui donnent tout son relief.

Ces arêtes de peinture épaisse qui accrochent la lumière apportent nervosité et vie à l'œuvre. Comme avec la brosse, il est intéressant de modifier la direction et les dimensions de l'empreinte, en modifiant la pression exercée et en jouant sur les empâtements. Évitez toutefois d'alourdir votre travail par des reprises ou des superpositions trop nombreuses ; vous risquez d'émousser les reliefs et de perdre la précision du trait que permet cette technique.

Créant des empâtements, le couteau peut aussi servir, ponctuellement, pour rehausser certains éléments d'un tableau peint à la brosse. Dans une nature morte de fleurs, un coup de couteau ajoutera un reflet sur le vase ou soulignera une feuille ; dans un paysage, un premier plan un peu trop monotone prendra vie avec quelques longues tiges d'herbe surgies du tranchant de la lame, ou avec quelques fleurs suggérées à la pointe du couteau.

Les couteaux existent en différentes tailles. Les lames de largeurs variées sont très flexibles et permettent des effets très délicats.

Des fleurs peintes au couteau

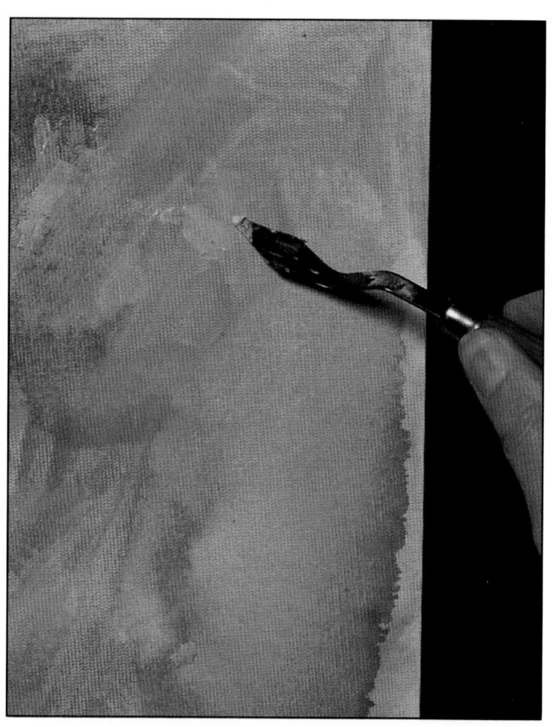

1 La toile est tout d'abord badigeonnée d'un jus , dessous coloré sur lequel se détacheront mieux les fleurs. Ce n'est qu'après séchage de ce fond que l'on place les premiers coups de couteau.

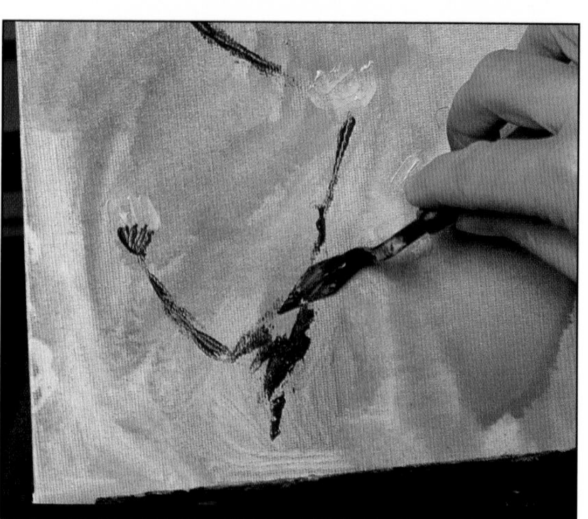

2 Les tiges sont signalées à la pointe du couteau, par une succession de petits empâtements de couleur vert sombre. Les fleurs ne sont encore qu'un simple aplat de couleur, obtenu en étalant la peinture avec le tranchant de la lame.

3 Un bleu-vert léger est déposé avec le plat du couteau sur la couleur plus sombre des feuilles. Remarquez que la pâte, aplatie et repoussée par la lame, forme une couche plus mince au centre, couvrant à peine les dessous.

4 *Les fleurs sont mises en place et modelées en faisant alterner les coups donnés avec la pointe et le tranchant du couteau. Ce petit couteau triangulaire est idéal pour peindre des fleurs comme les chrysanthèmes, car il suffit d'une empreinte nette de la pointe de la lame pour en restituer chaque pétale.*

5 (Ci-dessus) *Avec le plat du couteau, on étale maintenant la couleur gris-vert du fond autour des tiges, des feuilles et des fleurs. Si elles avaient été peintes dans l'épaisseur toute fraîche du fond, les couleurs se seraient brouillées et auraient perdu toute luminosité.*

6 *Fleurs et feuilles sont traitées de manière convaincante et naturelle. Le contraste entre les épaisseurs de pâte accentue également la vigueur du tableau : traité au couteau, en empâtement, le sujet est ainsi mis en valeur et se détache sur le fond, par endroits à peine coloré.*

LE GLACIS

Le glacis est l'un des procédés d'expression traditionnels de la peinture à l'huile, et sans doute celui qui permet d'obtenir les plus beaux effets. Au début de la Renaissance, les peintres employaient la peinture à l'huile en couches très fines ; superposant des couches de couleur transparentes, ils obtenaient ces bleus et ces rouges lumineux et profonds qui donnent tout leur éclat aux vêtements des madones et des saints.

Le propre même du glacis est de modifier la profondeur et la tonalité d'un dessous par la superposition d'une autre couche de peinture, soit ton sur ton, soit glacis clairs sur tons foncés. Même si la peinture à l'huile et l'acrylique sont physiquement opaques, certaines couleurs sont plus transparentes que d'autres et mieux adaptées à l'application de glacis.

Celle-ci exige beaucoup de temps car il faut attendre que chaque couche soit sèche avant d'appliquer la suivante ; le procédé fut abandonné puis oublié, lorsque vint la mode de la peinture alla prima, en une seule séance. Aujourd'hui, le glacis retrouve la faveur des artistes grâce aux nouveaux médiums pour glacis, qui réduisent le temps de séchage de l'huile et rendent les couleurs plus transparentes. Si vous avez l'intention de pratiquer le glacis, prévoyez des couleurs supplémentaires.

La technique est très appréciée des peintres à l'acrylique qui, grâce à l'extrême siccativité de cette peinture, peuvent exécuter leurs glacis sans perdre de temps. La peinture peut être étendue à l'eau ou avec un médium acrylique (mat ou brillant) ; celui-ci donne plus de velouté et d'éclat aux couleurs, alors que la peinture allongée par l'eau seulement présente un fini mat et terne en séchant.

Le glacis peut aussi être déposé sur une pâte épaisse, à condition qu'elle soit sèche. Il donne aux empâtements travaillés à la brosse ou au couteau une facture souvent plus délicate. C'est aussi une bonne manière de rendre la trame de la toile, la couleur se déposant dans les creux.

Superposer les couleurs

Au lieu de peindre directement avec une pâte opaque et peu diluée, on peut obtenir une couleur plus profonde grâce à une succession de glacis. Ces exemples sont réalisés à l'acrylique mais l'huile ou un glacis à l'huile sur l'acrylique donneraient des effets semblables.

Modifier les couleurs

Poser une couleur en glacis sur une autre, produit, par superposition, une troisième couleur. Ici, les couleurs du glacis ont été allongées au médium acrylique pour leur donner plus de transparence.

Baisser un ton

Lorsqu'une couleur paraît trop intense, on peut aussi la neutraliser par un léger glacis d'acrylique dilué à l'eau. Un glacis préparé à l'eau ne convient pas à l'huile, mais la peinture à l'huile peut être allongée par un médium à glacis.

Glacis monochrome

Que ce soit à l'huile ou à l'acrylique, un tableau peut être commencé en monochromie – noir et blanc ou en camaïeu –, puis coloré ensuite de glacis superposés.

Couleurs rompues

On obtient par superposition ou juxtaposition de couleurs les couleurs dites « rompues ».

Lorsque vous étendez légèrement de la peinture à l'huile ou de l'acrylique sur une toile ou une couche de peinture déjà sèche, la couleur se dépose de préférence sur les aspérités, donnant un trait discontinu qui laisse transparaître les dessous. Ce procédé dit de la brosse sèche (légèrement chargée d'une pâte assez épaisse) convient particulièrement pour suggérer des voiles de couleur ou une texture. Il est souvent employé dans la peinture de paysages, pour indiquer des reflets sur l'eau, des arbres dans le lointain ; dans les portraits, il restitue les effets de la chevelure ou la texture des vêtements.

Le frottis, procédé assez semblable au précédent, consiste à frotter à l'aide d'un chiffon, d'une brosse dure en soie ou même du doigt, une couche de peinture sèche sur une autre couleur. Il est plus difficile à maîtriser et convient assez peu à l'exécution de fins détails. Les meilleurs résultats sont obtenus par des frottis de couleurs claires sur des couleurs sombres, bien que l'inverse soit également possible. Vous pouvez utiliser ce procédé pour l'exécution des ciels (frottis de bleu clair sur bleu foncé donnant un aspect chatoyant) ou de riches drapés de tissu dans un portrait ou une nature morte.

La technique parfois désignée sous le terme de touche divisée consiste à donner volume et forme à un motif en juxtaposant – et non plus seulement en superposant – des touches de peinture de différentes couleurs. Les impressionnistes, auteurs du procédé, avaient découvert que les étendues d'herbe ou les feuillages devenaient plus lumineux si l'on accolait des bleus, des jaunes, des verts et parfois des violets qui, vus de loin, étaient perçus comme du vert.

Brosse sèche à l'acrylique

1 *Après avoir appliqué un lavis transparent et clair pour le ciel et une couche de peinture bleu-vert profond pour le sol, l'artiste balaie légèrement la surface avec une pâte épaisse.*

2 *En utilisant la même brosse pour le champ du premier plan, mais avec des touches plus courtes et verticales, on peut suggérer par de légères variations l'aspect et le mouvement des herbes.*

3 *Au centre, le champ est la partie la plus sombre. Pour ne pas trop couvrir les dessous, on choisit une couleur légèrement plus claire, qu'on applique en mouvements horizontaux.*

4 (À droite) *Procédé idéal pour restituer des textures, la brosse sèche donne au tableau un aspect plus vigoureux que de simples aplats de couleur. Il est d'ailleurs préférable de travailler sur une surface tramée.*

GRATTAGE ET SGRAFFITE

Ces procédés ne s'appliquent pas à l'acrylique, car ils reposent sur la faible siccativité de la peinture à l'huile.

GRATTAGE

Lorsque l'on est mécontent d'un morceau et que la peinture est encore fraîche, il est possible d'enlever la partie mal peinte, voire de gratter tout le tableau, à l'aide d'un couteau à palette et de repeindre. Si vous avez déjà fait cette expérience, vous avez sans doute été frappé par l'aspect accidenté, assez séduisant, de la couche de la surface raclée – comme un reflet de l'image originale.

Le grattage peut dépasser la simple correction et devenir un procédé pictural. Il a d'ailleurs été employé en ce sens par plusieurs grands artistes, notamment par l'Américain James Whistler (XIXe siècle). Il voulait éviter de trop travailler sa peinture et grattait ses portraits, souvent à la fin de sa séance quotidienne ; un jour, il remarqua qu'il obtenait ainsi exactement l'effet désiré pour la robe de mousseline de son modèle.

Cette technique se rapproche un peu de celle du glacis, dans la mesure où la couleur appliquée ensuite est toujours influencée par la couleur sous-jacente. Si votre travail s'effectue sur une surface tramée (toile ou panneau entoilé), le couteau n'enlèvera que la matière déposée sur les saillies de la trame, laissant un peu de couleur entre les fils. Vous pouvez ainsi créer de subtils effets colorés, ou traduire plus finement l'impression d'un paysage dans la brume.

Grattage

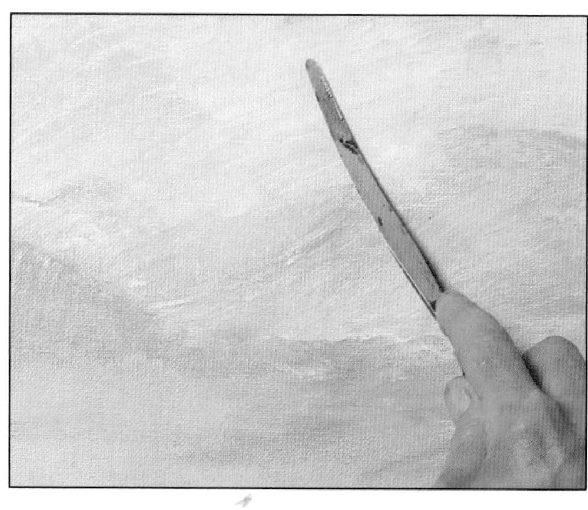

1 *La couche de peinture épaisse est grattée avec le tranchant de la lame d'un couteau à palette. Le panneau entoilé est moins fragile au grattage qu'une toile tendue.*

2 *Après séchage du lavis jaune-vert, on dépose alors en épaisseur une couleur plus sombre, que l'on gratte ensuite partiellement à l'aide, par exemple, d'une carte de crédit usagée (outil insolite, mais pratique en peinture).*

3 *Le premier plan a été assombri par des applications successives de peinture, grattées à chaque fois. La carte de crédit sert ici à étendre la peinture sur la toile, raclée ensuite selon un mouvement en diagonale.*

4 *Ce procédé est particulièrement intéressant pour créer des effets d'atmosphère et de subtils mélanges de couleurs. Certaines parties ont été travaillées au doigt, tandis que les formes vagues du premier plan ont été réalisées en utilisant la carte de crédit comme couteau à peindre.*

Sgraffite

1 *Après avoir déposé une couche assez épaisse de peinture à l'huile, du bout du manche de la brosse, on trace quelques traits pour donner l'illusion des sillons et des accidents de l'écorce.*

2 *La pointe d'un cutter (couteau universel) permet de gratter plus proprement et plus complètement la peinture jusqu'à faire apparaître la surface de la toile en fines lignes blanches.*

3 *Variante du sgraffite, le dessin au crayon dans la pâte fraîche laisse des lignes sombres et des empreintes semblables à celles d'un manche de brosse.*

4 *Ce procédé, bien adapté à la peinture des tissus, est idéal pour des traits aussi fins que les brins d'herbe ou les reflets du soleil sur des petites branches, qui sont difficiles à obtenir avec une brosse.*

Sgraffite

D'origine italienne (*sgraffiato* signifie égratigné), ce terme désigne la manière dont on raye la pâte picturale encore fraîche, en creusant un sillon aux bords irréguliers. Avec le manche de sa brosse, Rembrandt « gravait » la peinture épaisse pour suggérer les poils d'une moustache ou la matière d'un vêtement.

Ce procédé peut aussi être exploité de manière purement décorative, pour introduire un motif. Si la couche de peinture est mince, vous pouvez la gratter avec un outil pointu pour faire apparaître le blanc de la toile ou la couleur du dessous. Vous soulignerez ainsi d'une fine ligne blanche quelques objets d'une nature morte ou dessinerez dans la couleur sous-jacente le motif imprimé d'un tissu. Plus facile à exécuter à l'huile, le sgraffite peut aussi s'appliquer à l'acrylique, dans la mesure où le support est une surface rigide, par exemple un panneau.

« Tonking »

Inventé par sir Henry Tonks, ancien professeur à la Slade School of Art de Londres, le « tonking » est une autre forme de repentir, qui peut être utilisée comme technique. Il arrive qu'une peinture à l'huile soit si chargée de matière que toute nouvelle application de couleur se fond avec les précédentes en un mélange boueux et terne, rendant la poursuite du travail impossible. Tonks recommandait, dans ce cas, de poser sur la partie gâtée une feuille de papier journal, puis de frotter doucement jusqu'à ce que le papier ait absorbé la peinture de la couche supérieure. Vous pouvez alors poursuivre votre séance à partir de cette image estompée mais aussi, car le résultat plaît assez souvent, la conserver telle ou compléter, par quelques touches légères, des détails de certaines parties. Le « tonking » est d'un grand secours dans l'exécution d'un tableau dont vous avez traité trop tôt les détails, par exemple un portrait (les amateurs ont souvent tendance à trop se consacrer aux yeux et à la bouche de leur sujet).

Leçons comparées

Un peintre, un style, une facture, pourrait-on dire, tant les sensibilités diffèrent, et varient les méthodes de travail, qu'il s'agisse de peindre à l'huile ou à l'acrylique. Au début, le meilleur apprentissage c'est la découverte et l'imitation du métier des artistes que vous admirez. Pour vous stimuler, et mettre en évidence qu'un motif peut être traité selon plusieurs approches, nous avons demandé à trois artistes de peindre la même nature morte. James Horton pratique la peinture à l'huile sur un panneau marouflé de toile fine, apprêtée au plâtre et à la colle de peau puis teintée à l'aquarelle pour offrir une surface légèrement absorbante et colorée. Patrick Cullen travaille aussi à l'huile, mais sur une toile blanche tendue sur un panneau de bois. Utilisant l'acrylique sur papier, Rosalind Cuthbert procède essentiellement par applications de glacis.

Huile sur toile apprêtée et teintée

1 James Horton, qui a d'abord esquissé au pinceau le dessin des bouteilles (dans un mélange de rouge vénitien et de terre d'ombre naturelle), travaille maintenant le fond dans des teintes chaudes. Il est important que certaines d'entre elles soient en place avant de peindre les bouteilles.

2 Sa méthode consiste à poser de petites touches de couleur sur toute la surface du tableau de manière à pouvoir juger à chaque étape des rapports de tons et de couleurs.

3 Après avoir placé des tons plus sombres sur les bouteilles, il revient au fond, qu'il éclaircit afin de faire mieux ressortir les verts.

(À droite) *La palette des artistes donne un aperçu révélateur de la diversité des méthodes de travail. On remarque que les coups de brosse donnés pour mélanger les couleurs reflètent ceux du tableau lui-même.*

4 *À moitié achevé, le tableau semble encore à l'état d'ébauche ; les coups de brosse sont dispersés et la surface n'est pas entièrement couverte. La peinture est employée avec la même épaisseur du début à la fin, légèrement allongée d'un mélange de térébenthine, d'huile de lin et de résine dammar.*

5 *Les ellipses sont toujours délicates et, malgré la précision du dessin initial, doivent être corrigées en permanence. Ici, le bord de l'étiquette est souligné d'un trait de peinture sombre.*

6 (À droite) *Dans la phase de finition sont ajoutés les détails : étiquette, bouchon, reprise du verre. Notez la variété des coups de brosse et la gamme étendue des couleurs utilisées pour chaque partie du tableau.*

Suite page suivante ⇨

Huile sur panneau entoilé

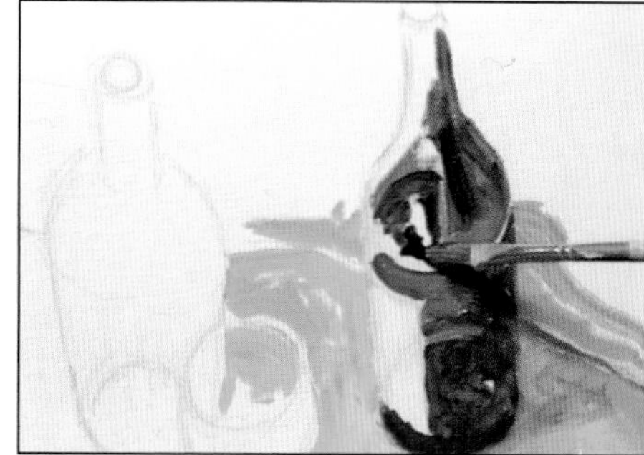

1 *Patrick Cullen commence par un dessin au crayon tendre, qu'il reprend jusqu'à ce qu'il en soit satisfait. Il emploie une peinture assez étendue, diluée avec un mélange de médium synthétique et de térébenthine en parties égales.*

2 *On perçoit nettement, dans le travail d'exécution de la bouteille, la différence d'approche entre l'artiste précédent et celui-ci, qui achève pratiquement chaque partie de son tableau avant de passer à la suivante.*

L'artiste préfère travailler avec une grande palette ovale plutôt qu'avec une petite rectangulaire. Là encore, le mouvement de la brosse sur le tableau reflète celui de la palette.

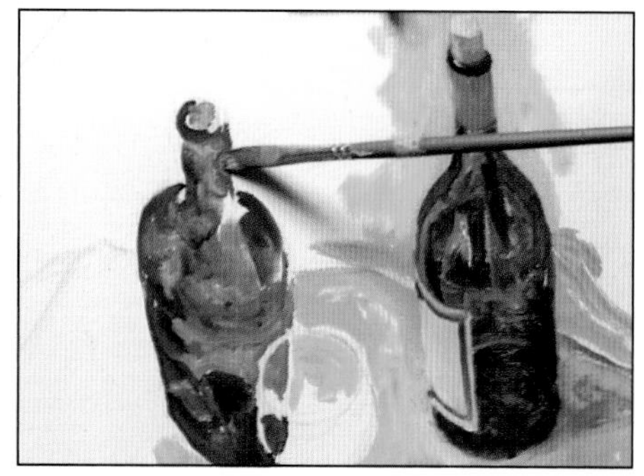

3 *Une fois la première bouteille presque terminée, il commence à peindre la seconde avant d'aborder le fond. Par endroits, la toile blanche est laissée nue, en réserve, pour suggérer la transparence du verre.*

4 *Ayant peint le fond et le verre, l'artiste apporte quelques touches de finition à la bouteille, notamment un léger rehaut pour donner un effet de transparence, en frottant la peinture humide avec un chiffon.*

5 *Lorsque l'on peint des objets transparents, il est essentiel d'avoir un fond unifié ; c'est pourquoi il a été peint en premier, avant la réalisation des rehauts et des ombres du verre.*

6 *La consistance de la peinture fait la différence entre cette œuvre et la précédente : ici, les rehauts sont obtenus par frottis et par effacement, et non par superposition d'une couche de pâte plus épaisse. Les artistes ont tous deux un coup de brosse vibrant et varié, mais chacun a son style.*

Acrylique sur papier aquarelle

1 *Rosalind Cuthbert commence par esquisser à grands traits la forme des bouteilles sur une couche bien diluée à l'eau. Elle exécute rarement un dessin préparatoire lorsqu'elle utilise une peinture opaque.*

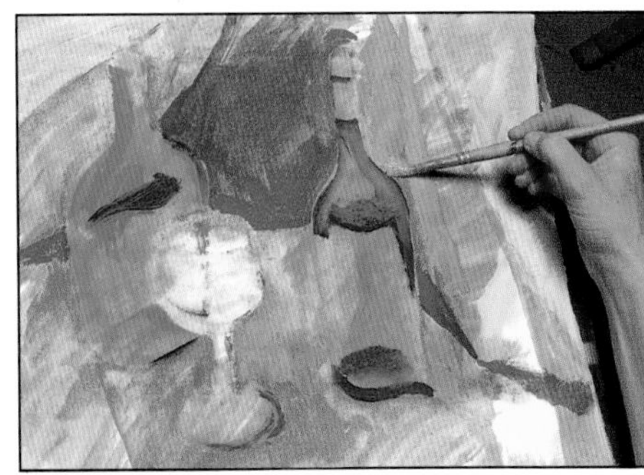

2 *Sa méthode consiste à mettre en place les couleurs les plus délicates en passant des glacis successifs sur une base de couleur vive ; le bleu pour les bouteilles et un rouge vif pour le fond.*

Peu séduisantes à la fin d'une séance de travail, les palettes de type « toujours humide » sont le support idéal pour la préparation de la peinture acrylique, qui, ainsi, ne sèche pas.

3 *Elle dépose ensuite sur le bleu un mélange de peinture et de médium mat. La couleur semble opaque tant qu'elle est humide, mais elle devient plus transparente lorsque le médium sèche.*

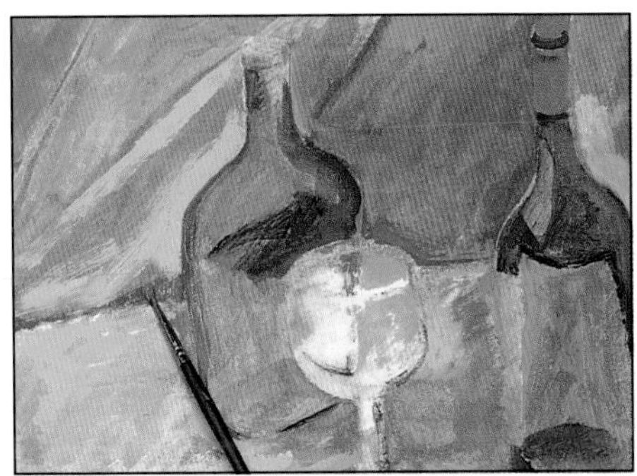

4 *On remarque nettement l'effet du glacis sur la bouteille de gauche : au séchage, les couleurs du fond transparaissent légèrement. Maintenant, le fond est traité avec une matière un peu plus épaisse.*

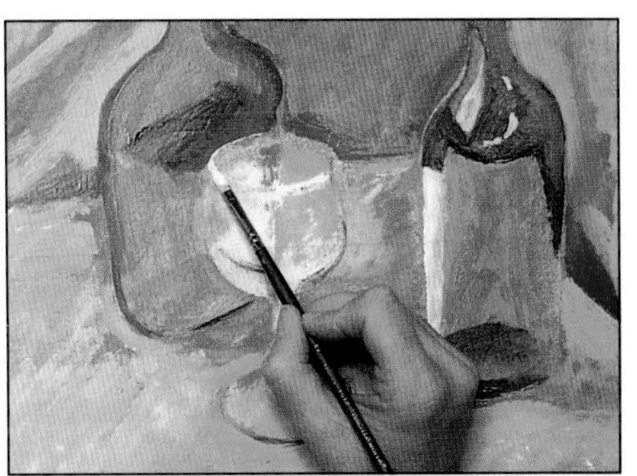

5 *En dernier lieu est peint le verre, comme pour les deux tableaux précédents. Les rehauts sont posés avec une fine brosse en martre mais dans une couleur plus épaisse, directement au sortir du tube.*

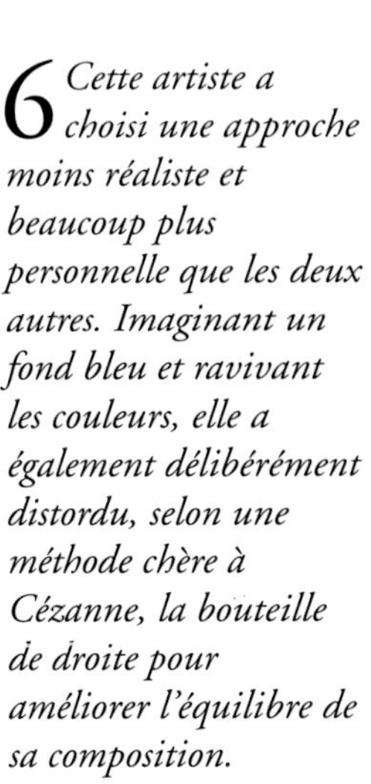

6 *Cette artiste a choisi une approche moins réaliste et beaucoup plus personnelle que les deux autres. Imaginant un fond bleu et ravivant les couleurs, elle a également délibérément distordu, selon une méthode chère à Cézanne, la bouteille de droite pour améliorer l'équilibre de sa composition.*

Étude

LA NATURE MORTE

Tour à tour apprécié puis rejeté par les artistes, au gré des modes et de la fantaisie des acheteurs, le thème de la nature morte a connu une fortune diverse. Aux XVIe et XVIIe siècles, les natures mortes ont été très recherchées en Hollande, alors qu'elles l'étaient peu en France et en Angleterre. Le genre acquit sa popularité au XIXe siècle, lorsque les grands sujets historiques furent délaissés au profit de motifs plus modestes et plus quotidiens. Depuis lors, l'œuvre de la plupart des peintres comprend au moins quelques natures mortes ; pour certains d'entre eux, c'est même une spécialité.

Le meilleur moyen, sans doute, pour exercer son talent et donner libre cours à ses idées de couleur et de composition est de pouvoir choisir son thème et de l'agencer librement sur la toile. Dans un paysage, les formes, les couleurs et, dans une certaine mesure, la construction sont dictées par la nature. En revanche, dès qu'il s'agit d'une nature morte, vous avez l'entière liberté de l'organisation de la surface et de l'éclairage ; par ailleurs, le temps ne vous est pas compté, et les aléas du climat ou de la lumière ne vous touchent

Agencement d'un ensemble
(Ci-dessus) *Pour une nature morte, la plus grande partie du travail réside dans l'agencement des objets, qui doit être défini rigoureusement avant de commencer à peindre. Dans cette huile de James Horton,* Nature morte aux narcisses, *la disposition des différents éléments, de la nappe et du drapé du fond a été étudiée avec grand soin. C'est ainsi que se crée un lien visuel : le vase de fleurs est légèrement recouvert par le mortier, et le motif de la nappe amène l'œil vers l'intérieur de la composition.*

Jeu des couleurs
(À gauche) *Dans* Objets sur une table, *une huile d'Elizabeth Moore, les objets ont été répartis de manière à donner une impression de désordre naturel. Pour créer l'unité nécessaire dans la peinture d'un assortiment aussi varié, l'artiste a misé sur la prédominance d'une couleur, le bleu-mauve.*

Motifs et point de vue
Le point de vue choisi pour votre nature morte dépend de votre approche personnelle du sujet et de vos intentions. Avec des objets vus de dessus, la composition gagne en clarté de traitement ce que les objets perdent en relief. Dans Nature morte aux aubergines *(huile), Robert Maxwell Wood a exploité cette impression en choisissant et en agençant les légumes de telle sorte qu'ils rappellent les vigoureux motifs du tissu – remarquez les pensées, à la fois fleur et motif imprimé.*

Le choix d'un thème

La plupart des natures mortes illustrent un thème particulier, lié aux objets choisis. Un assemblage sans unité crée un sentiment de malaise, que d'ailleurs recherchaient les surréalistes en procédant par juxtapositions insolites.

Ce thème peut associer des éléments de même nature – fruits et légumes, fleurs, etc. – ou naître d'une unité de couleurs ou de formes. Vous pouvez par exemple peindre un ensemble d'objets à dominante bleue, en les plaçant sur un tissu jaune ou rose afin d'en souligner, par contraste, la couleur ; vous pouvez aussi exploiter les formes géométriques : la verticalité de bouteilles, de fleurs à longues tiges dans un grand vase, ou des assiettes et des bols dont les cercles et les ovales s'interpénètrent.

Le sujet peut être narratif ou, au contraire, allusif et symbolique : les uns choisiront un objet qui leur est cher, d'autres évoqueront un être aimé par un accessoire familier, d'autres encore rappelleront un événement de leur vie. Au début de sa carrière, pendant la période dite de Nuenen, Van Gogh, qui travaillait chez des paysans, fit d'une paire de souliers usés et boueux tout le sujet d'une œuvre qui exprime, par la force de sa mise en page et sa facture, la difficulté de vivre de l'artiste.

Composer avec la lumière
(Ci-dessous à droite) *Les jeux de lumière et d'ombre sont essentiels dans toute nature morte éclairée où intervient la lumière naturelle. Dans cette huile de Timothy Easton,* Lis et Chapeau de paille*, l'ombre que dessinent les bois de fenêtre et les fleurs a autant d'importance que les objets eux-mêmes. L'opposition des couleurs pâles, presque pastel, de l'intérieur et des teintes sombres du feuillage aperçu par la fenêtre exprime magnifiquement le thème de la lumière, que symbolise également le chapeau de paille du premier plan en évoquant le soleil.*

guère. Enfin, vous avez tout loisir de reprendre une nature morte dès qu'il fait trop froid, trop humide ou trop sombre pour peindre en extérieur.

Disposition des objets

La nature morte est un genre difficile : vous devez prendre autant de soin à choisir et à disposer vos objets que vous en mettrez à les peindre. Cézanne, auteur de natures mortes qui comptent parmi les plus belles de l'histoire de la peinture, passait parfois des jours entiers à mettre en scène son sujet.

Malgré le caractère artificiel de ce thème, il faut que l'agencement des objets retenus paraisse naturel. N'hésitez pas à laisser certains objets en cacher d'autres, sans que pour

Nature morte de fleurs
Le premier plan d'une nature morte de fleurs est souvent source de difficultés, dans la mesure où l'espace devant et à côté du vase ne doit être ni vide ni surchargé. Vous y remédierez aisément en plaçant un simple objet ou en disposant quelques fleurs devant le vase. Dans Nature morte aux fleurs *(huile), Ben Baker en fait intelligemment usage ; il traite assez rapidement son premier plan pour que la présence de ces objets soit signalée sans qu'ils détournent le regard du centre d'intérêt véritable du tableau, le vase de fleurs, qui se détache d'un fond sombre.*

Composition insolite
Une des richesses de la nature morte est la variété des approches possibles du sujet, à la fois en termes de composition et de traitement. Gerry Baptist avait d'abord choisi les oignons de cette œuvre à l'acrylique, Oignons rouges, *à cause de l'intensité de leurs couleurs ; mais, inspiré par leur forme, qui évoquait le mouvement, il les a disposés de telle sorte qu'ils semblent traverser le papier, et a souligné ce dynamisme par de longues touches et des ombres fortement soulignées.*

autant ils les dissimulent complètement ; prenez garde aussi aux ombres portées.

Les éléments de la nature morte ne doivent pas être trop espacés et, pour que l'ensemble présente une certaine cohésion, des liens autres que les rapports spatiaux peuvent être créés ou accentués. Vous pouvez, par exemple, jouer avec les ombres en dirigeant adroitement la source de lumière, regrouper les éléments sur une table aux bords visibles ou encore disposer une étoffe qui unifie le groupe.

Les drapés donnent une impression dynamique à un ensemble statique. Dans tout tableau, et quel que soit le sujet, la composition vise à conduire insensiblement l'œil vers un centre d'intérêt. Aussi, évitez autant que possible que le regard soit distrait par les objets vers l'extérieur du tableau.

Composition

Il arrive souvent qu'une disposition méticuleusement pensée présente quelque difficulté au moment de passer au dessin préliminaire ou à l'ébauche peinte. Alors seulement, vous remarquez que tel objet est trop grand, que l'arrière-plan est banal, ou encore que trop d'objets encombrent le premier plan. Il est préférable de remanier l'arrangement plutôt que de commencer à peindre un motif qui ne vous satisfait pas totalement.

Cette nouvelle mise en scène terminée, il faut ensuite étudier le cadrage des objets sur la toile, c'est-à-dire décider sous quel angle peindre, quelle perspective adopter et quel espace réserver autour des volumes. Si la nature morte est placée sur une table dont vous souhaitez marquer le bord au premier plan, placez-vous légèrement en diagonale afin d'éviter toute horizontale. En effet, les lignés horizontales ont un effet statique, alors

Nature morte de circonstance
Si la plupart des natures mortes sont le résultat d'une préparation et d'un agencement soigneux, il arrive parfois que l'on découvre fortuitement un sujet naturellement intéressant (vêtements sur une chaise, chaussures dans un coin de pièce, etc.), comme dans cette huile, Arbre décoré, *qui permet à Robert Maxwell Wood d'étudier des formes, des couleurs et des matières inhabituelles pour une nature morte.*

que les diagonales conduisent mieux l'œil vers l'intérieur du cadre.

Il est parfois intéressant de montrer votre sujet en légère contre-plongée, notamment lorsque vous peignez des objets comprenant des formes circulaires (assiettes, bols, etc.). Vus d'une certaine hauteur, les cercles deviendront elliptiques et donneront plus de présence aux pièces de vaisselle. Faites plusieurs esquisses sous des angles de vue et des cadrages différents avant de commencer à peindre.

Nature morte d'extérieur
La nature morte se définit d'abord comme la représentation d'objets inanimés, et vous trouverez les motifs d'étude dans votre environnement familier ou à l'extérieur : galets sur une plage, pots de fleurs au bas d'un escalier, chaises d'un jardin, table de café chargée de verres et de bouteilles, etc. Pour Karen Raney, Tuyaux dans l'East End, *vision insolite peinte à l'huile, a été l'occasion de travailler avec des tons fortement contrastés et d'étudier les rapports entre volumes et couleurs.*

LEÇON

James Horton se considère d'abord comme un paysagiste, bien qu'il soit l'auteur de portraits, mais il se consacre aussi à la nature morte lorsque le temps ne lui permet pas de travailler en extérieur. Il apprécie ce genre, dans lequel il maîtrise complètement son sujet et qui, mieux que tout autre, lui permet de mettre en application certaines idées de composition et de couleur. Il peint à l'huile et apprête ses toiles lui-même (coton sur panneau de bois généralement de dimensions réduites) selon une recette personnelle à base de plâtre et de colle de peaux.

1 *Horton, qui n'aime pas la toile blanche, la teinte entièrement au lavis d'aquarelle après l'avoir apprêtée. Cette couleur d'un jaune chaud lui permet de fixer la tonalité générale de son tableau. Le dessin préparatoire est exécuté en brun rouge avec un fin pinceau en martre.*

3 *Tons clairs et tons sombres des fruits doivent être liés harmonieusement. Les rehauts du pamplemousse servent alors de référence pour évaluer le degré d'intensité de la couleur de la pomme.*

2 (Ci-dessus) *Il balaie grossièrement toute la surface du tableau de quelques coups de brosse, travaillant ensemble le premier plan et le fond pour créer un accord coloré.*

4 *Le couteau à peinture ne sert pas ici à l'application de la couleur mais est pris comme grattoir pour atténuer ou dégrader les teintes sur les bords de l'assiette.*

5 *Le motif de l'assiette est réalisé avec un fin pinceau de martre. Au cours de cette étape est mis en évidence le rôle joué par le dessous coloré qui transparaît sous les couleurs pâles, plus froides.*

6 *Une fois le motif achevé, quelques rehauts sont ajoutés à l'assiette. Le dessous reste toutefois visible par endroits et ne sera pas complètement recouvert, même lors de la finition.*

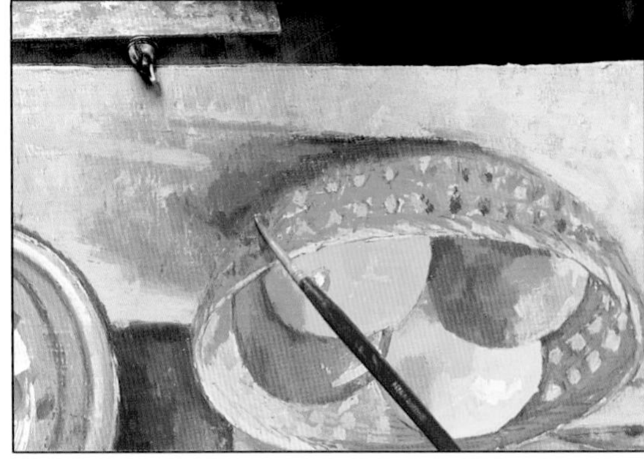

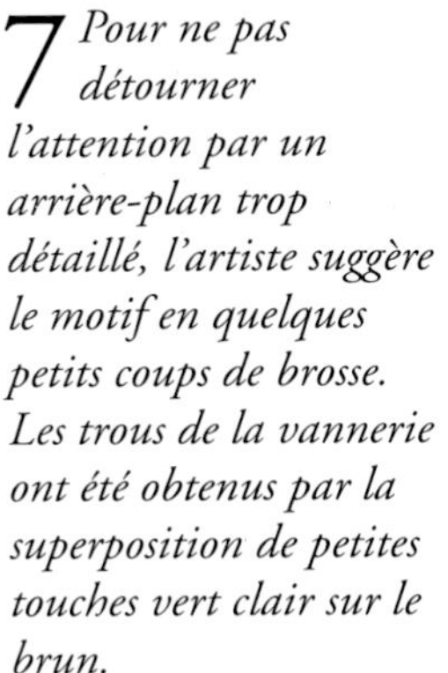

7 *Pour ne pas détourner l'attention par un arrière-plan trop détaillé, l'artiste suggère le motif en quelques petits coups de brosse. Les trous de la vannerie ont été obtenus par la superposition de petites touches vert clair sur le brun.*

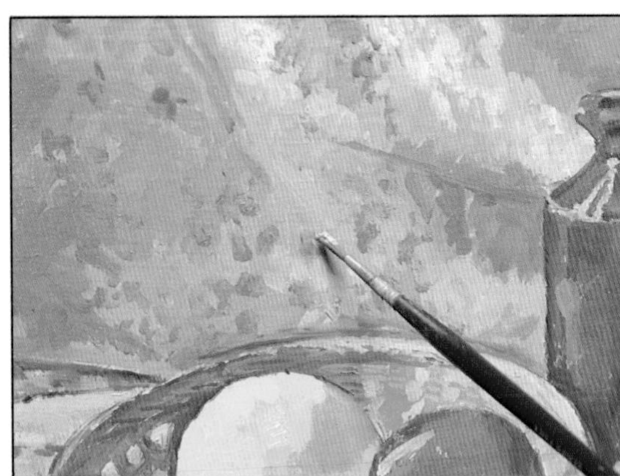

8 *Le tableau est retourné afin de faciliter, à l'aide d'une fine brosse en martre, le travail de finition des détails de la corbeille.*

9 (Ci-dessous) *Dans le tableau achevé, la teinte du dessous reste visible, notamment au premier plan, afin de lier chromatiquement cette partie à la tonalité froide (bleu-vert) aux couleurs chaudes du fond et des objets.*

Étude

Le paysage

Il n'est pas absolument nécessaire de peindre les paysages sur place – nombre de magnifiques tableaux sont en effet exécutés à partir de dessins ou de photographies. Il est vrai que, lorsque le temps le permet, rien n'est plus plaisant que de travailler directement sur le sujet, en plein air.

L'huile et l'acrylique sont deux techniques picturales qui conviennent parfaitement au travail en plein air.

En ce qui concerne l'acrylique vous devrez prendre garde à ce qu'elle ne sèche pas sur votre palette avant la fin de votre travail : humidifiez régulièrement la palette. L'avantage de cette technique est que votre tableau sera

Conduire l'œil
(Ci-dessus) *Un paysage réussi doit donner l'impression que l'on peut s'y promener, et c'est à l'artiste de conduire le regard du spectateur dans le tableau, du premier plan jusqu'au centre d'intérêt. Dans* Vendanges en Languedoc *(huile), Madge Bright tire parti des lignes directrices des rangs de vigne pour faire converger le regard vers le centre d'intérêt du tableau, le groupe de maisons.*

Restreindre l'espace
(À gauche) *Le mot paysage évoque généralement une étendue ou un panorama, par exemple un spectaculaire point de vue sur une montagne. Mais tout ce qui est extérieur est paysage, et pour qui ne peut aller à la campagne, parcs et jardins sont une bonne source d'inspiration. Dans cette* Vue des jardins de derrière, *Ben Baker explore les contrastes de couleur, de forme et de matière.*

Présence humaine
(À droite) *Une des manières d'entraîner le spectateur à l'intérieur d'un tableau est d'y introduire un ou plusieurs personnages, à l'exemple de ce qu'a réalisé David Curtis dans* Champ de coquelicots vers Misson *(huile). Il est curieux de constater comment les personnages attirent l'attention, peut-être parce que l'on s'identifie à eux ; ils introduisent aussi l'échelle dans un paysage, comme ici, où ils accentuent l'étendue du champ de coquelicots.*

Créer l'espace
Si vous peignez une petite partie d'un paysage en gros plan, ne vous préoccupez pas outre mesure de traduire le sentiment d'espace ; en revanche, c'est une composante essentielle pour un panorama comme celui que décrit Timothy Easton dans Les labours. *L'artiste y parvient de deux manières : d'abord en exploitant l'effet de perspective linéaire des sillons convergents des labours, ensuite en utilisant des couleurs plus pâles et un peu plus froides dans les lointains.*

complètement sec lorsque vous le rapporterez à l'atelier, contrairement à une peinture à l'huile.

Mise en place du sujet

Le manque de construction est la faiblesse la plus évidente d'un tableau peint à l'extérieur

et même des professionnels peuvent se laisser prendre. Pour diminuer ce risque, déterminez d'abord le format de votre tableau et, ensuite, quelle partie du paysage vous allez y placer.

Le papier est à l'évidence le support qui offre la plus grande maniabilité. En effet, comme vous ne disposez pas de beaucoup de temps de préparation, à cause de la lumière changeante, il peut arriver que votre travail soit bien avancé lorsque vous découvrirez que vous auriez dû inclure certain arbre dans votre composition ou peindre avec un format vertical et non horizontal. La solution, c'est de prendre une feuille de papier plus grande et de réserver de larges marges de chaque côté ; vous disposez ainsi de plus de souplesse et toute liberté pour procéder aux modifications désirées.

Malheureusement, vous ne pouvez pas utiliser cette possibilité pour la peinture à l'huile sur toile ou sur bois, dont les dimensions sont contraignantes. Pensez à emporter des formats différents de manière à disposer de la toile la mieux adaptée à votre sujet. Un viseur, vite

Le premier plan
Le traitement du premier plan peut mettre en difficulté. Comme cette partie est la plus proche de vous, et donc la plus nette, il est bien tentant de la traiter en détail. Ce choix peut se révéler maladroit car le regard du spectateur risque de ne pas dépasser ce plan. Dans ces Sapins nains et cottage *(huile), Timothy Easton a résolu le problème en créant un point de fuite, le personnage blanc devant la maison ; et si tout d'abord les fleurs attirent l'attention, les yeux s'en détournent pour pénétrer davantage dans le tableau.*

Cadrer le premier plan
Le premier plan d'un paysage permet parfois d'annoncer ce qui se passe au-delà, le centre d'intérêt étant à mi-distance, mais il peut aussi devenir la raison d'être du tableau, comme dans Sur la Côte d'Azur *(acrylique), de Gerry Baptist. Pour créer la sensation d'espace et de profondeur, il a recouru à un procédé traditionnel de composition consistant à couper les arbres en haut et en bas du tableau, pour les placer en avant du tableau et faire reculer d'autant tous les éléments au-delà.*

confectionné en découpant un rectangle dans un morceau de carton fort, vous aidera à cadrer la scène à représenter. Vous pourrez ainsi isoler différentes compositions du paysage en tenant le cadre devant vous et en faisant varier l'angle et la distance. Ce dispositif sera efficace dans le cas d'un panorama dont vous ne trouvez pas le meilleur cadrage.

Le centre d'intérêt

La plupart des paysages présentent un centre d'intérêt ou s'organisent autour d'un point de fuite plus ou moins évident vers lequel le regard est attiré. Ce peut être un groupe de maisons, un grand et vieil arbre ou des gens en train de pique-niquer (les personnages attirent toujours l'attention dans un tableau).

Un champ labouré à mi-distance, une colline à la silhouette pittoresque, un rayon de lumière sur les eaux d'un lac ou d'une rivière ou le feuillage clair d'un arbre devant un bois sont en revanche des points de fuite moins classiques que les précédents.

Essayez d'organiser votre composition en plaçant, tels des jalons, une série de repères visuels qui conduisent le regard vers le point choisi. Ces indicateurs existent probablement déjà mais vous aurez sans doute à insister sur leur présence. Les diagonales et les courbes conduisent bien le regard ; un chemin, une ligne d'arbres ou les sillons d'un champ labouré sont couramment employés. Évitez toutefois de donner au premier plan une densité qui pourrait déséquilibrer l'ensemble ; si le point focal retenu est à mi-distance ou dans le lointain, un excès de détails au premier plan risque d'en détourner le regard.

Dessiner l'espace

Votre paysage convaincra difficilement s'il ne donne donne pas l'illusion de l'espace et de la profondeur, à laquelle concourent simultanément la perspective linéaire et la perspective dite atmosphérique.

On le sait, plus les objets sont éloignés, plus ils nous semblent petits, mais cet effet visuel est parfois sous-estimé ; comme vous connaissez les dimensions d'un champ ou d'un lac, vous avez du mal à réaliser qu'il sont en fait minuscules par rapport à l'ensemble de votre tableau. Il est donc plus prudent de mesurer ces composantes du paysage lors de l'exécution de l'esquisse ; pour cela, évaluez-en les dimensions en tenant verticalement un crayon ou un pinceau, le bras tendu, et en mesurant la distance entre le pouce et l'extrémité du crayon, puis en la comparant à la mesure établie de la même manière d'un autre objet plus proche.

La seconde façon de créer cette sensation d'espace, c'est de transposer l'impression de voile de l'atmosphère, qui rend plus pâles les objets les plus proches. Dans les lointains, les tons sont moins contrastés et les couleurs modifiées, légèrement bleutées et plus froides ; cette réalité est, elle aussi, souvent mal évaluée, surtout pour les accidents placés à mi-distance. Par ailleurs, on a souvent tendance à peindre un arbre, par exemple, dans la couleur qu'on lui connaît et non dans le ton plus clair qu'il a en réalité. En résumé, il ne faut jamais oublier que le premier plan est toujours plus net et plus contrasté que les autres.

Les couleurs des lointains peuvent être très pâles, même s'ils nous apparaissent parfois sombres, par contraste avec un ciel clair. Les contrastes entre les teintes sont minimes, parfois à peine perceptibles. Si, sur une colline lointaine, un rayon de soleil donne un effet vraiment spectaculaire, le contraste lui-même entre les couleurs reste modulé. Ces subtiles nuances de couleur et de ton sont trompeuses mais, avec un peu de pratique, vous parviendrez à les maîtriser.

Maîtriser les tons
(À gauche) *Ce* Paysage de Provence *de Patrick Cullen est avant tout une peinture de la lumière. La couleur douce et nacrée du petit matin qui nimbe tout le paysage est exprimée par le faible contraste des tons, avec une maîtrise rigoureuse de la luminosité et de l'obscurité de chaque couleur. Notez l'absence des couleurs sombres — même l'arbre du premier plan et le grillage sont rendus en brun doré et vert pastel — ainsi que l'unité de la composition grâce à la répétition de mauves, de jaunes et d'ors.*

Lumière et couleur
(Ci-dessous) *La lumière peut complètement transformer un paysage : si des couleurs, qui semblent vives un jour ensoleillé apparaissent ternes sous un ciel nuageux, entre le soir et le midi, des différences d'éclairage sont également sensibles. Le sujet du tableau de Stewart Gedde,* Le Rocher Dongle, le soir *(huile), est autant la lumière que le paysage lui-même ; c'est pourquoi l'artiste s'est contenté de traiter hâtivement les maisons et le paysage pour développer toute la puissance des couleurs mordorées du soir.*

Leçon

Karen Raney est une artiste d'expérience qui travaille sur plusieurs supports et aborde des sujets variés. Bien qu'elle préfère travailler directement sur le motif chaque fois que c'est possible, elle se réfère également à la photographie. Ainsi, elle a recréé ce paysage à partir de quelques-unes de ses photos et des souvenirs du lieu qu'elle a peint à de nombreuses reprises. Elle travaille à l'huile sur une toile montée sur châssis et apprêtée qu'elle achète dans le commerce.

1 *Le travail de la brosse donne à ce paysage tout son caractère. Le mouvement et les grandes lignes du tableau sont indiqués dès le début à larges traits de peinture diluée à la térébenthine, disposés avec une brosse plate en soie de porc.*

2 *Après la mise en place de la composition, elle utilise une pâte un peu plus riche, épaissie d'un peu d'huile de lin, pour superposer des couleurs plus sombres au dessous initial.*

3 *Certaines couleurs sont mélangées et estompées au doigt. Pour Karen Raney, qui aime travailler la matière, la peinture à l'huile, humide très longtemps, favorise de telles manipulations.*

4 *Pour indiquer les taches rondes des arbres, elle utilise une brosse en soie chargée de peinture appliquée sur la surface du tableau en touches circulaires. Ensuite, elle construit plus fermement son tableau, employant la peinture directement sortie du tube, sans y ajouter de médium. Remarquez comment l'artiste utilise les traits de brosse pour décrire les tuiles.*

6 *Karen Raney adopte une approche plus intuitive de la peinture que d'autres artistes et se laisse guider par l'image. Elle reprend ici le mouvement de ses coups de brosse, qu'elle modifiera ensuite légèrement.*

5 *Après avoir passé un chiffon dans la peinture épaisse pour obtenir de larges rayures, elle en renforce l'effet de quelques touches de blanc épais, rappelant ainsi le traitement du toit.*

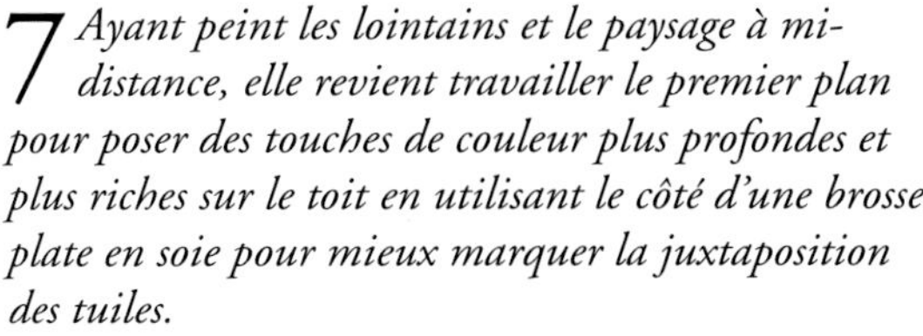

7 *Ayant peint les lointains et le paysage à mi-distance, elle revient travailler le premier plan pour poser des touches de couleur plus profondes et plus riches sur le toit en utilisant le côté d'une brosse plate en soie pour mieux marquer la juxtaposition des tuiles.*

Suite page suivante ⇨

8 Le village, centre d'intérêt du tableau, est peint dans les dernières étapes. Elle le traite de la même manière que le reste du tableau, suggérant les volumes de quelques coups de brosse.

9 Un trait vertical pour les murs, un trait horizontal pour les toitures suffisent à rendre les maisons. Ensuite seulement, l'artiste s'attache à l'ondulation des collines de l'arrière-plan.

10 Quelques éraflures, faites avec l'ongle dans la peinture claire, font légèrement apparaître la couleur plus sombre du dessous, complètement sec, et ce détail donne un peu de volume aux tuiles.

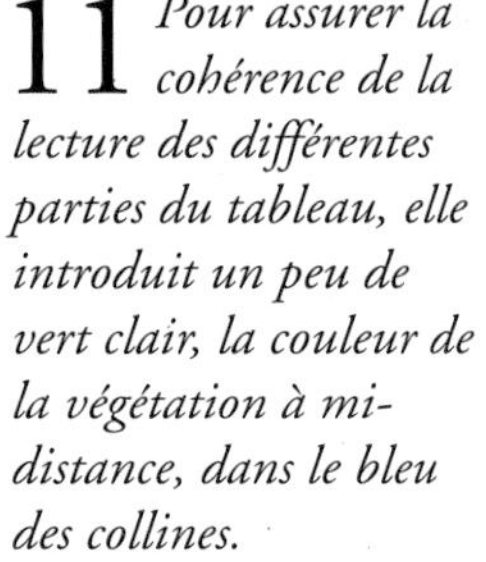

11 Pour assurer la cohérence de la lecture des différentes parties du tableau, elle introduit un peu de vert clair, la couleur de la végétation à mi-distance, dans le bleu des collines.

12 (À droite) *Puis le ciel est éclairci par quelques touches d'une peinture épaisse, appliquée avec vigueur à l'aide d'une large brosse plate qui accentue le relief de la pâte.*

13 (Ci-dessus) *Achevé, le tableau illustre magnifiquement ce que l'on entend par le mouvement dans une composition. De plus, la pente du toit au premier plan et la direction des traits de brosse entraînent inévitablement le regard du spectateur à l'intérieur du paysage jusqu'au centre d'intérêt du tableau, le village au loin.*

PERSONNAGES ET PORTRAITS

Qu'il s'agisse d'un portrait, d'une étude de personnage ou d'un nu, la représentation humaine est l'un des plus grands défis qu'un artiste puisse relever. On peut se satisfaire d'une nature morte aux proportions approximatives, ou apprécier un paysage dont les perspectives ne sont pas parfaitement respectées. Mais c'est autre chose dès qu'il s'agit de la représentation du corps humain dont l'anatomie et les proportions nous sont si familières.

Il est vrai que la silhouette humaine n'est pas facile à peindre : imbrication complexe et subtile des volumes, des formes, des couleurs et des traits qui la composent. Il faut des qualités de dessinateur autant que de peintre. Ce qui ne signifie pas non plus qu'il suffit de peindre un dessin soigné, mais plutôt que vous devez travailler à votre tableau en gardant toujours à l'esprit la structure sous-jacente – le dessin – et être toujours prêt à le modifier. Ce travail est facilité par la densité de la peinture, qui vous permet, à l'huile, de gratter puis de reprendre certaines parties, à l'acrylique, de corriger votre dessin par superposition d'une nouvelle couche.

ÉTUDIER LE SUJET

Le nu, que vous pouvez facilement pratiquer dans un cours de dessin d'après un modèle vivant, est l'un des meilleurs moyens d'étude, même si vous pensez ne réaliser que des portraits et des personnages habillés. Il est toutefois important de vous entraîner à dessiner des individus chaque fois que vous le pouvez. Demandez à des amis de poser pour vous, dessinez-vous dans un miroir ou, portant toujours un carnet de croquis, faites des études rapides de gens dans la rue, assis à une table de café, lisant, ou simplement assoupis.

MISE EN PLACE DU SUJET

Lorsque vous peignez un portrait, un personnage en pied ou un nu, gardez toujours pré-

Forme et facture
Comme le visage humain est complexe et difficile à peindre, on a souvent tendance à dessiner d'abord le visage, avant même de savoir comment « faire » la ressemblance du modèle. Cette méthode est rarement satisfaisante car la trop grande netteté du trait peut affaiblir l'expression obtenue par le jeu des volumes, des ombres et des couleurs du visage. Dans Sue *(huile), Ted Gould réussit à décrire son modèle avec une grande économie de détails et, sans le « dessiner », il donne forme au visage, volume à la chevelure, et texture au vêtement en quelques judicieux coups de brosse.*

Forme et couleur
(À droite) *En général, les couleurs des ombres sont plus froides (dominante bleue ou verte) que celles des parties éclairées. Gerry Baptist a exploité avec habileté ce contraste chaud/froid pour donner relief et présence à cet* Autoportrait *à l'acrylique. Bien que toutes les couleurs soient volontairement renforcées, elles sont néanmoins fondées sur les vraies teintes de la couleur chair.*

Peindre en monochrome
(À gauche) *Dans cette insolite peinture à l'huile,* Autoportrait à 32 ans, *Gerald Cains choisit une approche diamétralement opposée à celle de Gerry Baptist en bannissant toute couleur et en adoptant une facture expressionniste. Ce type d'exercice pictural monochrome oblige l'artiste à se concentrer sur sa composition et sur l'équilibre des tons sans être distrait par l'emploi des couleurs.*

sent à l'esprit que vous ne reproduisez pas seulement une image mais que vous exécutez, en priorité, une œuvre. Dans le portrait notamment, la volonté de faire ressemblant peut être une contrainte si absorbante que vous en oublierez tous les autres aspects de la technique picturale.

Ce défaut compréhensible se retrouve aussi dans la peinture de figures, exercice difficile s'il en est. Le modèle est souvent placé au centre de la toile ou, pire encore, avec les pieds coupés au niveau des chevilles ; et si le visage est traité en détail, les autres parties du tableau, notamment le fond, sont en revanche négligées. Le tableau en est alors déséquilibré. N'oubliez pas que, dans une bonne composi-

Couleur et atmosphère
Tout l'intérêt du portrait – et sa difficulté essentielle – est d'aller au-delà de la simple ressemblance et de révéler le caractère profond du modèle. Dans David, *Karen Raney réussit à exprimer la mélancolie et l'introspection de son modèle, par l'intensité du regard intérieur et en adoptant des couleurs sombres posées à longs traits lourds et verticaux.*

Composer une étude de personnage
Étudiez bien la place de votre personnage dans le cadre du tableau et l'importance des éléments de décor qui l'équilibreront. Peter Clossick, dans Helen assise, *donne une impression de spontanéité à son tableau en peignant son modèle en touches rapides, dans une pâte épaisse ; pourtant, cette étude est composée avec rigueur, et la diagonale qui installe le personnage est équilibrée par les verticales et les obliques de l'arrière-plan.*

tion, tous les éléments sont traités avec la même importance.

Avant de commencer à peindre, étudiez d'abord la place de la tête ou du personnage sur la toile : trop centré, ou de face, le modèle semblera avoir une attitude raide et peu naturelle. Il est préférable d'excentrer légèrement le visage en montrant le personnage de trois quarts, une épaule un peu plus haute que l'autre, la plus proche pouvant d'ailleurs sortir du cadre de la toile. Vous donnez ainsi plus de profondeur au regard et plus de présence physique au modèle. Pensez également à dégager la tête de votre modèle.

L'ÉCLAIRAGE

Point capital dans la peinture de portrait et de figure. En effet, les jeux de lumière et d'ombre ne suggèrent pas seulement les formes mais ils décident des contrastes entre les tons. Un éclairage direct, de face, donne un visage plat et sans profondeur alors que, placé de côté, il met en relief certains traits et en laisse d'autres dans l'ombre. De trois quarts, c'est-à-dire venu légèrement de côté face au modèle, l'éclairage offre le plus de ressources.

Si vous pouvez contrôler le réglage de l'éclairage, pensez également à l'intensité de la lumière. Ceux qui peignent dehors auront remarqué que le soleil projette des ombres très nettes. Bien que la lumière vive puisse accentuer la tension dramatique qui se dégage d'un portrait – et c'est la raison pour laquelle de nombreux artistes la choisissent délibérément –, elle ne convient pas à tous les sujets. Pour un portrait de jeune femme ou d'enfant, il est préférable de choisir une lumière diffuse, qui met en valeur la délicatesse des tons chair. Si vous peignez près d'une fenêtre, vous pouvez adoucir et diffuser la lumière en vous servant d'un voilage ou d'une grande feuille de papier calque placée devant la fenêtre. Grâce à un réflecteur, les ombres du visage peuvent être atténuées ; il suffit, pour cela, que vous placiez une planche de couleur blanche ou une feuille de papier près de votre modèle, du côté opposé à la source de lumière, qui renverra ainsi un peu de lumière et colorera quelque peu le côté ombré du visage, tout en préservant les contrastes de ton.

Peindre des enfants
Peindre rapidement un adulte est un exercice utile pour améliorer votre sens de l'interprétation, mais cela devient une nécessité si vous désirez exécuter des portraits d'enfants : ils restent rarement longtemps en place et perdent leur naturel dès qu'ils se sentent observés. L'esquisse préliminaire est alors essentielle. Dans cette étude, Samantha et Alexis *(huile), Karen Raney a dû travailler rapidement pour saisir ce bref moment d'intimité entre ses deux jeunes modèles.*

Le personnage en situation

Il est conseillé, dans le cas d'un portrait en buste, de laisser un arrière-plan assez vague de manière à concentrer toute l'attention du spectateur sur le visage, mais il faut, au contraire, situer un personnage en pied dans un cadre réaliste et identifiable. Vous avez, chez vous, toute liberté pour mettre en scène le modèle que vous peignez. Il peut s'agir de votre atelier ou d'un lieu quelconque, voire d'un cadre imaginaire, mais vous pouvez tirer parti de certains détails qui renforceront, par leur présence, votre description du caractère du modèle. Vous pouvez ainsi faire le portrait ou d'un lecteur passionné ou d'un écrivain entouré de quelques-uns de ses livres, comme l'a fait Manet lorsqu'il a représenté Émile Zola, dans son célèbre *Portrait d'Émile Zola* (1868, Paris, Musée d'Orsay).

Portrait en pied
Si vous avez l'intention de faire le portrait d'un personnage en pied, vous devez le mettre en scène et réfléchir aux éléments de décor qui vous permettront de mieux rendre le caractère ou l'attitude du modèle. Vous pouvez ainsi le montrer dans son cadre familier, à l'exemple de David Curtis dans Intérieur avec Jacqueline *(huile), à la fois portrait et étude de lumière.*

Décors extérieurs
La lumière est également un acteur important dans Lecture d'été, *de Timothy Easton qui, comme David Curtis, transpose son modèle en s'attachant plus à son attitude, à ses vêtements et à sa silhouette qu'à une description détaillée des traits, à peine marqués. Il est en effet possible de rendre la ressemblance sans montrer tout le visage.*

Étude de portrait

LEÇON

Elizabeth Moore peint des paysages, des portraits et des natures mortes, utilisant tous les procédés picturaux possibles, malgré une petite préférence pour l'huile. Elle travaille souvent à partir de photographies, généralement en noir et blanc, ce qui la laisse libre d'interpréter à sa guise un sujet. Ce portrait à l'huile s'appuie ainsi sur une photographie mais les couleurs ne sont que le fruit de son imagination.

1 (À droite) *Ces dessins, deux au crayon et un au pastel à l'huile, permettent à Elizabeth Moore d'étudier les différentes compositions possibles et de définir la tonalité du portrait.*

2 *Elle travaille sur une toile tendue sur châssis et apprêtée, puis teintée par un jus jaune-brun afin d'offrir une base aux tons de couleur chair. Le dessin est ébauché à la brosse dans la même couleur verte que la robe.*

3 *Le violet profond choisi pour le fond, peint en premier, permet de mieux déterminer les couleurs nécessaires à l'exécution du visage. En l'absence de tout modèle, l'artiste travaille en aveugle et doit rechercher l'harmonie des couleurs entre elles plutôt que de traduire une réalité.*

6 *À ce stade de l'exécution, Elizabeth Moore interrompt son travail et examine son tableau de loin pour mieux juger de l'harmonie des couleurs et de leur effet.*

4 *Le visage, le cou et le vêtement sont alors peints par la juxtaposition de petites touches de couleur qui distinguent les parties claires et les parties sombres. Les couleurs sont employées aussi pures que possible, avec le minimum de mélange, et dans une palette exceptionnellement large pour obtenir le meilleur rendu du sujet.*

5 *Après avoir traité les orbites par quelques touches de couleur (violet pourpre du fond légèrement modifié), l'artiste construit la partie éclairée du visage. Pour que le rose ne se fonde pas dans les couleurs plus sombres du dessous, elle place délicatement ses touches avec une petite brosse aux soies pointues, qui permet un contrôle plus précis du trait.*

Suite page suivante ⇨

7 *Dans tout portrait, le regard du spectateur se focalise sur celui du modèle, mais plus particulièrement lorsque celui-ci est placé de face. C'est pourquoi les yeux sont ici soigneusement définis par quelques touches délicates de la brosse en langue de chat.*

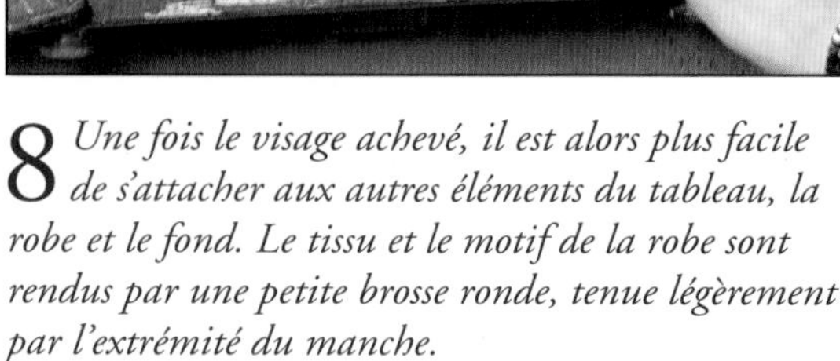

8 *Une fois le visage achevé, il est alors plus facile de s'attacher aux autres éléments du tableau, la robe et le fond. Le tissu et le motif de la robe sont rendus par une petite brosse ronde, tenue légèrement par l'extrémité du manche.*

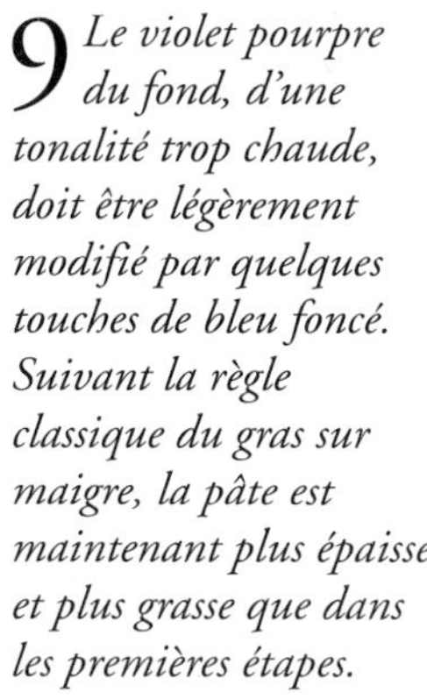

9 *Le violet pourpre du fond, d'une tonalité trop chaude, doit être légèrement modifié par quelques touches de bleu foncé. Suivant la règle classique du gras sur maigre, la pâte est maintenant plus épaisse et plus grasse que dans les premières étapes.*

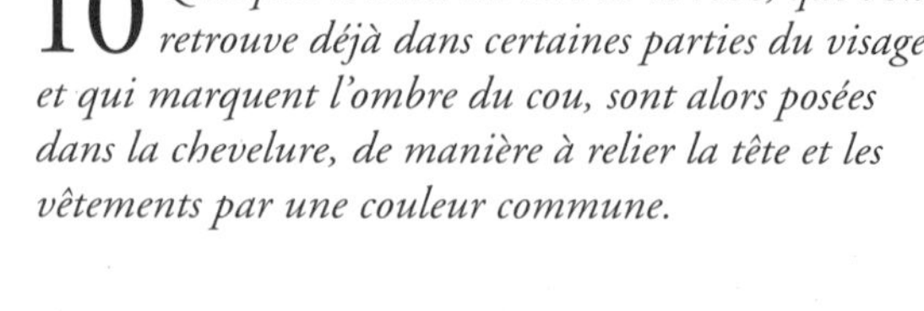

10 *Quelques touches du vert de la robe, que l'on retrouve déjà dans certaines parties du visage et qui marquent l'ombre du cou, sont alors posées dans la chevelure, de manière à relier la tête et les vêtements par une couleur commune.*

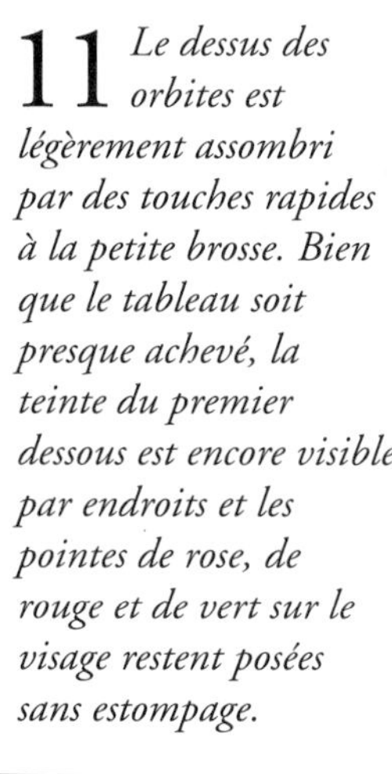

11 *Le dessus des orbites est légèrement assombri par des touches rapides à la petite brosse. Bien que le tableau soit presque achevé, la teinte du premier dessous est encore visible par endroits et les pointes de rose, de rouge et de vert sur le visage restent posées sans estompage.*

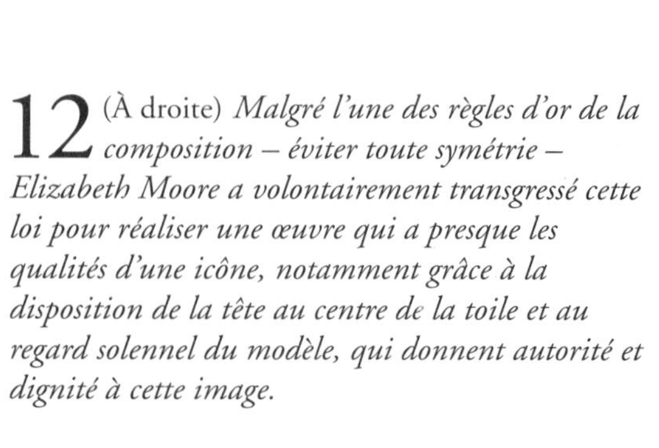

12 (À droite) *Malgré l'une des règles d'or de la composition – éviter toute symétrie – Elizabeth Moore a volontairement transgressé cette loi pour réaliser une œuvre qui a presque les qualités d'une icône, notamment grâce à la disposition de la tête au centre de la toile et au regard solennel du modèle, qui donnent autorité et dignité à cette image.*

Le pastel

Introduction

LE PASTEL

Relevant autant du dessin que de la peinture, le pastel est une technique unique ; il ajoute à la vivacité et à la légèreté du trait dessiné la souplesse et la richesse des nuances de la peinture. D'ailleurs, nombre d'artistes contemporains l'exploitent pour créer des œuvres qui, de prime abord, s'apparentent plutôt à la peinture à l'huile.

Aujourd'hui, le pastel, de plus en plus apprécié, rivalise avec l'aquarelle. Les raisons de ce rapide engouement tiennent à l'apparente simplicité d'emploi et, probablement aussi, à l'extraordinaire beauté des bâtonnets de pastel. Il suffit pour s'en convaincre d'ouvrir un coffret de pastels et d'en découvrir la richesse de couleurs – véritable invite à la création artistique. En comparaison, les tubes de peinture semblent alors bien ternes.

COLLINE EN ÉTÉ
(À gauche) *Si le terme de pastel évoque généralement des couleurs délicates, ce paysage montre que l'on peut obtenir une grande profondeur de ton par superposition de teintes. L'impression vivante et forte qui s'en dégage tient à la manière dont James Crittenden a appliqué son pastel, notamment pour le traitement des arbres, très proche des coups de brosse d'une peinture à l'huile ou acrylique.*

FENÊTRE EN PROVENCE

Si les couleurs sont disposées en épaisseur, la facture de ce tableau – de larges empreintes réalisées avec de petits morceaux de pastel – est très différente du précédent. Patrick Cullen a restreint sa palette à des tons clairs et moyens pour adoucir les couleurs et les rendre plus lumineuses. Il a joué de l'orientation des traits pour donner forme et volume aux différentes surfaces.

PORTRAIT DE JEUNE FEMME

Ken Paine exploite dans ce portrait toutes les qualités de vivacité et d'expression du pastel. Il travaille très rapidement, commençant généralement par mettre en place la tonalité de son tableau avec une couche monochrome réalisée à grands traits, appliqués du plat du bâtonnet, sur un papier de couleur (encore visible par endroits). Les lignes et les rehauts ne sont crayonnés que dans la dernière étape.

ROSES ET GÉRANIUMS

Maureen Jordan a su exploiter l'ensemble des techniques du pastel pour offrir un tableau éclatant et vigoureux, où l'épaisseur de la couleur souligne et renforce les traits fins qui dessinent les contours des fleurs et des pétales. Le premier plan, souvent sans intérêt dans une composition de fleurs, est animé par une série de traits appuyés.

POUR ET CONTRE

L'immédiateté du pastel est l'un de ses attraits : il établit un lien direct de la main au papier ; nul besoin de mélanger les couleurs sur une palette, et pinceau et brosse deviennent inutiles. Comme les autres outils du dessin, les bâtonnets de pastel donnent un trait sensible, sont rapides à mettre en œuvre et de maniement facile, toutes qualités qui rendent ce procédé idéal pour l'exécution en extérieur et le croquis. Outre l'éclat de leurs couleurs – ce sont des pigments pratiquement purs –, la consistance tendre et poudreuse des bâtonnets permet, comme la peinture à l'huile, un travail en épaisseur. En regardant les quelques œuvres présentées ici, on observe que le pastel est un procédé particulièrement souple, offrant de nombreuses possibilités d'expression.

Ceux qui ne sont pas habitués au pastel peuvent, au début, rencontrer quelques difficultés, jusqu'à ce qu'ils se familiarisent avec la technique et découvrent peu à peu ses possibi-

PAYSAGE D'AUVERGNE
Dès qu'il commença à travailler au pastel, Geoff Marsters a voulu utiliser ce procédé comme une technique de peinture et non de dessin, et a progressivement mis au point sa propre méthode. Il obtient ces couleurs riches et denses en travaillant sur un papier abrasif (papier de verre ou émeri) par superposition de couches de pigment, après fixation de chaque empreinte.

lités et ses limites. Aucun procédé n'étant parfait, l'un des avantages du pastel – ne pas mélanger préalablement les couleurs – peut aussi présenter quelque inconvénient. En effet, contrairement à la peinture, il est impossible de prévoir le résultat d'un mélange, puisque la nuance s'obtient directement sur la surface de travail. Il est donc très facile de se tromper. De plus, le pastel ne s'efface pas aisément, bien que, dans une certaine mesure, la correction soit possible par superposition de couleurs. Toutefois, un excès de retouches risque d'encrasser la surface du support et de donner une couleur grise et terne.

Maurice Quentin de La Tour, portraitiste célèbre et l'un des grands maîtres du pastel au XVIIIe siècle, mettait d'ailleurs en garde contre le risque d'abîmer une œuvre par l'excès de mélanges et, avec quelque humour, reprochait également au pastel de faire de la poussière. En effet, dès les premiers coups de craie, les doigts se salissent et le sol des ateliers se recouvre d'une couche poussiéreuse. La fragilité des bâtonnets de pastel, surtout les pastels tendres, est un problème plus gênant. Ils sont très friables et la couleur, poudreuse, fragile et instable qu'ils déposent, macule facilement l'œuvre achevée. Même collés au fixatif, les pigments ont tendance à « tomber », surtout si le support frotte contre une autre surface. À moins de la vernir et de l'encadrer immédiatement, il est essentiel de ranger soigneusement votre œuvre en la posant à plat, protégée par du papier de soie.

Malgré ces inconvénients mineurs, le pastel reste une technique exemplaire et ceux qui l'ont abordée, en amateur ou en professionnel, ne l'ont jamais tout à fait abandonnée.

Casa de Lido
Dans cette peinture d'atmosphère, le traitement de la couleur est plus naturaliste que dans le paysage de la page précédente, mais on perçoit certaines similitudes de technique, notamment le travail du pastel en épaisseur et par superposition. Patrick Cullen travaille généralement sur du papier de verre ou un papier aquarelle épais, préalablement teinté d'un lavis à l'aquarelle.

Intérieur d'un hangar à bateau
(À droite) *On pourrait penser que les qualités de douceur et de légèreté du pastel, adopté de préférence pour créer des effets plus estompés, ne conviennent pas à l'exécution d'un sujet au dessin aussi anguleux et décomposé que celui-ci. Pourtant, à y regarder de plus près, on voit que Geoff Marsters a su garder un trait libre et volontairement flou, la forte impression de linéarité résultant uniquement des contrastes de tons et de couleurs.*

Nature morte aux verres bleus
Dans cette charmante et paisible nature morte, Jackie Simmonds a su habilement exploiter les possibilités du pastel pour traduire la texture de différents matériaux : le poli des verres est ainsi obtenu par mélange de plusieurs bleus foncés tandis que la partie centrale de l'assiette est plus grenue. Le fond est exécuté en estompant légèrement des couleurs superposées.

L'HEURE DU THÉ
Ce délicieux tableau est une bonne illustration de l'idée que l'on se fait d'un pastel – des couleurs pâles et fraîches, en harmonie avec la légèreté du sujet, et une facture pleine de délicatesse. En fait, cette impression résulte moins des qualités du procédé lui-même que de la maîtrise et de l'habileté de Jackie Simmonds. Il faut posséder une grande délicatesse de touche et une réelle connaissance de la couleur et de la technique pour obtenir de tels effets.

NATURE MORTE AUX POIRES ET AUX PRUNES
(Ci-dessous) *Cette nature morte est exécutée au pastel à l'huile, un procédé qu'Elizabeth Moore apprécie car il est proche de la peinture à l'huile, qu'elle pratique le plus souvent et qu'elle maîtrise mieux que le pastel tendre. Elle peut ainsi créer des tonalités plus profondes et plus riches et obtenir des effets assez subtils, par exemple la chair luisante des fruits.*

PENSÉES
La texture friable et poudreuse du pastel s'accommode parfaitement du contraste avec un médium plus homogène, comme ici l'acrylique. La couche de peinture exécutée à l'acrylique a également permis à Maureen Jordan d'obtenir des couleurs riches et profondes sans avoir à surcharger le pastel.

ORANGERAIE AU CRÉPUSCULE
Comme dans la plupart de ses pastels, James Crittenden associe habilement les qualités de dessin et de peinture du pastel pour interpréter le paysage d'une manière à la fois réaliste et très personnelle. Le ciel et l'herbe, apparemment réalisés en aplats, sont en fait constitués d'un réseau complexe de lignes et de traits exécutés de la pointe du bâtonnet, tandis que les feuillages sont exprimés par des stries nerveuses et calligraphiques.

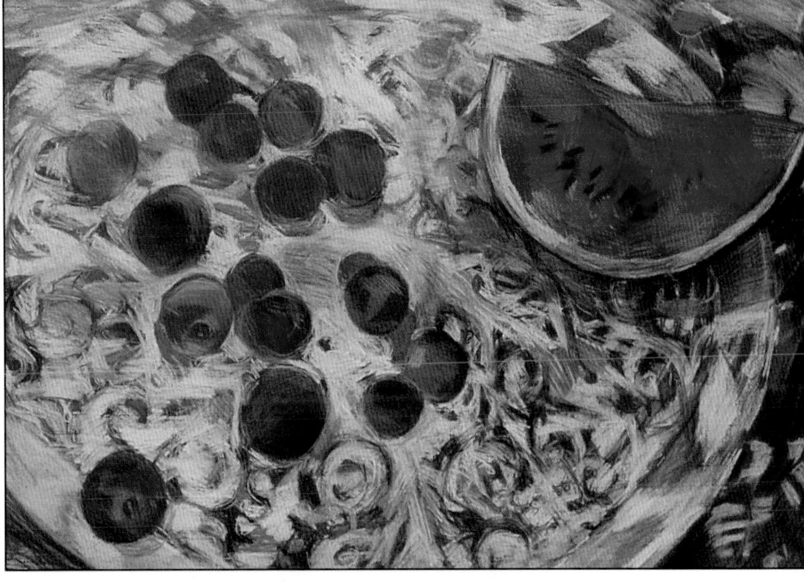

LA TABLE AUX REFLETS
Ce tableau, exécuté sur un papier vert foncé, donne l'impression d'un pastel à l'huile. Il s'agit en fait de pastel tendre appliqué fortement puis fixé avant de superposer une autre couleur. Pip Carpenter a été particulièrement inspirée par les effets de lumière sur les différentes surfaces – celles des fruits et du dessus de la table en fer forgé.

LES BARAQUES FORAINES
Des couleurs vives s'imposaient ici. C'est pourquoi Judy Martin a combiné acrylique et pastel. La couche de peinture, qui permet de poser les couleurs fondamentales du tableau, est exécutée dans une tonalité rouge et jaune, sur laquelle se superposent des traits vigoureux de pastel. Cette technique est évidente dans le ciel, où des traits de pastel bleu se mêlent à la peinture rouge.

LES PASTELS

Il existe différents types de pastels : les pastels secs tendres (également appelés craies), les pastels secs durs, les crayons pastel et les pastels à l'huile. Toutes les couleurs des pastels sont composées de la même manière : un pigment coloré additionné d'une substance de remplissage comme la craie et d'un liant, le plus souvent de la gomme arabique.

PASTELS TENDRES

Très peu de liant entre dans la fabrication des pastels tendres, qui sont donc presque des pigments purs, d'où l'éclat de leurs couleurs, leur fragilité et leur texture poudreuse. La majorité des pastellistes utilise des pastels tendres ; les pastels durs et les crayons pastel sont souvent un utile complément.

PASTELS DURS

Les pastels durs, contenant plus de liant, ont une consistance plus fine et se brisent moins facilement que les pastels tendres. Ils peuvent être taillés en pointe fine pour l'exécution des détails ou passés en larges aplats de couleur dans les premières étapes du tableau. Moins friables que les pastels tendres, ils se travaillent plus facilement, par superposition de couches. On peut les utiliser seuls, mais ils sont mieux adaptés au dessin, où l'approche est plus linéaire, qu'à la peinture. Leur palette de couleurs est aussi assez limitée, comparée à celle des pastels tendres, qui offre un nombre impressionnant de nuances.

CRAYONS PASTEL

Ces crayons, mieux adaptés au dessin qu'à la peinture compléteront cependant utilement votre ensemble de pastels « classiques » dans l'exécution de l'esquisse et des petits détails. Il est en effet déconseillé d'employer un crayon graphite ordinaire pour établir un dessin préliminaire car le graphite, plutôt gras, repousse toute couleur pastel appliquée par-dessus.

Les crayons pastel sont demi-tendres (ou demi-secs) et existent dans une gamme de nuances comparable à celle des pastels durs.

PASTELS À L'HUILE

Les pastels à l'huile ne peuvent s'utiliser en association avec des pastels ordinaires car ils sont liés à l'huile et non à la gomme arabique. Ils représentent toutefois une excellente alternative aux pastels tendres et permettent d'obtenir des effets d'une grande ressource, et de nature très picturale. Dilués à la térébenthine ou au white spirit (essence minérale), ils peuvent être appliqués au pinceau sur le papier, soit en mince couche couvrante soit en empâtement ; il est même possible de travailler en frottant un pinceau imbibé de térébenthine sur le bâtonnet et d'appliquer la couleur comme s'il s'agissait de peinture en tube. La gamme des couleurs reste un peu plus limitée que celle des pastels tendres, bien que les fabricants s'efforcent de mutiplier les nuances offertes, ce procédé étant de plus en plus apprécié.

DIFFÉRENTES NUANCES

Avec la peinture à l'huile, l'acrylique et l'aquarelle, on obtient sur sa palette une gamme étendue de nuances à partir des fondamentales, ce qui est au contraire impossible avec les pastels. On a donc besoin de bien plus de craies de couleur que de tubes.

Le choix d'une palette de couleurs assez étendue et d'un prix abordable est parfois difficile, certaines boîtes de pastel pouvant offrir des centaines de nuances. Heureusement, de nombreux fabricants commercialisent des coffrets dits d'initiation dont les nuances correspondent à des thèmes particuliers, le paysage ou le portrait par exemple. Faire l'acquisition d'un tel coffret est un bon achat, sachant que vous pourrez ajouter autant de nuances que vous le souhaitez, les pastels étant également vendus à l'unité.

PASTELS À L'HUILE

CRAYONS PASTEL

PASTELS TENDRES

PASTELS TENDRES EN POUDRE

La plupart des bâtonnets portent un nom et un chiffre ; le nom désigne la couleur principale dans la gamme, le chiffre indique sa tonalité, par exemple s'il s'agit de la nuance claire ou foncée du bleu outremer. Toutes les couleurs pastel existent dans une couleur pure, déclinée en tons dégradés plus clairs ou plus foncés, les premiers étant obtenus par addition de blanc et les derniers par ajout de noir. Aucune norme ne définit la couleur et le numéro, ce qui permettrait d'établir une correspondance entre les différents fabricants ; seule l'expérience (ou la fidélité à une marque) vous permettra à la longue de choisir sans beaucoup d'hésitation la couleur que vous désirez.

Diversité des pastels

Il y a des différences de couleur considérables d'une gamme de pastels à une autre. Il est donc préférable d'en essayer de plusieurs marques lorsque vous devrez compléter votre palette. La plupart des artistes confirmés utilisent généralement une gamme qu'ils ont composée eux-mêmes et à l'intérieur de laquelle se retrouvent plusieurs couleurs de marques différentes.

Les textures des pastels sont également variables. Certains pastels secs sont relativement durs, tandis que d'autres sont si friables qu'ils cassent ou se réduisent en poudre dès que vous les prenez, vous obligeant alors à appliquer la couleur avec les doigts.

HARD PASTELS

CRAYONS PASTEL

LES PAPIERS

Les tableaux peints au pastel sont généralement exécutés sur un support teinté. Le choix de ce papier, dont la couleur et le grain jouent un rôle primordial dans l'effet que l'on veut obtenir, est décisif dans le travail au pastel. C'est en effet la texture du papier, son grain, qui retient la poudre du pigment et participe à l'expression du sujet ; si la surface est trop lisse, le pigment n'accrochera pas et se décollera, rendant impossible l'application d'aucune couche de couleur.

NUANCES ET GRAINS

On travaille de préférence sur un papier de couleur car il est très difficile, parfois impossible, de recouvrir totalement et parfaitement une surface au pastel, même si vous appliquez fortement le côté du bâtonnet. Les trouées de papier blanc qui apparaissent entre les traits de pastel créent des effets de rupture et affaiblissent la valeur propre des couleurs. C'est pourquoi il vaut mieux prendre un papier dont la teinte peut compléter la tonalité générale du tableau ou s'harmoniser avec elle. Très peu artistes travaillent sur du papier blanc.

Il existe deux grandes catégories de papier à grain pour le pastel : le papier Ingres et le papier Mi-teintes (ce ne sont pas des marques mais des types de papiers), fabriqués dans une gamme de teintes variées. Le papier Ingres est un papier couché, tramé de fines lignes parallèles, tandis que le Mi-teintes présente un grain caractérisé par des diagonales entrecroisées. Essayez-les tous les deux : seule l'expérience vous indiquera celui qui vous convient le mieux. Vous pouvez aussi travailler sur le verso – le « mauvais » côté – du papier Mi-teintes, plus lisse, si vous trouvez trop apparent le grain du recto, le « bon » côté.

Le choix de la teinte est plus difficile car cela suppose qu'avant même de l'avoir commencé vous savez à quoi ressemblera le tableau. Certains artistes travaillent sur un papier dont la teinte servira de couleur de base et qu'ils laisseront volontairement transparaître sous les applications de pastel. C'est

PAPIER MI-TEINTES (1 ET 2)
PAPIER INGRES (3 ET 4)
PAPIER DE VERRE (5)
PAPIER SANSFIX (6 ET 7)
PAPIER AQUARELLE (8)

FIXATIF

Certains artistes n'aiment pas les fixatifs et en utilisent le moins possible, voire pas du tout, mais vous en aurez, du moins au début, certainement besoin. En effet, sauf si le tableau est verni et encadré immédiatement après son achèvement, il risque de se tacher si les pigments ne sont pas fixés sur le support. Même après fixation, il est prudent de le protéger par une feuille de papier de soie. Le fixatif a tendance à ternir légèrement les couleurs, à éclaircir certains pigments, à en assombrir d'autres et, dans tous les cas, à modifier l'aspect fragile et délicat qui caractérise le pastel. Il vaut donc mieux fixer chaque application si vous travaillez par superposition de couches épaisses pour éviter les modifications. Procédez par vaporisations très légères (plusieurs faibles applications sont préférables à une seule trop dense) et attendez prudemment que le fixatif soit complètement sec avant de continuer à travailler.

On trouve des fixatifs liquides en flacon, à pulvérisateur, ou en aérosol. Ce sont des produits assez onéreux que vous pouvez remplacer tout aussi efficacement par de la laque à cheveux (de préférence sans odeur), dont les composants sont similaires.

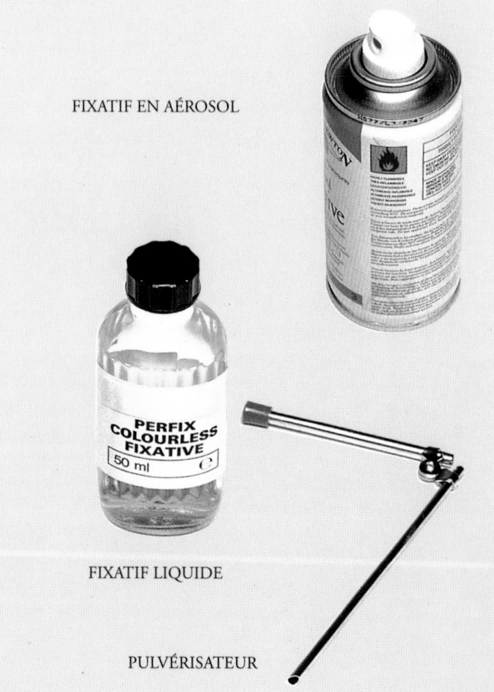

FIXATIF EN AÉROSOL

FIXATIF LIQUIDE

PULVÉRISATEUR

ainsi qu'un papier bleu-gris conviendra bien pour renforcer la définition du ciel ou de la mer d'un paysage ou d'une marine par gros temps. D'autres artistes préfèrent, au contraire, travailler sur un support d'une teinte contrastée, par exemple le jaune pour un paysage enneigé peint dans les bleus et les gris bleutés. Au début, il vaut sans doute mieux appliquer une couleur neutre, en demiteinte, comme un gris léger ou un beige, car les couleurs très claires ou très sombres sont plus délicates à traiter.

Autres papiers

Trois autres papiers sont spécialement destinés au pastel et utilisés par les artistes qui aiment à construire en épaisseur : le papier de verre, le papier velours et le papier dit Sansfix. Le premier est le même que celui employé pour le bricolage, mais il est vendu en feuilles de plus grandes dimensions. Le papier velours présente, comme son nom l'indique, une surface veloutée qui crée un effet doux et estompé. Le papier Sansfix (également appelé papier Rembrandt par certains fabricants) ressemble au papier de verre mais est légèrement moins abrasif. Ces papiers qui accrochent les pigments permettent de faire l'économie de fixatifs.

On peut aussi prendre comme support des papiers non destinés a priori au travail du pastel, par exemple le papier cuve à aquarelle, dont le grain très marqué produit une empreinte divisée tout en permettant des applications épaisses de couleur. Ce type de papier aquarelle peut également être préalablement teinté d'un lavis.

TRAITS ET SURFACES

Le pastel doit à son bâtonnet, intermédiaire direct entre la main et le papier, d'être une technique à la fois de peinture et de dessin. Cette dualité lui donne toute sa variété : la ligne se mêle à l'aplat, la surface est délimitée par le trait, même si les couleurs peuvent aussi se fondre totalement, sans lignes ni traits. À la grande époque du pastel, au XVIIIe siècle, des artistes tels que Jean-Étienne Liotard et Maurice Quentin de La Tour cherchaient, avec une telle facture, à rivaliser avec la peinture à l'huile ; aujourd'hui, les artistes choisissent le pastel pour la nervosité et la vigueur de son trait.

LE TRAIT

Pour cela, il est essentiel de développer sa propre écriture, son propre style au pastel. La craie de pastel permet en effet d'obtenir des empreintes très différentes en fonction de la pression imprimée au bâtonnet, de la forme de son extrémité, pointue ou arrondie, et de la manière dont il est tenu. Pour expérimenter le trait, n'essayez pas de représenter des objets réels mais dessinez des motifs abstraits et purement graphiques, comme des structures tramées, dont vous faites varier l'épaisseur et la direction des lignes en appuyant plus ou moins fortement sur le papier.

Malgré sa grande friabilité, le pastel permet de tracer des lignes étonnamment fines en dessinant avec le bord d'un bâtonnet cassé en deux. Les pastels secs conviennent le mieux à l'exécution de détails très précis.

LA SURFACE

En frottant l'arête du bâtonnet de pastel sur le papier, on peut couvrir de grandes surfaces par une succession de larges bandes de couleur. Sous la forme d'aplats de couleur, ces empreintes peuvent être aussi expressives que le trait, en faisant, là encore, varier la pression

(Ci-dessous) *Ces quelques exemples présentent les différents types d'empreintes que vous pouvez obtenir en travaillant avec la pointe ou l'arête d'un bâtonnet de pastel.*

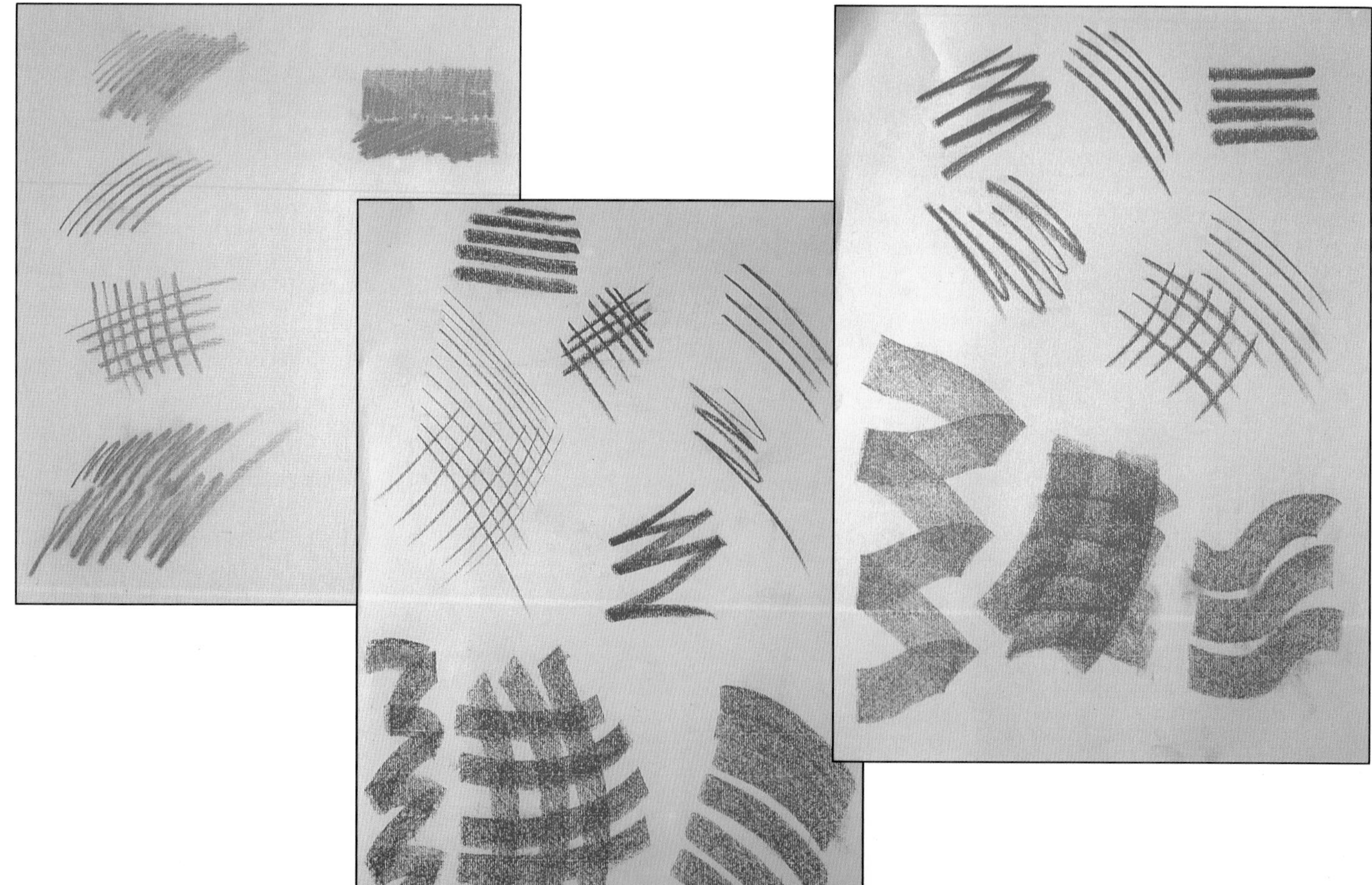

Nu sur fond rose
Cette étude de personnage est exemplaire d'une facture classique au pastel, où sont associés lignes (tracées de la pointe) et aplats (appliqués avec l'arête du bâtonnet). Remarquez comment Maureen Jordan décrit formes et volumes en ne jouant que sur la force et la direction des traits de pastel.

et la direction ; la superposition, l'estompage et le recouvrement de plusieurs tracés de couleur permettent aussi de donner plus d'effet.

De la longueur du bâtonnet de pastel utilisé dépend le trait obtenu, non seulement dans ses dimensions mais encore dans le contrôle de son application, qui module les valeurs colorées et les aplats. D'ailleurs, sauf si vous utilisez des pastels secs, relativement durs, vous devrez presque toujours casser le bâtonnet, qui, pour être d'une utilisation commode, ne doit pas dépasser 5 cm ; cependant, des morceaux plus petits serviront aux traits courts et précis.

Le grain du papier modifie plus encore sans doute la trace laissée par l'arête du bâtonnet. Un grain épais comme celui du papier aquarelle va casser le trait et donner une couleur plus ou moins claire (selon la pression exercée), car la couleur ne se dépose que sur les « reliefs ». Avec un papier plus velouté, la couleur sera en revanche plus dense et, si vous appliquez fortement le pastel, elle couvrira toute la surface du papier en aplat. Si vous superposez vos couleurs avec cette technique, les premières couches doivent être peu chargées en matière pour éviter de saturer trop rapidement le papier, ce qui nuirait à l'effet de fondu recherché.

MÉLANGER LES PASTELS

Quel que soit le nombre de pastels en votre possession – les pastellistes professionnels en ont souvent des centaines –, c'est par leur mélange que vous parviendrez à cette subtilité de nuance des couleurs de la nature, qui dépasse de loin la gamme proposée par les fabricants de pigments.

ÉCLAIRCIR, ASSOMBRIR

On le sait, toutes les couleurs des bâtonnets de pastel se déclinent en dégradés clairs et foncés. Ce seront des teintes plus opaques ou plus transparentes selon la pression que vous exercerez : plus vous appuierez, plus la couleur sera forte.

Cependant, il faut fréquemment éclaircir ou assombrir les couleurs par mélange, associer par exemple bleu et blanc, ou bleu et gris pâle, pour créer un ciel bleu pâle ; de la même manière, vous mélangerez bleu profond ou noir et vert pour obtenir un feuillage sombre. Le noir du pastel rehausse l'intensité des couleurs plutôt lumineuses et généralement peu foncées.

MÉTHODES DE MÉLANGE

Le fondu est l'une des techniques de mélange les mieux connues. On l'obtient en appliquant deux couleurs (ou plus) sur le support et en frottant avec les doigts, un chiffon, un morceau de coton ou encore une estompe (un bâtonnet de papier buvard roulé).

Si vous choisissez avec soin vos bâtons de pastel, vous pourrez ainsi obtenir presque tous les tons et les dégradés. Il convient toutefois d'éviter de trop abuser de cette technique, qui a souvent pour effet d'affadir les couleurs.

La superposition, en légèreté et sans estompage ni fondu, d'une couleur sur une autre permet en revanche d'obtenir une teinte plus vive et plus intéressante car la première couleur transparaît sous la seconde et la renforce.

Éclaircir

1 Pour obtenir certaines couleurs pastel très pâles, il est parfois nécessaire d'éclaircir la couleur de base en y ajoutant quelques traits de blanc, comme ici sur un bleu moyen.

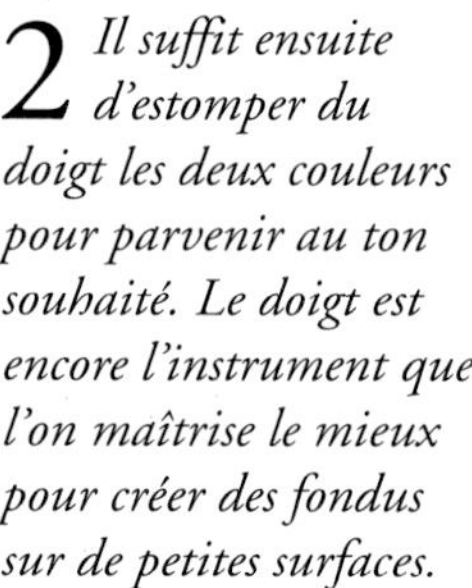

2 Il suffit ensuite d'estomper du doigt les deux couleurs pour parvenir au ton souhaité. Le doigt est encore l'instrument que l'on maîtrise le mieux pour créer des fondus sur de petites surfaces.

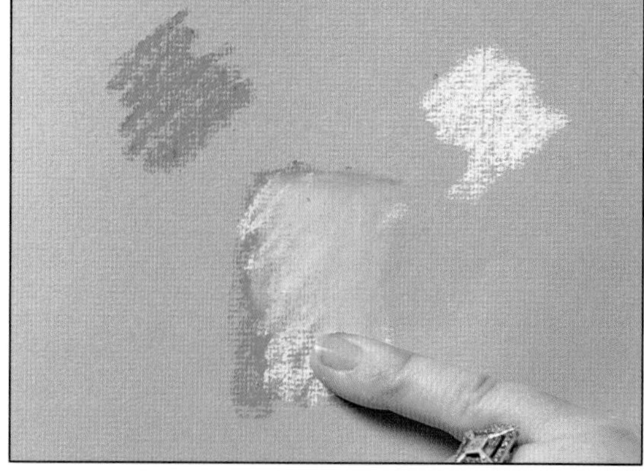

Assombrir

1 Le noir est une couleur indispensable en pastel car il permet d'obtenir aisément de véritables couleurs sombres.

2 Vous découvrirez peu à peu quelles couleurs peuvent être assombries par le noir sans qu'il ternisse leur éclat. Ici, par exemple, le fondu donne une couleur sale où le vert clair a perdu beaucoup de sa qualité.

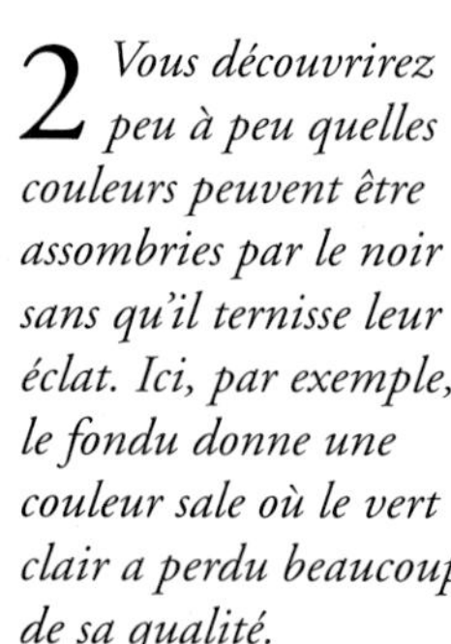

Mélange de verts

En pastel, on ne peut reproduire la vaste gamme des verts de la nature qu'en mélangeant des couleurs, par exemple, comme ici, du bleu outremer et du jaune citron. Légèrement fondues, ces deux teintes donnent un vert profond. Vous pouvez également modifier le ton d'un vert en y ajoutant du jaune ou du bleu.

Mélange des orange

Pour obtenir un pur orangé, choisissez le rouge et le jaune les plus intenses et appliquez le jaune sur le rouge. Vous remarquerez que, même fondue totalement dans l'autre, la couleur la plus foncée domine lorsqu'elle est superposée à la plus claire. Faites plusieurs essais pour découvrir l'effet des mélanges clair sur sombre et sombre sur clair.

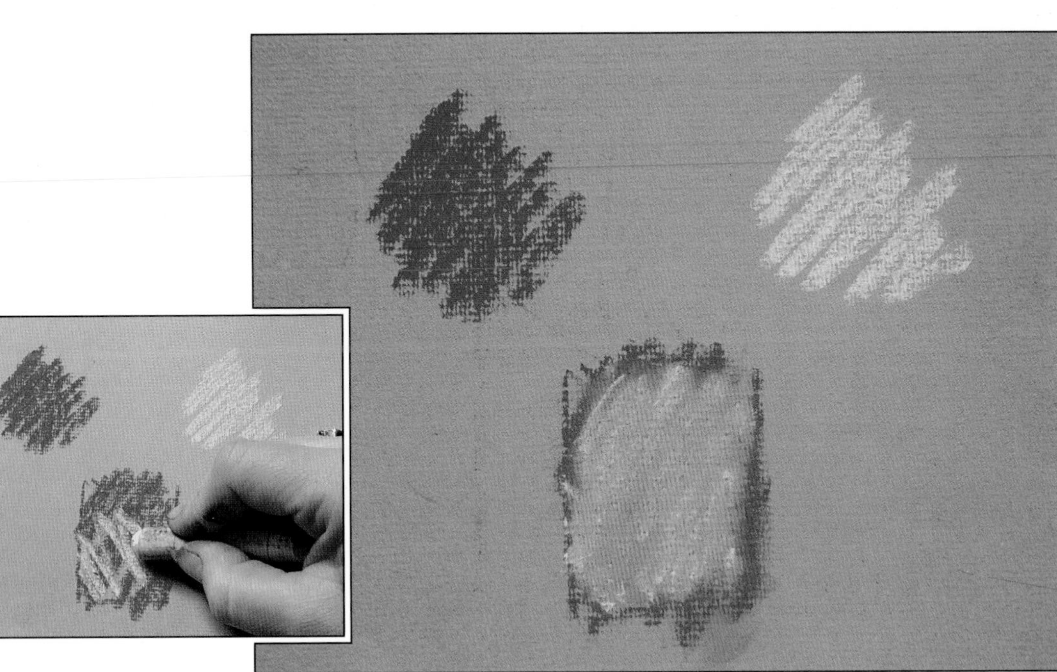

Mélange des gris

La plupart des assortiments de pastels offrent une gamme assez importante de gris, mais vous pouvez les obtenir en mélangeant du blanc et du noir. Ils seront plus riches si vous y ajoutez des traces d'autres couleurs, du bleu ou du vert par exemple. La nuance du gris final dépendra de l'ordre dans lequel vous appliquerez les couleurs : blanc sur noir donne un ton plus clair que l'inverse, surtout si les couleurs sont doucement fondues.

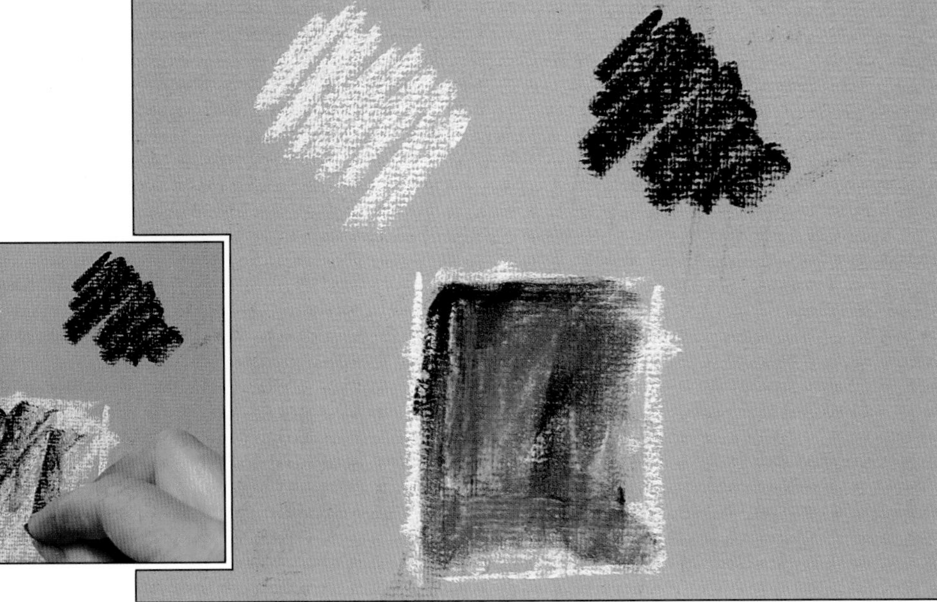

Fondu de grande surface

1 *Pour obtenir un fondu subtil de couleurs, notamment une grande surface de ciel, crayonnez sans appuyer toute la partie colorée en bleu à grands traits de pastel noir.*

2 *En passant le chiffon sur cette surface, vous enlevez une partie des particules de pastel déposées sur le papier et obtenez ainsi un fondu plus clair que si vous le faisiez avec les doigts (geste qui tend à incruster les pigments dans le papier).*

Hachurage

Cette méthode permet de raviver un aplat de couleur qui a perdu de son éclat ou d'abaisser le ton d'une couleur trop claire.

La nervosité du trait de pastel, sa vigueur et le mouvement qu'il donne à une œuvre (un peu à l'exemple des coups de brosse en peinture à l'huile) sont les qualités les plus appréciées de nombreux artistes. Certains peintres préfèrent dessiner une sorte de trame de lignes colorées pour obtenir visuellement le ton qu'ils désirent (comme une troisième couleur résulte du tissage de brins de couleurs différentes).

Proche du travail précédent, un réseau de hachures aussi serrées que les barbes d'une plume ravive un aplat qu'un fondu excessif des couleurs a rendu terne et fade. Il s'agit là de passer quelques traits de couleur avec la pointe du bâtonnet de pastel sur la couleur jugée mauvaise pour en modifier un peu la valeur ou la tonalité.

Si vous estimez qu'un aplat rouge est trop clair par rapport à l'ensemble de votre tableau, vous pouvez l'assombrir par quelques touches de vert et dans le cas d'un bleu, vous pouvez accentuer son relief grâce à un hachurage de gris ou de mauve pâle.

Choix d'un papier

Lorsque vous posez une couleur sur une autre, vous obtenez une troisième couleur – du jaune sur du bleu donne du vert, du rouge sur du jaune produit de l'orange, etc. La teinte du papier influe sur la tonalité des couleurs et agit toujours comme une troisième couleur dans le mélange de deux autres à moins, évidemment, que vous n'appliquiez le pastel en couche épaisse et opaque. Si vous choisissez un papier neutre, le résultat sera à peine visible ; mais une légère application de jaune sur un papier bleu donnera pratiquement le même effet que si vous aviez fondu ensemble du pastel jaune et du bleu.

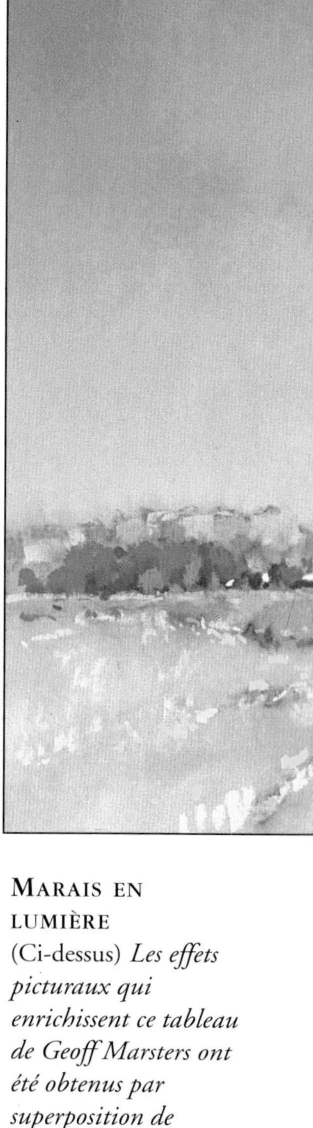

Marais en lumière
(Ci-dessus) *Les effets picturaux qui enrichissent ce tableau de Geoff Marsters ont été obtenus par superposition de plusieurs couches de couleur, chacune étant fixée avant l'application de la suivante. L'artiste a obtenu les taches claires et lumineuses des champs avec la pointe du bâtonnet de pastel appliqué en épaisseur sur les fondus plus veloutés des premières couches.*

L'influence de la teinte du papier

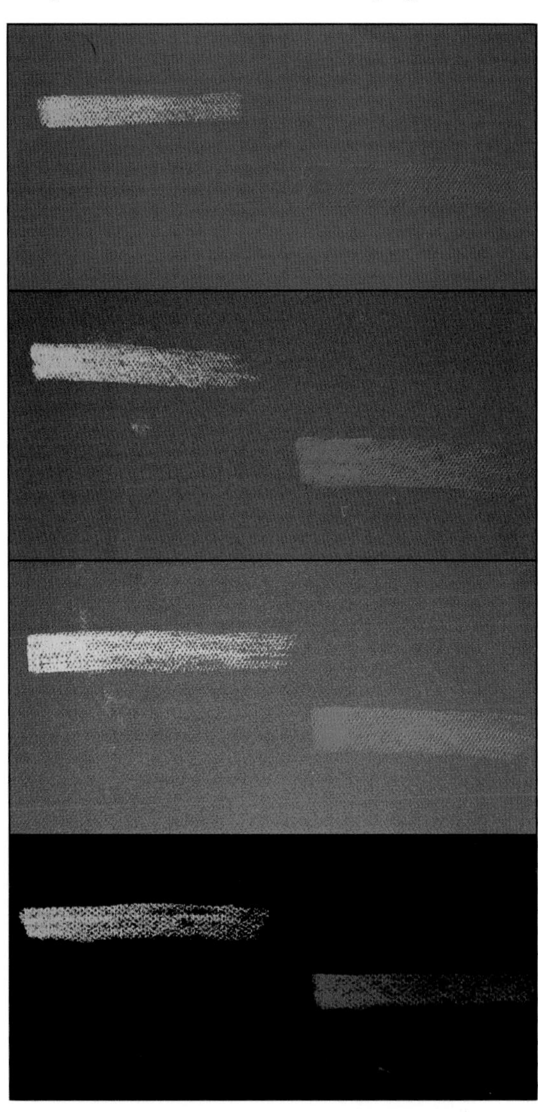

(Ci-dessus) *Comme l'illustrent ces exemples, la teinte du papier transparaît sous la couleur et en modifie la tonalité. La teinte du support définit également une valeur clé à partir de laquelle vous pourrez juger des couleurs de votre tableau. Il sera plus difficile de juger de la clarté d'une couleur si vous travaillez sur un papier noir ou d'un bleu très sombre, qui rend pâle même un vert ou un rouge vif. Pour vos débuts, il est donc plus sage de choisir un support de tonalité neutre afin d'éviter que sa teinte ne fausse votre jugement.*

Superpositions

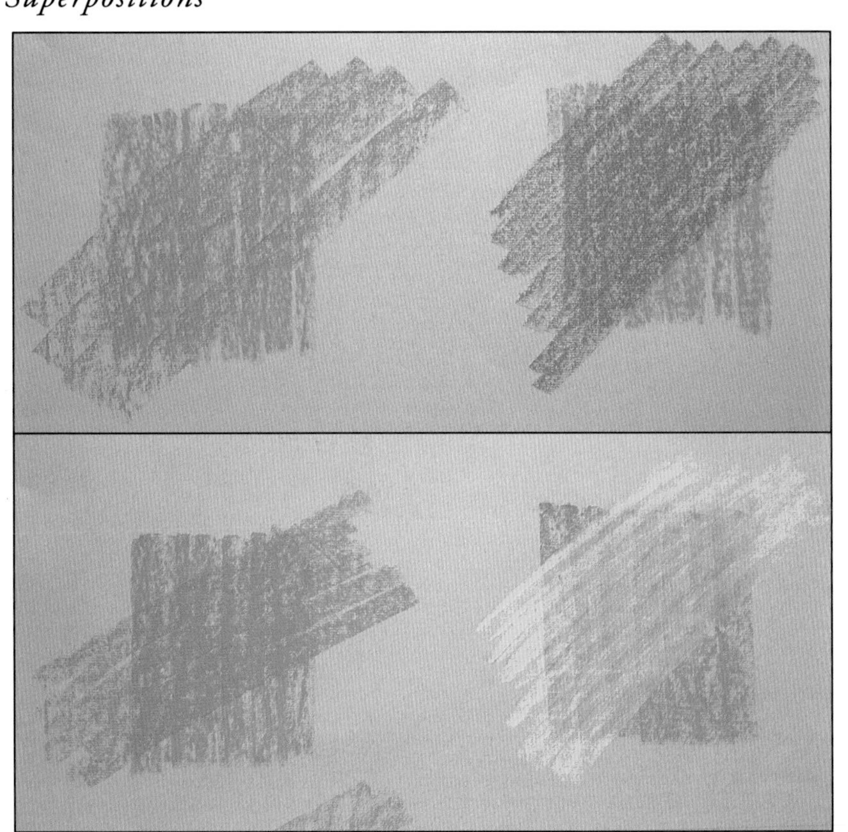

(À gauche) *S'il est parfois nécessaire de fondre les couleurs entre elles pour obtenir des aplats dans l'exécution de certaines parties de votre peinture, l'effet obtenu visuellement par des superpositions aérées est souvent chatoyant et plus agréable.*

Exercices sur différents papiers

Ce n'est qu'avec une certaine expérience, et de nombreux essais, que vous saurez quelle teinte de papier choisir en fonction de ce que vous voulez peindre. Au début, il n'est pas mauvais de vous exercer en travaillant le même sujet sur des supports de couleurs différentes.

Pour cet exercice, composez une simple nature morte dont les éléments présentent la même tonalité : par exemple un bouquet de fleurs bleues au milieu duquel quelques fleurs jaunes feront contraste, ou une nature morte composée d'une ou deux bouteilles vertes près desquelles vous placerez une autre couleur pour le contraste (orange, pomme, prune, etc.).

Choisissez d'abord un papier de teinte opposée à la couleur dominante du groupe ; ce sera un jaune orangé s'il s'agit d'une dominante bleue, et un rouge ou un brun-rouge si votre harmonie est verte. Autrement dit, un papier dans la couleur complémentaire de celle de la dominante de votre nature morte, c'est-à-dire rouge et vert, bleu et orange, jaune et violet. Pour votre second tableau, utilisez un papier dans la teinte générale du sujet ; par exemple, pour les fleurs bleues, un papier bleu foncé ou moyen, voire gris-bleu.

Certains artistes emploient toujours un papier dans la couleur complémentaire, tandis que d'autres préfèrent travailler dans la tonalité de la couleur dominante.

Peindre sur un papier dans la teinte

1 Sur un papier vert sombre, dans la teinte dominante de la nature morte, le vert, l'esquisse est réalisée à légers traits de pastel dans la couleur opposée, un brun-rouge.

2 La première étape consiste alors à disposer les tons de brun chaud et de blanc bleuté dans les parties non vertes pour établir les contrastes. Notez qu'il ne s'agit pas de couvrir entièrement le papier, dont la teinte doit transparaître.

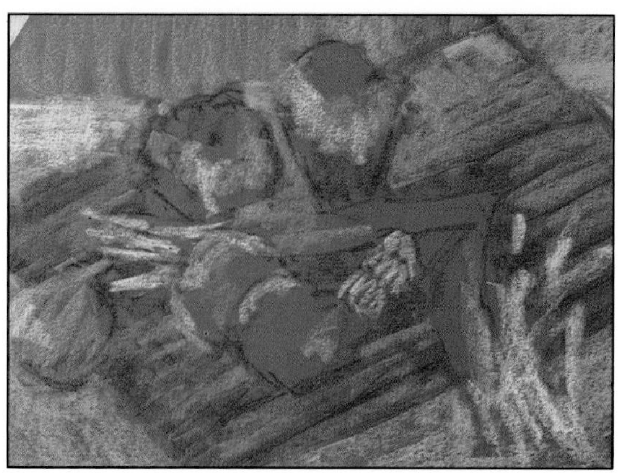

Peindre sur un papier de teinte complémentaire

1 Ici, la teinte du papier est celle, jaune-brun, de la planche de bois, en opposition avec le vert des légumes.

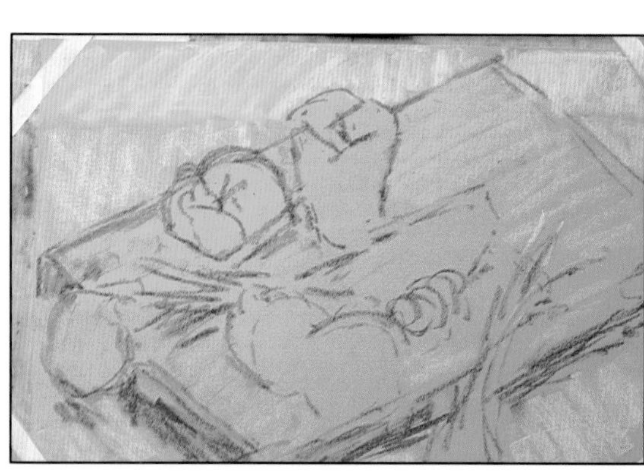

2 Afin de neutraliser la teinte du papier, il est nécessaire d'utiliser une gamme de verts et de jaunes différente de celle du premier tableau. La tonalité dominante étant plus chaude, les verts sont volontairement d'une plus faible intensité.

3 *Prenant pour référence la teinte du papier pour définir les tons moyens des légumes, on met en place maintenant les fortes ombres (le poivron à l'arrière-plan) et les rehauts vert clair. Quelques touches, de la même couleur chaude que la planche à découper (brun et jaune), sont également disposées sur les légumes, pour que la tonalité vert-brun du tableau soit unifiée.*

4 *À l'achèvement du tableau, on voit bien le rôle important joué par la teinte du papier, notamment dans les parties de légumes non recouvertes de pastel et, en quelques autres endroits, sous les traits légers de pastel. La reprise des couleurs d'une partie à l'autre du tableau crée des liens visuels qui donnent cohérence à la composition.*

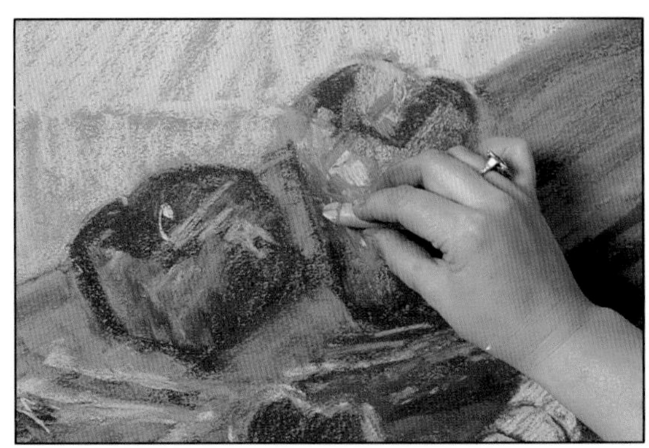

3 *Dans le premier tableau, le vert des légumes a été appliqué en couche assez légère parce qu'il ne fallait pas couvrir tout le papier. Ici, les verts doivent au contraire être solidement construits pour éviter que la teinte du papier ne transparaisse trop.*

4 *On peut noter un grand nombre de différences entre ce tableau et le précédent. La couleur dominante est ici un brun orangé et non le vert, la teinte du papier transparaissant plus nettement dans la planche et le fond. La méthode de travail a également été modifiée : les verts sont appliqués plus fortement et les légumes, plus sombres, semblent avoir plus de présence par leur opposition avec la planche de bois. Ces deux tableaux sont réalisés sur le « mauvais » côté – le plus lisse – d'un papier Mi-teintes, choisi de préférence à la texture plus grenue du « bon » côté.*

Teinter son papier

L'Ingres et le Mi-teintes, les deux principaux types de papier pour le pastel, sont proposés dans une large gamme de couleurs. Les artistes qui aiment travailler en empâtement préfèrent peindre sur un support d'une texture particulière, le papier aquarelle, qu'ils préparent dans la couleur la mieux adaptée à leur œuvre.

Préparation d'un fond teinté

On peut teinter soi-même le papier selon deux méthodes : le lavis humide et le lavis sec. La première, rapide et simple, consiste à déposer un lavis d'aquarelle ou d'acrylique dilué sur le support. Mais si vous travaillez exclusivement au pastel, vous ne pouvez pas appliquer cette technique. Avec la seconde méthode, vous teintez votre papier avec un lavis sec au pastel : grattez un bâtonnet de pastel à l'aide d'un couteau et recueillez-en la poudre dans un petit récipient ; prenez ensuite un peu de poudre avec un tampon de coton ou de chiffon et passez-le de manière égale, sans trop appuyer, sur toute la surface du papier. Pour teinter toute la surface, répandez la poudre de pastel sur le papier ; la tonalité du lavis varie en fonction de la densité du dépôt de couleur selon les endroits. Vous pouvez utiliser plus d'une couleur ; dans un paysage, par exemple, un lavis sec bleu pour le ciel et un ocre brun ou jaune pour le sol, légèrement fondus sur leurs contours pour obtenir un effet estompé et velouté. Vaporisez ensuite le fixatif sur ce fond coloré avant de travailler par-dessus (opération inutile si l'on utilise le lavis humide).

Poser un lavis sec

1 *Grattez tout d'abord un bâtonnet de pastel avec un couteau et recueillez la poudre obtenue. Ce procédé peut sembler être un gaspillage de couleur, mais vous n'avez en fait pas besoin de beaucoup de pastel.*

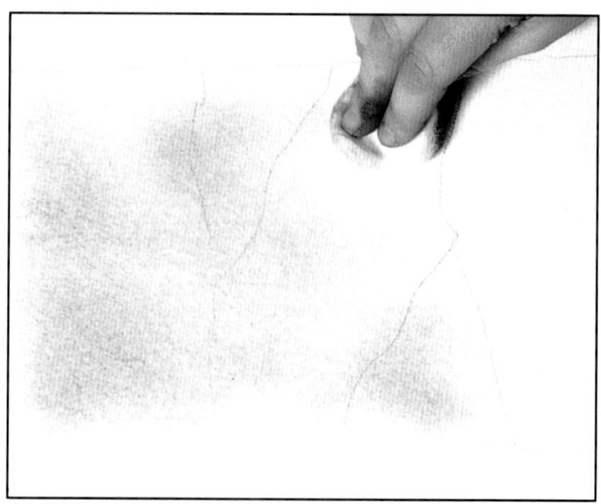

2 *Ce lavis sec, destiné à la préparation d'un paysage, utilise deux couleurs : du bleu pour le ciel et du jaune pour le sol. La poudre bleue est appliquée légèrement sur le papier aquarelle avec un tampon de coton.*

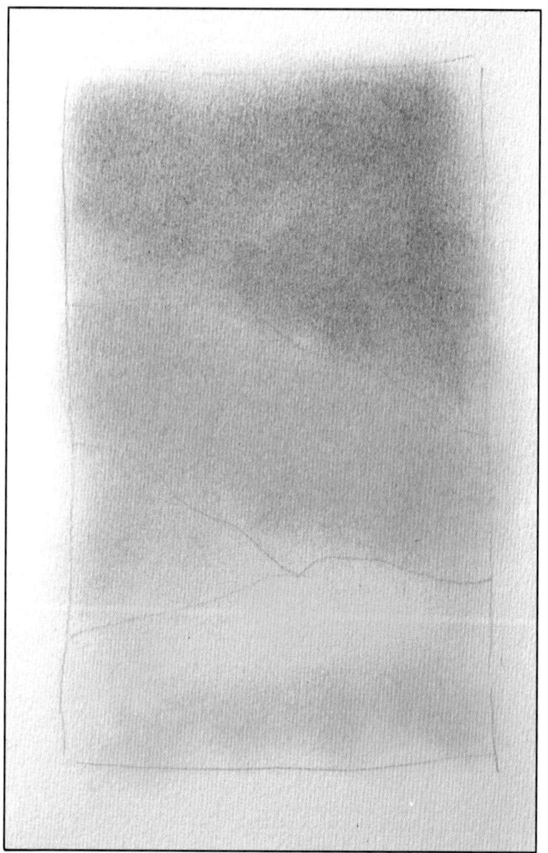

3 *Volontairement on a débordé sur la partie du sol avec le bleu, puis appliqué le jaune par-dessus afin que les deux couleurs se fondent pour donner un ton vert-jaune. On doit alors vaporiser légèrement le fixatif sur le lavis sec avant de peindre.*

Brossage humide au pinceau

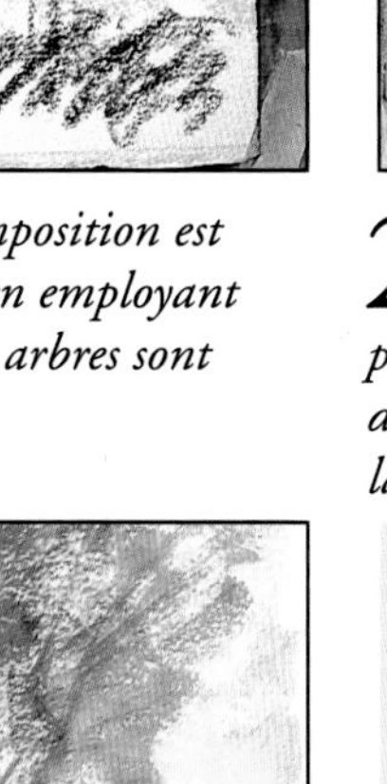

1 *Dans cette première étape, la composition est esquissée sur le papier aquarelle en employant l'arête du bâtonnet de pastel, puis les arbres sont dessinés à la pointe du pastel.*

2 *La couleur est alors aquarellée à l'aide d'un pinceau en soie de porc humide. Le type de pinceau employé, plus dur qu'un pinceau d'aquarelle, permet d'étendre plus régulièrement la couleur.*

3 *Quelques traits de pastel sec de la pointe du bâtonnet dans les parties brossées au pinceau précisent le dessin des arbres et des branches. Le pastel a été appliqué sur le papier encore humide par endroits pour donner du velouté au trait.*

Brossage humide au pinceau souple

On obtient un effet d'aquarelle en passant un pinceau souple et humide sur des traits de pastel. Pour cette technique, il est préférable de se servir d'un papier aquarelle plutôt que du papier pastel, qui pourrait boursoufler.

Brossage humide

En passant un pinceau humide sur des traits de pastel tendre, vous étendez une partie des pigments sans pour autant ôter les traits de pastel. Ce procédé ne peut s'employer que sur du papier aquarelle car les papiers pastel sont souvent trop fins et risquent de se boursoufler s'ils sont trop détrempés. Si vous préférez toutefois travailler sur papier aquarelle, le brossage humide peut alors remplacer utilement l'apprêt coloré du papier, en vous permettant de teinter rapidement toute la surface et en faisant disparaître le grain blanc du papier sous la couleur.

Un brossage humide appliqué sur des empreintes frottées avec l'arête du bâtonnet crée un lavis granulé, idéal pour suggérer par exemple la texture de la roche ou de l'écorce des arbres ; sur des traits et des lignes, le résultat évoque quelque peu celui du lavis d'aquarelle en atténuant la ligne originale. Ce procédé est souvent utilisé pour fondre ensemble des traits et des empreintes réalisés au pastel tendre ou au crayon pastel, ou encore pour créer des effets de volume.

L'idée de peindre avec un pastel humide doit beaucoup à Edgar Degas, dont les magistrales pages de pastel ont été exécutées alors que sa vue avait déjà bien baissé. Il transformait tout d'abord la poudre de ses pastels en une sorte de mélange pâteux, soit en passant un jet de vapeur sur le support, soit en projetant de l'eau chaude sur les couleurs ; il les travaillait ensuite à l'aide de pinceaux en poils durs puis les rehaussait de quelques traits.

L'ÉBAUCHE

Les pastellistes sont de plus en plus nombreux à appliquer une première couche de peinture colorée, à l'aquarelle ou à l'acrylique. C'est une préparation très semblable à celle du « jus » dont, en peinture, on couvre préalablement le support.

Pour le pastel, cette couche peut être monochrome, ce qui permet, dès le début, de mettre en place le dessin et la tonalité d'ensemble, et de travailler ensuite aux rapports entre couleurs et volumes, en choisissant par exemple, une couleur en contraste avec la teinte dominante.

Sur une couche déjà composée de plusieurs couleurs, certains mélanges, délicats au pastel, s'obtiennent plus aisément ; ainsi, on réduit le risque de surcharge du support et de saturation des couleurs. Grâce à cela, on peut aussi employer un papier plus lisse que d'habitude, car le pigment des couches, moins nombreuses, sera moins volatil et s'évanouira moins.

S'il est en général préférable de travailler au pastel sur un support assez grenu qui accroche bien, une surface plus veloutée – un papier aquarelle pressé à chaud – favorise des effets plus saisissants. Ce type de papier n'amenuise pas autant les traits de pastel que le papier aquarelle moyen (pressé à froid) et autorise à la fois de vigoureux aplats et des couleurs douces.

Pastel sur peinture

1 *La première étape se fait à l'aquarelle sur un papier aquarelle moyen, les passages du pinceau étant volontairement apparents afin d'accentuer les traits de pastel.*

2 *Quelques traits légers de pastel ajoutent de la profondeur au feuillage et au ciel, tandis que l'on rehausse d'un peu de gris pâle le gris-bleu foncé du bosquet.*

3 *Afin d'obtenir l'estompage coloré qui confond les deux procédés, les teintes pastel choisies sont proches de celles du dessous à l'aquarelle, mais ne recouvrent pas complètement la couche antérieure.*

4 *L'artiste travaille à partir du centre de sa composition en remettant de l'aquarelle et, de quelques coups de pinceau, suggère le bruissement du feuillage.*

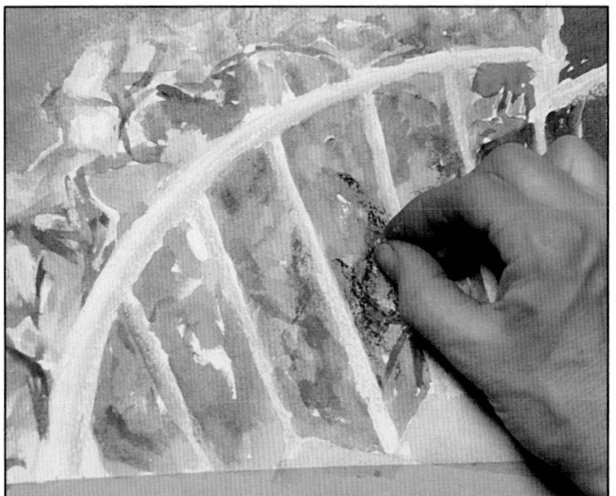

5 *La rampe se dégage du support non peint (on dit qu'elle est en réserve) et elle est mise en valeur par des rehauts d'aquarelle ; des touches de pastel gris clair posées plus tard lui donneront son relief. La masse centrale du feuillage est assombrie pour rendre les blancs plus lumineux.*

6 (Ci-dessus) *Certains artistes utilisent un fond coloré à l'aquarelle qu'ils recouvrent presque entièrement de pastel. Dans cet exemple, toutefois, les deux techniques se complètent harmonieusement et contribuent chacune à l'effet d'ensemble.*

LE PASTEL À L'HUILE

Très différent du pastel tendre, le pastel à l'huile offre de grandes possibilités de variations dessinées ou peintes. Ce n'est plus la gomme mais l'huile qui sert de liant aux pigments, et la matière assez dense obtenue, qui permet de bien obturer la surface granuleuse du papier, favorise le mélange des couleurs par superposition. Mais pour cela, il faut utiliser le pastel « à sec », comme un bâtonnet classique.

Le pastel à l'huile présente l'avantage de pouvoir être travaillé comme la couleur destinée à un tableau, c'est-à-dire qu'il s'applique sur un support (de toile ou de papier dessin à l'huile notamment) à l'aide d'un pinceau ou d'un chiffon après une dilution à la térébenthine ou au white spirit (essence minérale). Ainsi, vous couvrirez le support très rapidement et mettrez en place alternativement des couches humides et sèches. Vous pouvez diminuer un aplat trop épais, sous lequel disparaît le grain du papier, en passant de la térébenthine sur la surface peinte et en frottant doucement avec un chiffon. On peut procéder à toutes les corrections que l'on veut sur du papier à dessin à l'huile sans que le support en souffre.

Même avec un éventail plus restreint que pour le pastel tendre, les mélanges peuvent être d'une grande richesse de nuances et il est possible de les composer sur la palette. Il suffit de passer un pinceau trempé dans la térébenthine sur la pointe d'un bâtonnet de pastel pour le charger de la couleur, qui est ensuite déposée et mélangée.

Le pastel à l'huile, rapide à travailler, facile à corriger et, mieux encore, ne nécessitant aucun fixatif, est la technique idéale pour réaliser un tableau en extérieur. La composition des bâtons les rend toutefois fragiles à la chaleur et au soleil : ils ont tendance à couler, et il est préférable de les travailler à l'ombre.

Pastel à l'huile et white spirit (essence minérale)

1 *Tout d'abord, la composition est définie en quelques traits de pastel à l'huile très tendre. Le support est un papier à dessin à l'huile ; mais un papier pastel ordinaire (par exemple du papier Ingres) peut faire l'affaire, sous réserve que l'huile des pastels ne l'abîme au fil du temps.*

2 *Les couleurs sont étendues, et parfois fondues, à l'aide d'un pinceau de soie plongé dans le white spirit (essence minérale). Ce glacis reste assez transparent car les couleurs du dessous ont été déposées avec légèreté. Si la couche est trop épaisse au cours des premières applications, ces mélanges peuvent devenir sales et ternes.*

3 *Ensuite sont indiquées avec assurance au pinceau la forme et les couleurs des arbres. On note comment on a évité de saturer et de brouiller les couleurs ; les bleus et les jaunes sont bien distincts dans les parties vert clair et vert sombre.*

4 *L'avantage du pastel à l'huile est qu'il autorise la correction et le repentir, en frottant simplement la couleur avec un chiffon humidifié de white spirit (essence minérale), comme ici, où le premier plan est adouci.*

5 *Dessinés dans une partie encore humide, les traits fermes du bâtonnet de pastel font naître volume et mouvement du feuillage, un peu à la manière de la technique du sgraffite.*

6 *Quelques traits vigoureux et contrastés de pastel rouge foncé, jetés très librement et passés sur les couches de couleur précédentes, représentent le tronc et les branches des arbres à la manière des impressionnistes.*

7 *La luminosité des couleurs est non seulement due à l'application du pastel en lavis légers, comme ceux de la peinture à l'huile, mais elle est accentuée par la blancheur du papier, qui transparaît par endroits. Dans ce cas, il vaut mieux employer un support blanc plutôt qu'un papier teinté.*

PASTEL ET FUSAIN

Le fusain est couramment employé avec le pastel en raison de leur semblable texture poudreuse.

À la différence du crayon, dont le graphite repousse le pastel, le fusain permet de tracer l'esquisse ou le dessin d'une composition, sur laquelle on vaporise un fixatif, après époussetage et avant l'application du pastel. Dans ce cas, le fusain est recouvert de couleur et ne joue aucun rôle dans l'œuvre achevée.

Il peut toutefois servir plus positivement et renforcer la couleur pastel. Délimitant un contour plus net et plus marqué que le pastel tendre, il souligne parfois certains détails et donne corps à la composition, le pastel étant réservé aux aplats de couleur.

Avec une autre méthode, parfois retenue pour les portraits, on dépeint les parties contrastées par l'ombre et la lumière en frottant le fusain sur toute sa longueur. Cependant, cela ne convient qu'à des sujets aux tons sourds ou atténués car le pastel s'assombrit en absorbant un peu de la poussière de fusain, même fixé au préalable.

Le fusain peut s'employer en même temps que les couleurs pastel ; moins dense que le pastel noir, il permet de parvenir plus facilement à de subtils coloris, soit en passant un voile de fusain sur une couleur pastel pour l'abaisser d'un ton, soit en mélangeant sur le support un peu de fusain à la couleur pastel. Par exemple, les gris bleutés du second plan d'un paysage peuvent être obtenus avec du fusain mélangé avec un pastel bleu.

Pastel sur esquisse au fusain

1 *La tonalité générale de ce tableau est, à dessein, relativement sombre, et les tons noirs dominent. C'est pourquoi on a exécuté le dessin au fusain sur le côté lisse d'un papier Mi-teintes bleu-mauve, dont la teinte sert de base à l'harmonique des couleurs.*

2 *Une fois l'esquisse achevée, les traits de fusain trop forts sont estompés et l'excédent de poussière enlevé avec un pinceau en soie de porc. Le dessin est alors fixé pour que les couleurs du pastel ne se salissent pas au contact du fusain.*

3 *On met alors en place les couleurs par superpositions successives. Le rose vif du ciel sera ainsi modifié ultérieurement par d'autres couleurs, qu'il enrichira par transparence . Même de tonalité sombre, les couleurs des bâtiments ont un certain éclat.*

4 *Puis le rose du ciel est recouvert d'un léger frottis de pastel blanc, exécuté avec l'arête d'un petit morceau de bâtonnet, qui laisse des stries assez minces sous lesquelles se voient encore le rose et la teinte du papier. La partie des bâtiments la plus proche du ciel est, elle aussi, éclaircie.*

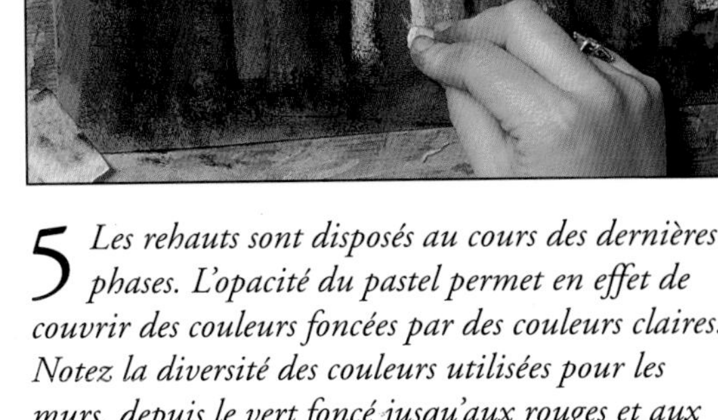

5 *Les rehauts sont disposés au cours des dernières phases. L'opacité du pastel permet en effet de couvrir des couleurs foncées par des couleurs claires. Notez la diversité des couleurs utilisées pour les murs, depuis le vert foncé jusqu'aux rouges et aux roses, sans oublier le mauve du papier visible par endroits.*

6 *Avec le bout d'un bâtonnet de pastel, on précise le détail des constructions et on signale un grand arbre caché derrière la maison de gauche. Les arbres qui animent et équilibrent la composition n'ont toutefois qu'un rôle mineur ; aussi ont-ils été dessinés rapidement à grands traits pour les fondre dans le ciel.*

Travailler le pastel en épaisseur

Souplesse et tenue sont les qualités du papier pastel standard, mais elles ne suffisent pas pour la peinture dite en épaisseur. Il existe des papiers particulièrement adaptés aux empâtements en pastel : papier de verre, papier velours et papier Sansfix.

Ces papiers présentent des caractères très différents du papier pastel standard. Le papier de verre, notamment, retient si bien les pigments du pastel qu'il est pratiquement impossible d'estomper les couleurs avec le doigt ou le chiffon ; ce défaut devient en revanche une qualité dans la mesure où plusieurs couches de couleur peuvent se superposer sans problème. On parvient, d'une part, à des mélanges raffinés et d'une grande intensité et, d'autre part, à des fondus et dégradés d'un effet comparable à ceux de la peinture à l'huile.

Le papier Sansfix est un autre support qui permet aux pigments du pastel d'adhérer plus fermement. Cependant, tous ces papiers de bonne tenue présentent un inconvénient : très abrasifs (vos doigts peuvent en souffrir), les bâtonnets de pastel s'usent beaucoup plus vite qu'avec un papier Ingres ou Mi-teintes. La dépense occasionnée est compensée en partie par le fait que vous n'avez pas besoin de fixatif – assez onéreux –, à moins que les différentes couches de pastel ne commencent à « s'encrasser ». De toute manière, il vaut mieux ne pas appliquer de fixatif, qui a tendance à assombrir les couleurs.

Travailler sur papier Sansfix

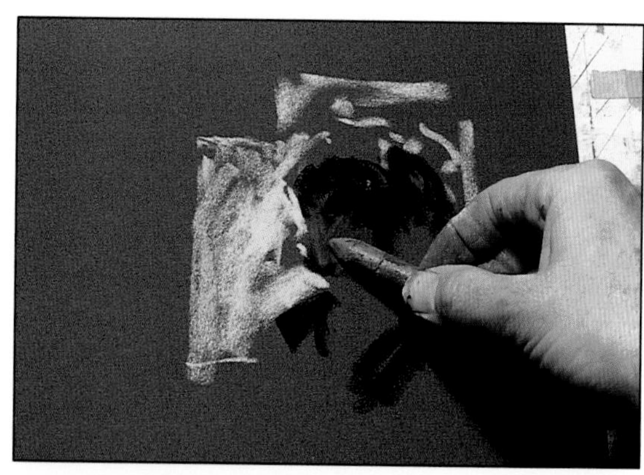

1 Ce papier est idéal pour obtenir certains effets picturaux. La teinte sombre de ce papier implique que l'on commence par travailler les zones claires.

2 Épaisse ligne noire, la perche appuyée contre la fenêtre équilibre visuellement le chevalet du peintre.

3 Le visage et le corps du personnage ont été travaillés en épaisseur. Le papier Sansfix permet des superpositions de couches de couleur, telles que le jaune et le gris appliqués sur le blanc de la vitre.

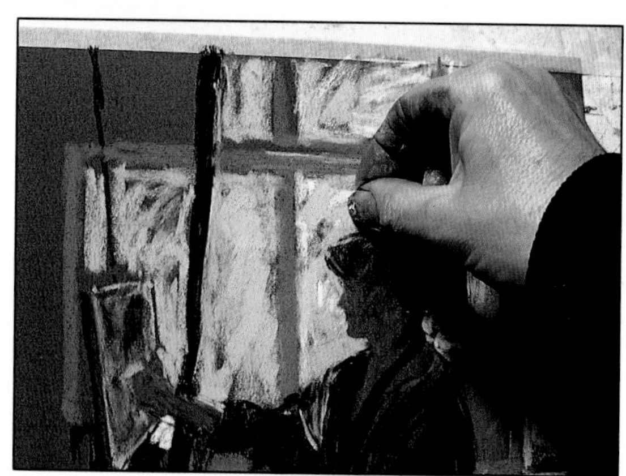

4 Quelques touches de gris clair sont ensuite déposées sur le blanc à l'aide d'un petit bout de pastel, en laissant volontairement transparaître la teinte sombre du papier pour suggérer les contrastes du vitrage.

5 La facture du tableau achevé est assez comparable à celle d'une peinture à l'huile en raison des traces épaisses et grasses du pastel. En revanche, ce papier ne convient pas à un travail plus en nuances ou à des mélanges en estompage.

Créer un fond granité

Le grain du papier joue un rôle important dans la peinture au pastel. Le choix de certains artistes se porte cependant sur un fond granité qu'ils auront eux-mêmes préparé, de préférence à un papier courant du commerce au grain uniforme et mécanique.

Cet apprêt personnel peut prendre des formes diverses (au sable, à la colle, etc.), mais la plus usuelle est l'application au pinceau d'une matière épaisse, dont les traces, plus ou moins régulières (verticales, en diagonales, etc.), apporteront mouvement et relief aux traits de pastel. Ces fonds peuvent être obtenus avec une peinture acrylique assez épaisse pour prendre l'empreinte des coups de pinceau, un gesso acrylique ou, pour disposer d'un dessous vraiment accidenté, avec une pâte pour modelage étendue d'eau (cette pâte de modelage acrylique n'est vendue qu'en grands pots et coûte assez cher, il est donc préférable d'en avoir un usage certain).

En recourant à la peinture acrylique pour la réalisation de cet apprêt, vous obtiendrez un dessous à la fois coloré et granité. Vous pouvez faire varier non seulement la couleur et la rugosité de l'apprêt, mais aussi la teinte à appliquer par-dessus (ne surchargez cependant pas votre œuvre en introduisant trop d'éléments différents avant d'avoir commencé à peindre).

Ce mode de préparation convient bien au travail du pastel en épaisseur, qui nécessite un papier plutôt résistant, par exemple un papier aquarelle épais, de préférence au papier pastel ordinaire, qui peut gondoler sous le poids de la peinture.

Un fond teinté et granité

1 Le gesso acrylique, vendu comme apprêt des panneaux et des toiles pour peinture à l'huile et acrylique, permet de préparer un excellent fond granité pour le pastel. D'une consistance légèrement plus pâteuse que l'acrylique en tube, il sèche rapidement. Il est ici mélangé avec un peu de peinture acrylique noire et appliqué avec un large pinceau en soie sur un papier aquarelle épais.

2 L'application, volontairement irrégulière, crée une surface qui va casser les traces de pastel et leur donner rythme et relief. Toutefois, on ne doit pas suivre absolument ces accidents mais plutôt se laisser surprendre par eux au cours du dessin afin que le tableau ait un caractère plus spontané et plus vivant.

3 *Frotté sur les aspérités du gesso acrylique, le pastel en bâtonnet laisse des empreintes brisées. Cette technique convient particulièrement bien à un traitement impressionniste et à un dessin à grands traits rapides, sans que la finesse des détails soit l'effet recherché.*

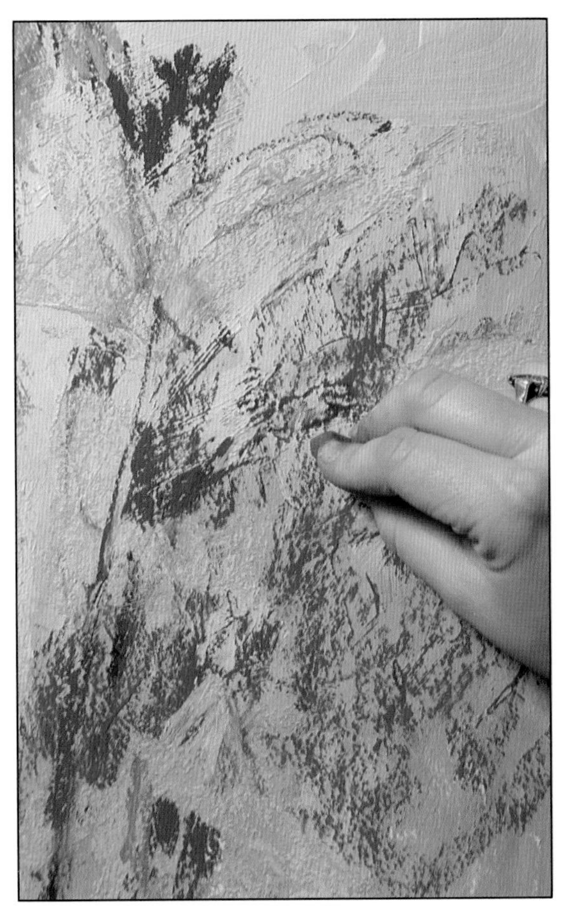

4 (À gauche) *Les fleurs et les tiges de cette nature morte sont suggérées plutôt que dessinées, les volumes étant créés par la superposition des couleurs et les reliefs du fond granité.*

5 (Ci-dessus) *Comme on ne peut couvrir totalement le fond avec des traits de pastel, on adopte une technique plus picturale pour les finitions, exécutées au pinceau en étendant une couche de gesso sur le pastel.*

La technique du sgraffite

Cette technique, qui est aussi utilisée en peinture à l'huile, fait apparaître la couleur du dessous en grattant ou en griffant la surface peinte. Elle convient parfaitement au pastel à l'huile, dont les pigments adhèrent fermement au support et ne nécessitent aucune vaporisation de fixatif. Elle s'adapte également au pastel tendre si la surface du support est rugueuse et si la première couche de couleur a été fixée avant d'étendre la seconde. Cependant, les effets seront plus spectaculaires et plus intéressants avec le pastel à l'huile. Dans les deux cas, l'imagination est stimulée et servie par une grande liberté d'expression.

Ces effets, nombreux et variés, dépendent de l'instrument utilisé pour le grattage, de la pression appliquée, de l'épaisseur de la couche et de la texture du support.

Avec un papier assez lisse sur lequel se déposent sans être cassées les empreintes de pastel, vous pouvez parvenir à un dessin au trait fin et délicat en grattant avec une pointe fine la couche supérieure de pastel, appliquée sur une couche plus épaisse. En travaillant sur un support plus grenu et en raclant les pigments avec la lame d'un couteau, qui n'enlève qu'une partie de la couche superficielle, vous obtiendrez un effet plus spontané, presque un glacis.

Vous pouvez travailler couleur foncée sur couleur claire, ou l'inverse, en superposant différentes couches de couleur qui seront légèrement grattées après chaque application. Les combinaisons de couleurs peuvent être modifiées d'une partie du tableau à l'autre. Les possibilités d'utilisation de cette technique sont infinies.

Paysage travaillé au sgraffite

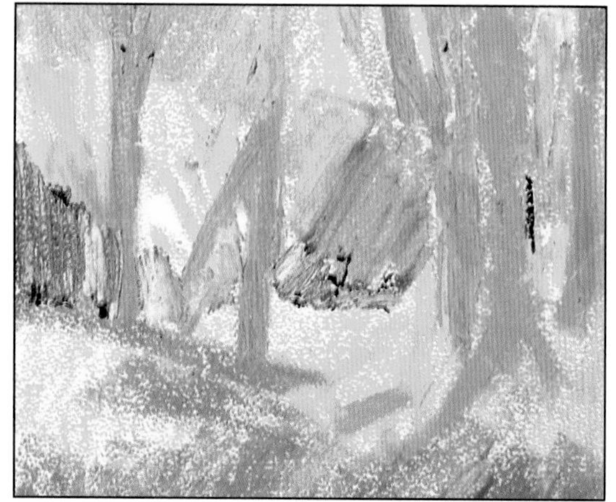

1 *Un premier dessous aux couleurs vives et claires est appliqué sur un épais papier aquarelle ; il sera ensuite découvert en partie par grattage au couteau ou au cutter (couteau universel).*

2 (À droite) *Après avoir posé du vert foncé, du bleu et du brun-rouge sur les premières couleurs, on racle avec un couteau le centre du tableau et l'arbre en haut à gauche en rendant visible une grande partie du jaune sous le vert ; cela renforce l'effet de luminosité.*

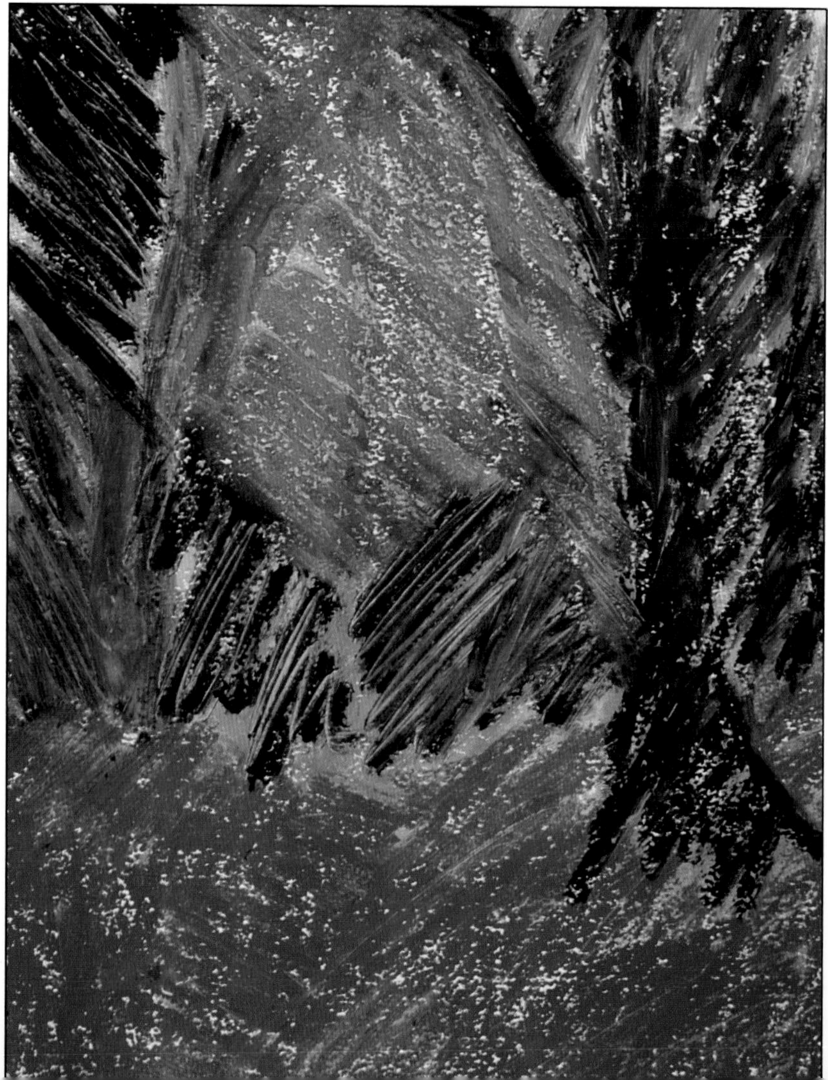

3 *Quelques traits bleu foncé, passés librement en diagonale, rehaussent la couleur verte du sous-bois. Les empreintes suivent la même direction que les traces de sgraffite qui jouent un rôle prépondérant dans la facture du tableau.*

4 *Ensuite, on gratte légèrement les couches de pastel à l'huile avec la pointe d'un cutter (couteau universel), manié avec souplesse. La superposition de beaucoup de couleurs – bleu, vert et jaune révélés par le grattage – donne à la toile plus de richesse.*

5 *La technique du sgraffite se reconnaît en général à la finesse de ses traits ; on peut encore l'utiliser pour créer des traces plus grossières, comme ici pour l'écorce, dessinée en raclant le tronc de l'arbre avec la lame d'un couteau à palette. Le même instrument a servi à gratter la couleur du premier plan pour suggérer les taches de lumière sur le sol.*

6 (Ci-dessus) *L'atmosphère du sous-bois, à la fois lumineuse et fraîche, est bien rendue grâce aux griffures des couches successives de couleur et à la vigueur des traits de pastel qui s'y superposent par endroits. Toutefois, la technique du sgraffite reste discrète dans son exécution et ne cherche pas à supplanter la composition et la combinaison harmonieuses des teintes.*

Techniques

Leçons comparées

Dans une exposition d'œuvres au pastel, vous pourrez remarquer une étonnante diversité de styles, même pour un sujet identique. Si l'on excepte la technique elle-même, des paysages au pastel exécutés par différents artistes ont a priori peu de ressemblances. Trop souvent, les amateurs croient en un ensemble de règles à appliquer absolument – on peut néanmoins suivre certains conseils –, bien qu'en réalité il n'y ait ni bonne ni mauvaise manière de peindre : chacun devant développer sa propre technique et sa propre écriture picturale. Nous avons demandé à trois artistes de peindre le même sujet : Patrick Cullen, comme on peut le voir sur cette double page, travaille sur papier aquarelle ; Debra Manifold peint au pastel à l'huile sur papier à dessin à l'huile (voir page 228) ; enfin, Hazel Harrison (voir page 229) emploie des pastels ordinaires et un papier Mi-teintes standard.

Pastel sur papier aquarelle

1 *Patrick Cullen commence par étendre un léger lavis d'aquarelle afin d'abaisser le ton du papier blanc, trop clair, et de faciliter la mise en place des premières couleurs. Il dessine l'esquisse au fusain une fois le lavis sec.*

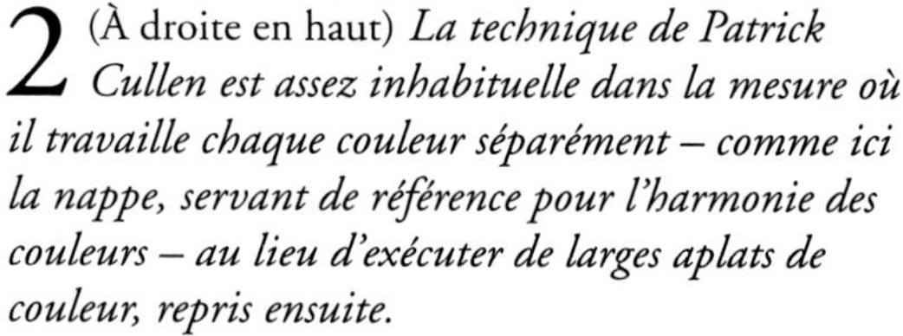

2 (À droite en haut) *La technique de Patrick Cullen est assez inhabituelle dans la mesure où il travaille chaque couleur séparément – comme ici la nappe, servant de référence pour l'harmonie des couleurs – au lieu d'exécuter de larges aplats de couleur, repris ensuite.*

3 (À droite) *Grâce à l'emploi du même gris, l'œil établit un lien visuel entre le bas de la fenêtre et la nappe. La tasse et la soucoupe ont une teinte plus chaude, que l'artiste pose en mélangeant les couleurs avec le pouce après avoir cerné le bord de la tasse d'un mince trait de couleur claire.*

4 *Les parties éclairées de la tasse sont mises en place par quelques rehauts dessinés avec netteté en blanc. Comme la lumière est rarement d'un blanc pur, il faut légèrement teinter ces reflets avec quelques coups de pastel brun.*

5 *Bien qu'à l'étape précédente la nappe ait été presque achevée, le contraste restait insuffisant entre les zones d'ombre sous la tasse et le côté droit éclairé ; un peu de blanc pur permet de rehausser cette partie.*

6 (Ci-dessous) *En dépit de la simplicité du sujet et de la gamme de couleurs volontairement limitée, cette nature morte est harmonieuse ; les formes sombres de la fenêtre et de la boîte (à gauche) encadrent l'ensemble tasse-soucoupe.*

Suite page suivante ⇨

Pastel à l'huile et white spirit (essence minérale)

2 (À droite) *Une fois les couleurs posées sur le support, Debra les mélange et les fond au pinceau trempé dans l'essence minérale. Pour contre-balancer le brun-rose de la tasse, quelques touches de cette couleur sont appliquées à l'arrière-plan.*

1 (Ci-dessus) *Debra Manifold commence par exécuter un dessin rapide au pastel à l'huile gris puis applique de légers voiles de couleur avec l'arête du bâtonnet. Elle n'a pas besoin de faire un dessin aussi fouillé que le précédent car le pastel à l'huile se corrige facilement.*

3 *Plus sensible aux rapports de couleur établis dans le tableau qu'aux véritables couleurs du sujet, Debra choisit pour la nappe un bleu vif qui fait contraste avec la couleur de la tasse et de la soucoupe.*

4 *Après avoir défini le quadrillage par quelques lignes, l'artiste indique les carrés blancs par des diagonales, rapides traits qui estompent et adoucissent la rigueur géométrique de la nappe.*

5 *Le tableau achevé propose une interprétation assez différente de celle de Patrick Cullen, autant par le choix des couleurs – claires au fond et bleu verdâtre au premier plan – que par le style ; la nappe, dessinée de manière plus suggestive, joue un rôle moindre dans la composition.*

Pastel sur papier Mi-teintes

1 *Hazel Harrison a choisi un papier bleu foncé qui renforce la couleur de la nappe. L'esquisse est exécutée au fusain sur le côté lisse du papier.*

2 *L'artiste considère les couleurs de la tasse et de la soucoupe comme les couleurs clés du tableau. En général, elle construit les couleurs du sujet en travaillant sur un papier contrasté.*

3 *Hazel Harrison se rend compte de la perspective erronée de la nappe et estompe toute cette partie au chiffon. Bien que le pastel ne soit pas complètement effacé, le gommage est suffisant pour travailler par-dessus.*

4 *Les carreaux de la nappe sont alors retracés à la règle et au pastel blanc.*

5 (Ci-dessus) *Le bord de la tasse est souligné au pastel blanc. À l'étape finale, l'artiste évoque le dessin et la couleur de la nappe en traçant quelques lignes bleu-mauve sur le carreau de la fenêtre. La composition est verticale et non horizontale comme dans les tableaux précédents.*

Étude

Le paysage

Les pastels tendres et les pastels à l'huile sont des techniques parfaitement adaptées à la peinture de paysages. Grâce à la diversité de la facture obtenue avec un bâtonnet de pastel – depuis les fondus délicats et les effets de surface jusqu'aux traces linéaires et aux points –, on peut reproduire et interpréter tout ce que nous présente la nature. D'un emploi aisé, ces deux techniques permettent d'étendre très rapidement la couleur et traduisent très bien les effets fugaces de lumière ou d'atmosphère.

Pour travailler en extérieur, directement sur le motif, il n'est pas nécessaire de se charger d'un matériel aussi encombrant que pour les autres procédés picturaux (peinture à l'huile, aquarelle, gouache, etc.) : il suffit, au minimum, d'emporter votre boîte de pastels, un

Paysage en gros plan
Une des décisions les plus difficiles à prendre devant une grande étendue de paysage est le choix de la partie à peindre et du point de vue. Il peut alors apparaître plus intéressant de se concentrer sur un détail particulier, à l'exemple de Doug Dawson pour Un coin de pré *; ici, la masse de l'arbre, traversant le tableau en diagonale, est équilibrée par l'horizontalité de la haie du premier plan et de la bande lumineuse du champ à mi-distance.*

Contraste de tons
(À droite) *Dans la peinture de paysages une attention toute particulière doit être prêtée à la valeur et à l'intensité des couleurs, c'est-à-dire à leur luminosité relative. Dans ce* Paysage espagnol, *de James Crittenden, les contrastes de tons et l'alternance d'ombres et de lumière expriment non seulement l'idée de chaleur et la forte luminosité du paysage mais structurent encore toute la composition.*

Placer l'horizon
(À gauche) *La répartition des masses entre ciel et terre est l'une des clés de la réussite d'une composition pour traduire l'étendue d'un panorama. La région d'Angleterre qu'évoque Geoff Marsters dans ce* Paysage des Fens *étant une vaste plaine marécageuse, le ciel est l'élément dominant et occupe donc les trois quarts du tableau.*

Variation de verts
Certains tableaux de paysage pèchent par la pauvreté de leurs couleurs, résultat d'un manque d'observation de la diversité des teintes offertes par la nature. Les verts, notamment, sont extrêmement riches et montrent des nuances très variées suivant la lumière. Dans Poulets à Petrognano, *Patrick Cullen exploite admirablement toutes les tonalités pastel de vert.*

peu de papier, une planche à dessin et des chiffons (servant aussi bien à l'estompage que comme essuie-mains).

Toutefois, d'autres éléments peuvent se révéler utiles. Pour dessiner sur de grands formats au pastel tendre, vous pouvez acheter un chevalet portatif : ainsi, non seulement la poussière de pastel ne salira pas vos vêtements – ce qui arrive lorsque l'on travaille avec une planche sur les genoux –, mais le chevalet vous permettra de prendre encore le recul nécessaire pour juger de votre œuvre.

Vous aurez aussi besoin de white spirit pour peindre aux pastels à l'huile, ainsi que de plusieurs pinceaux pour étendre les couleurs. Les pastels à l'huile ne nécessitent pas de fixatif ; pensez en revanche à en prendre pour vos œuvres aux pastels tendres, afin d'éviter de les abîmer en les transportant.

Préparer la composition

Même si vous avez assez peu de temps pour peindre sur le motif, l'examen de la construction et de la composition doit être précis : choisir le meilleur angle de vue ; déterminer le format et la partie du paysage à représenter ; enfin, décider de la division de la surface, c'est-à-dire de la place réservée à l'horizon. L'espace d'un tableau est généralement scindé en deux parties distinctes, ciel et terre, ce qui est rarement du meilleur effet, car, symétriques ou trop égales, elles donnent lieu à une composition sans âme et immobile.

Cependant, il est essentiel de privilégier la peinture du ciel, qui est la principale source de lumière dans un paysage et qui donne, par le jeu des perspectives, toute sa profondeur à l'espace. En accordant une prépondérance au ciel, par exemple les trois quarts du tableau, vous pourrez suggérer l'immensité et l'étendue d'un paysage ; au contraire, pour mieux faire ressortir les dimensions et l'élan vertical d'une montagne, vous réduirez l'importance du ciel.

La composition du premier plan est primordiale. Un tableau peut être facilement gâché par l'insignifiance ou la prééminence du premier plan. Celui-ci doit introduire, en règle

Graphisme du pastel
Comme avec les coups de brosse en peinture, tout ce que vous indiquerez avec le bâtonnet (signe, trait, empreinte, volume) contribuera, par l'orientation, le mouvement donné, à l'expression de votre style et de votre sensibilité. Dans À travers les arbres bleus, *James Crittenden utilise un trait court et orienté pour décrire les feuilles des arbres et, en quelques touches allongées et jaillissantes, suggère le vent dans les herbes du premier plan ; traité en aplat, ce dernier aurait été monotone.*

générale, le reste du tableau et y mener le spectateur. En revanche, l'abondance de détails ou la présence de formes trop distinctes au premier plan peuvent parfois immobiliser le regard.

Ce problème sera résolu en choisissant avec soin le meilleur endroit possible pour vous installer. La scène peut paraître très différente, selon que vous êtes assis ou debout ; dans un paysage assez plat, notamment, certains éléments du premier plan, à peine remarqués en restant debout, prennent de l'importance si vous vous asseyez, tandis que d'autres, situés à mi-distance, perdent une grande partie de leur intérêt. Aucune raison particulière n'interdit d'être assis (par exemple pour un paysage de montagne) ; il est cependant préférable de peindre debout devant son chevalet ou même de vous mettre un peu au-dessus du niveau du sol.

Modifier la composition

Comme les pastels sont opaques et qu'il est possible de recouvrir une couleur par une autre, vous pouvez changer la composition du tableau dans ses premiers états, par exemple en abaissant la ligne d'horizon. Pour prévenir une erreur – ou un décalage – de composition, il vaut mieux travailler sur une surface plus importante que celle que vous comptiez utiliser et laisser votre composition se développer au fur et à mesure, sans craindre de déborder du cadre que vous aviez fixé par avance et autour duquel vous aviez prévu des marges généreuses.

Plus tard, vous pouvez encore modifier votre composition par recadrage, procédé souvent employé par les photographes. En observant votre paysage peint après quelques jours de travail, vous éprouverez peut-être un sentiment d'insatisfaction sans pour autant en déterminer la raison. Il s'agit le plus souvent d'un problème de composition : certains éléments ont été trop centrés ou un ciel paraît trop important. Il est alors tout à fait possible de le corriger en découpant, dans un papier épais ou du carton, deux morceaux en forme d'équerres que vous réunirez afin de former un cadre. Vous pourrez ainsi les déplacer sur le tableau jusqu'à la découverte du cadrage idéal. Un changement minime – par exemple diminuer de 1 ou 2 cm le premier plan sur un côté – peut complètement modifier l'apparence du tableau et le rendre plus équilibré, et donc plus satisfaisant.

Certains artistes préfèrent négliger la composition de leur tableau lorsqu'ils travaillent dehors pour tranquillement la corriger chez eux en procédant à de tels recadrages. Vous n'avez pas besoin de découper le support puisqu'il suffit de monter un cache pour couvrir la partie à éliminer.

Peindre l'eau
(À gauche) *L'eau, sans doute un des motifs les plus stimulants pour un paysagiste, n'est jamais facile à peindre en raison même de sa fluidité et, entre autres, de l'imprécision des couleurs et des tons de ses reflets. Dans* Nénuphars et roseaux, *Jackie Simmonds utilise toute la gamme des bleus et des verts pour souligner les forts contrastes du premier plan.*

Un centre d'intérêt
(À droite) *Le centre d'intérêt autour duquel sera organisée toute la composition d'un paysage n'est pas toujours trouvé d'emblée, et il ne se révèle parfois qu'après coup. Dans* Amandier en fleurs le soir, *James Crittenden attire le regard sur l'amandier, point central de la composition, en se servant de couleurs neutres et foncées pour représenter les collines derrière et en introduisant quelques touches de couleur lumineuse sur la gauche du tableau pour contrebalancer le ton clair de l'arbre.*

Dessins préliminaires
(À gauche) *Parmi les paysagistes, certains travaillent toujours directement sur le motif, d'autres préfèrent élaborer leur composition en atelier à partir des dessins, des notes et parfois des photographies prises sur place. Ce* Paysage de Crète, *de Patrick Cullen, est une ébauche préparatoire au pastel en vue d'une aquarelle de grandes dimensions, impossible à exécuter sur le site.*

Peindre d'après des esquisses

Composer un tableau sur le motif est parfois difficile et délicat. Certains peintres font une esquisse ou une série d'esquisses – plus ou moins rapides et plus ou moins détaillées – de leur sujet, et ils s'en inspirent ensuite pour élaborer leur tableau en atelier. Un simple croquis de situation peut faire naître une composition réussie. En atelier, vous pourrez mieux étudier la composition du paysage, préparer soigneusement vos mélanges et utiliser une plus grande variété de pastels que si vous étiez dehors, où le temps vous est compté à cause des variations atmosphériques et lumineuses. Au pastel, le caractère des traits à dessiner – c'est-à-dire la vigueur, le mouvement et l'expression – a presque autant d'importance, comme la touche en peinture à l'huile, que la fidélité de votre représentation.

Leçon

Patrick Cullen s'est spécialisé dans la peinture de paysages, plus particulièrement ceux de Toscane, sujet de ce tableau. Il travaille à l'huile, à l'aquarelle et au pastel, généralement en grand format, et compose ses tableaux en atelier à partir de croquis et d'esquisses exécutés d'après nature. Ce pastel sur papier de verre a été réalisé d'après plusieurs dessins en couleurs et une grande ébauche au fusain, études préparatoires à sa composition.

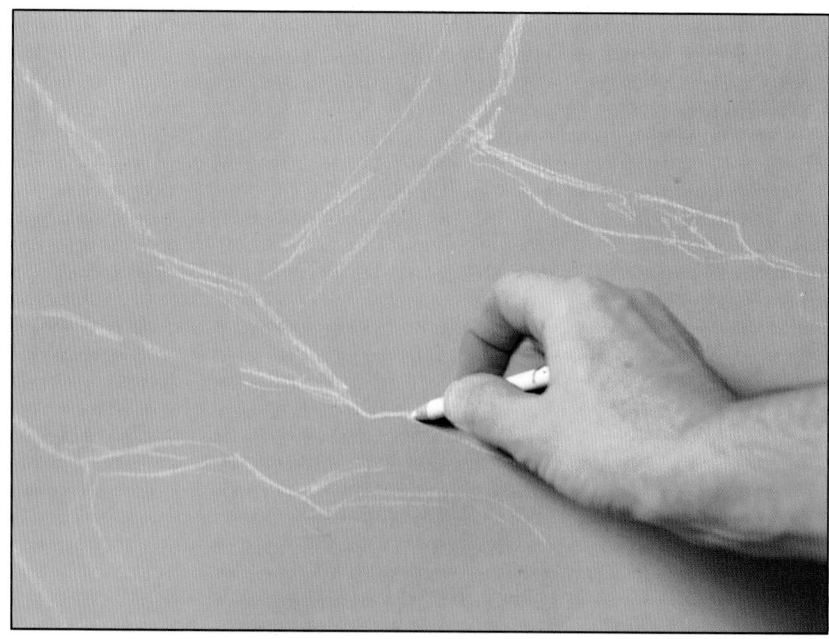

1 *Patrick Cullen commence par un tracé au crayon pastel, en se reportant au dessin au fusain, de mêmes dimensions que le tableau. Le trait doit être précis car il est très difficile d'effacer le pastel sur papier de verre.*

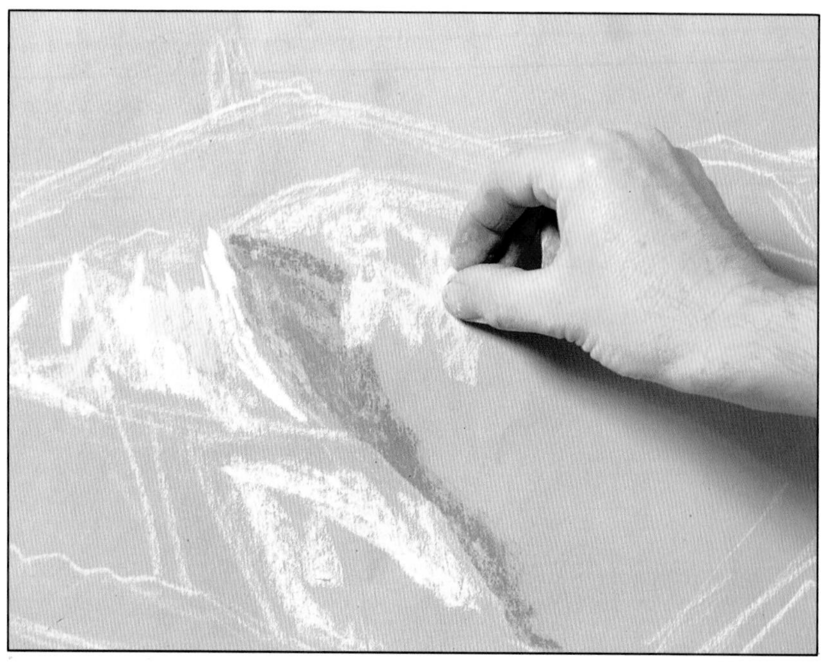

2 *Contrairement au papier pastel ordinaire, le papier de verre ne permet pas d'étendre aisément les couleurs ; chaque partie du tableau est composée séparément, en commençant par les montagnes au centre.*

3 *Pour traduire le feuillage des arbres, l'artiste travaille directement la couleur avec le pouce, en vrillant doucement, technique souvent employée dans ses tableaux.*

4 Les empreintes réalisées au pastel sont aussi importantes que les coups de brosse en peinture à l'huile. Ces différents types de traits – courts, rapides ou fins – animent le tableau, suggèrent les volumes et les textures.

5 Dans cet exemple, Patrick Cullen travaille du centre vers les bords de la toile. Cette approche, parcellaire, assez inhabituelle, n'est pas recommandée aux débutants car elle implique d'avoir une vision claire de l'objectif à atteindre avant l'achèvement du tableau.

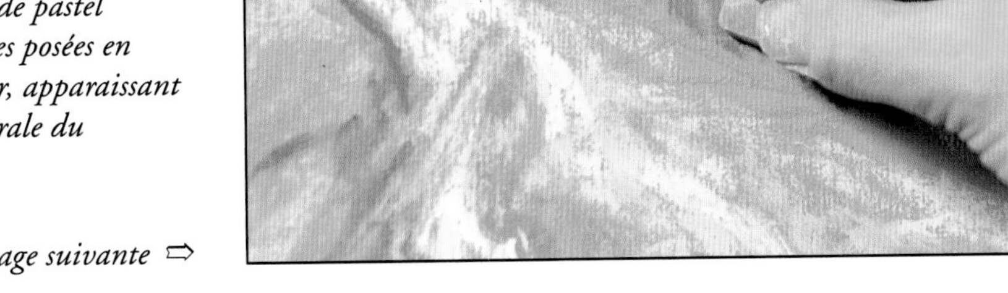

6 Des traits courts et rapides donnés avec l'extrémité brisée d'un bâtonnet de pastel contrastent avec les longues empreintes posées en d'autres parties. La couleur du papier, apparaissant entre les traits, agit sur la teinte générale du tableau.

Suite page suivante ⇨

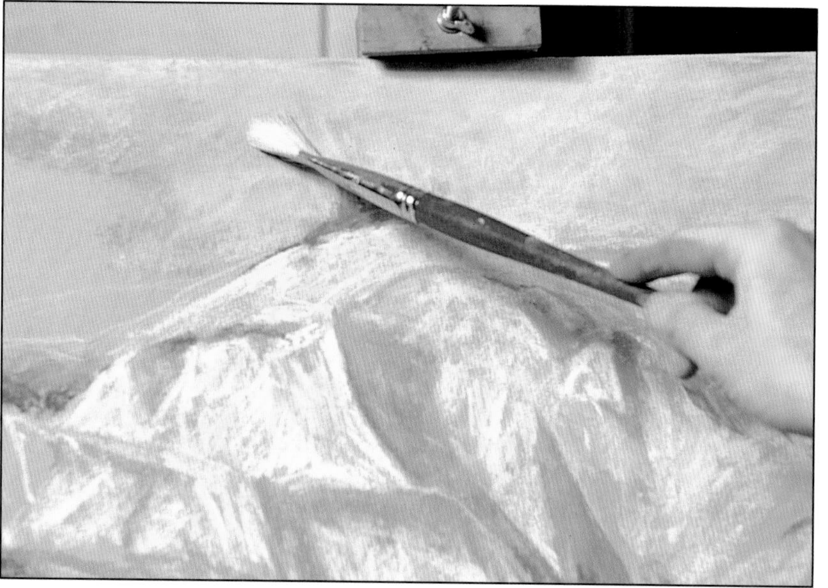

7 *L'exécution du ciel, retardée jusqu'aux dernières étapes, a permis de le composer en harmonie avec l'ensemble du tableau, en choisissant des jaunes et des bleu-gris pâles évoquant la couleur des montagnes : ils sont légèrement fondus à l'aide d'un pinceau de soie.*

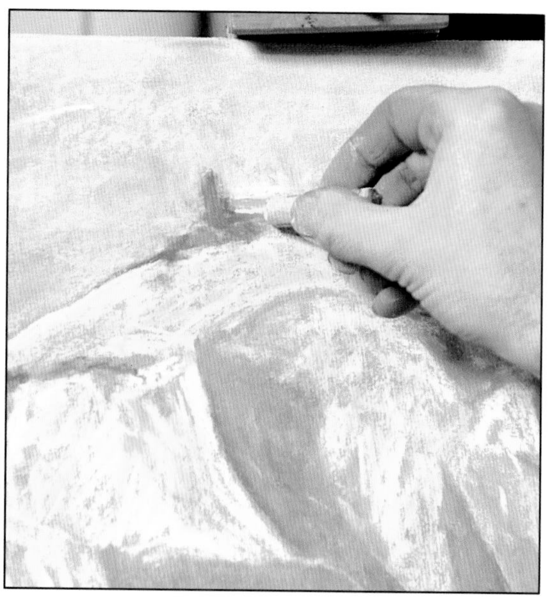

8 *Une nouvelle couche de couleurs pâles est passée sur le ciel avant d'indiquer, en quelques traits, la maison. Même petite, celle-ci joue le rôle essentiel du point de convergence, comme on le constate sur le tableau achevé.*

9 *La partie sur la droite du tableau, au-dessus des branches blanches, est composée en touches assez brèves de vert et de jaune, dont les directions variées transposent le mouvement des herbes.*

10 *Presque achevé, le tableau nécessite encore quelques petites touches qui définiront mieux le premier plan et le mettront en perspective. Le vert vif sert à la fois à suggérer les feuilles et à souligner certaines branches.*

11 (À droite) *Le volume et le relief des branches sont indiqués par le contraste des couleurs et l'opposition ombre/lumière, réalisée en utilisant l'arête d'un petit morceau de pastel.*

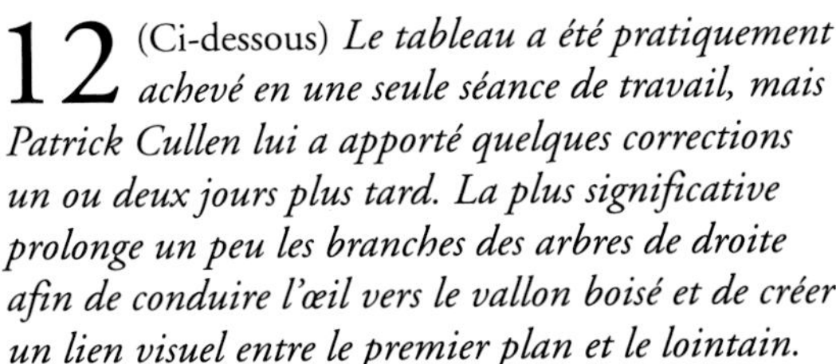

12 (Ci-dessous) *Le tableau a été pratiquement achevé en une seule séance de travail, mais Patrick Cullen lui a apporté quelques corrections un ou deux jours plus tard. La plus significative prolonge un peu les branches des arbres de droite afin de conduire l'œil vers le vallon boisé et de créer un lien visuel entre le premier plan et le lointain.*

Étude

Les fleurs

Un coffret de pastels présente une gamme de tons enchanteurs et harmonieux, aux nuances délicates et à l'éclat velouté évoquant un bouquet de fleurs printanières. Toutefois, assembler des couleurs ne suffit pas pour réussir un thème floral.

Dessiner

Ils sont rares les pastellistes qui n'ont pas expérimenté un jour la peinture de fleurs. Sous son apparente simplicité, cet exercice soulève bien des difficultés – un vase, des tiges, des fleurs colorées. Les bouquets présentent des arrangements assez complexes, dans lesquels chaque fleur joue un rôle particulier – équilibre des volumes, couleur, verticalité – par rapport à l'ensemble, qui a lui-même une unité (volume propre, effet de la masse colorée dans l'espace du tableau, etc.). Le dessin et la composition doivent être minutieusement préparés. On peut se laisser entraîner à une étude trop détaillée de chaque fleur au détriment de l'impression d'unité du bouquet composite.

Si ce dessin peut être exécuté au crayon pour une aquarelle ou une peinture à l'huile, cette formule ne peut s'appliquer au pastel, dont les couleurs sont repoussées par le graphite. Vous emploierez le fusain, ou plutôt, comme celui-ci tend à noircir les couleurs, le crayon pastel. Lorsque vous travaillez sur un papier teinté, choisissez un crayon pastel de couleur pâle ou en harmonie avec la tonalité du tableau, et mettez en place, en quelques traits abrupts et hâtifs, les éléments, les proportions et les formes du sujet.

Pour les premières touches de couleur, faites-les en traits légers, faciles à reprendre pour corriger les formes. Essayez de composer votre nature morte par grandes masses, en réservant toujours pour la fin l'exécution des détails, posés au crayon à pastel ou au pastel sec, plus maniables que le pastel gras. Un excès de minutie nuit à la fluidité des formes qui est l'un des grands charmes du pastel ; un trait fin, qui ourle le bord d'une feuille ou d'un pétale, rend les meilleurs effets de profondeur et de volume.

Motif

Motif d'ornement par excellence, les fleurs ont été souvent représentées dans tous les arts décoratifs, de la broderie et des tissus imprimés à la céramique et la porcelaine. Un bouquet de fleurs dans un vase devient un sujet grâce à la combinaison des formes et des couleurs qui le composent, et cette impression doit ressortir de votre tableau. Vous pouvez mettre en valeur les nuances et les volumes d'une composition florale complexe en la

Unité par la technique
Pip Carpenter réalise un tableau vibrant et suggestif grâce à des traits de pastel orientés dont la disposition traduit la forme et l'arrangement des tulipes, et que l'on retrouve dans la table et le mur à l'arrière-plan. Cette technique s'oppose à celle employée par Jackie Simmonds dans sa nature morte (ci-contre en haut), *où les différents éléments sont unis par les variations subtiles d'une même couleur.*

Unité par la couleur
Un gros bouquet de fleurs impressionne et séduit, mais il est difficile à peindre parce que les couleurs se nuisent les unes aux autres. Il est conseillé d'organiser son motif autour de fleurs dominées par une seule couleur, à l'exemple de Jackie Simmonds, dans les Billes bleues *; c'est la répétition du bleu profond, celui des billes dans la coupelle et celui du fond, qui assure l'homogénéité de l'ensemble.*

Travailler avec retenue
(Ci-dessus) *La principale qualité d'une fleur est sa fraîcheur, qui disparaît si la couleur est trop mélangée, car le pastel perd toute légèreté et tout velouté. Dans les* Lis orange, *Maureen Jordan a évité la superposition en appliquant un dessous à l'acrylique sur lequel les couleurs principales sont des glacis relevés de touches précises de pastel, qui décrivent les fleurs.*

Fleurs dans un paysage
Lorsque les fleurs ne sont qu'un élément du paysage, elles ne doivent pas être représentées avec la même précision et la même rigueur que si elles formaient un bouquet dans une nature morte ; seul importe le traitement de la masse colorée. Dans Campanules à Isabella, *Maureen Jordan ne suggère que très peu de détails, quelques pointes de pastel au premier plan, suffisant à transposer les fleurs ; cependant, on identifie immédiatement un tapis de campanules.*

Clair sur foncé
Peindre des fleurs blanches ou de couleur claire en les plaçant contre un fond sombre est une pratique courante pour restituer délicatesse et subtilité de nuances et de couleurs. Dans Pensées près de l'étang, *Maureen Jordan tire parti de cette idée, à l'extérieur, et utilise la lumière du soleil et les ombres pour renforcer les contrastes de couleurs.*

détachant d'un fond sombre ; avec un papier de teinte foncée visible sous la couleur, vous apprendrez à jouer de la répétition des motifs, en arrangeant vos fleurs dans un vase peint et en plaçant le tout devant un papier peint ou un tissu imprimé.

Au pastel, le métier compte beaucoup. Vous aurez une meilleure définition des fleurs, de la forme des feuilles et de la ligne des tiges en appliquant les couleurs par des traits de pastel bien orientés et bien visibles plutôt qu'en réalisant des aplats ou des fondus, reproduisant difficilement l'apparence veloutée et homogène des fleurs.

Les débutants ont toujours tendance à faire des contours trop précis et des surcharges. Pour rendre la fragilité et la délicatesse des fleurs, il ne faut pas « saturer » votre tableau.

Clair sur clair
Pour ses Jonquilles blanches, *Pip Carpenter exploite habilement toutes les qualités de la monochromie et du contraste blanc sur blanc. L'impression de volume et de profondeur est uniquement suggérée par la masse sombre du vase, prolongée par les tiges et par les ombres entre les fleurs. Au premier plan, les subtils contrastes du vase et son ombre équilibrent la composition.*

Couleurs complémentaires
Les couleurs opposées l'une à l'autre sur le cercle chromatique – rouge et vert, jaune et violet, orangé et bleu –, et dites complémentaires, ont un grand rôle en peinture car leur juxtaposition donne lieu à des contrastes intéressants. Dans Perron en Toscane, *Jackie Simmonds associe non seulement les couleurs complémentaires, rouge et vert, mais joue aussi de l'opposition jaune/violet pour les pots de fleurs et les marches.*

Fleurs dans leur milieu

L'expression « composition florale » évoque d'abord l'image d'arrangements artificiels de bouquets dans un intérieur, mais ce thème recouvre aussi la représentation de fleurs dans la nature, qu'elles soient cultivées ou sauvages, en massifs ordonnés ou en sous-bois.

Bien sûr, il n'est pas question ici de modifier l'environnement ni de décider arbitrairement de la dominante du tableau. Mais, comme dans la peinture à l'huile, vous pouvez laisser libre cours à votre imagination pour la composition et le traitement de votre sujet.

Les fleurs d'un jardin ou d'un champ peuvent être traitées en grandes masses colorées ou comme des taches égayant un paysage ; si vous êtes sensible à un type de fleur ou aux nuances de ses pétales, rien ne vous empêche de ne choisir qu'une ou deux fleurs qui deviendront l'objet principal de votre tableau. Si de tels « portraits » sont faits en plein air, méfiez-vous des changements d'éclairage et de luminosité, qui peuvent métamorphoser toute une gamme de couleurs.

Enfin, n'oubliez pas que les arbres aussi portent des fleurs, et un verger ou un arbre en fleurs au printemps sont des motifs très plaisants à peindre.

Comme les peintres et les calligraphes d'Extrême-Orient, il suffit de représenter une simple branche ou un rameau fleuri. Les arbres à grandes fleurs, comme le magnolia, conviennent particulièrement bien à ce thème.

Étude de fleurs

LEÇON

Rosalind Cuthbert travaille, selon des techniques variées, sur des sujets très divers comme les fleurs qu'elle affectionne particulièrement, mais aussi les portraits et les paysages. La clarté de son style et la délicatesse de son trait au pastel sont en harmonie parfaite avec cette séduisante et lumineuse représentation de grandes fleurs. Rosalind Cuthbert a choisi un papier aquarelle velouté de préférence à un papier demi-grain pour obtenir d'une part, des lignes fines et nettes, et, d'autre part, des surfaces plus unies.

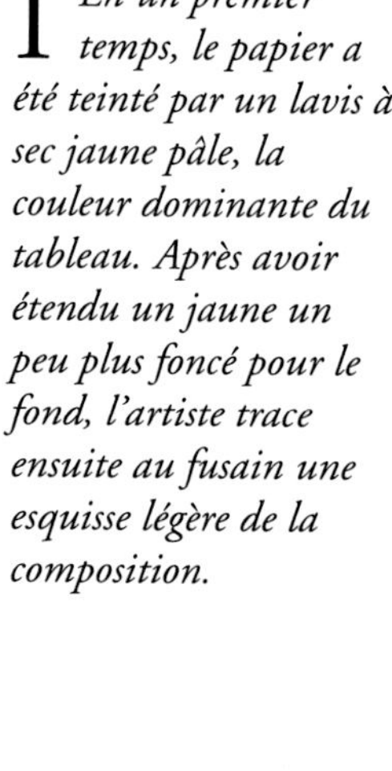

1 *En un premier temps, le papier a été teinté par un lavis à sec jaune pâle, la couleur dominante du tableau. Après avoir étendu un jaune un peu plus foncé pour le fond, l'artiste trace ensuite au fusain une esquisse légère de la composition.*

2 *Les feuilles sont ébauchées en quelques traits bleus, puis le contour des deux lis est dessiné en blanc à la pointe du bâtonnet de pastel. Les couleurs sont construites par une succession de superpositions à peine marquées ; les feuilles bleues seront modifiées ultérieurement.*

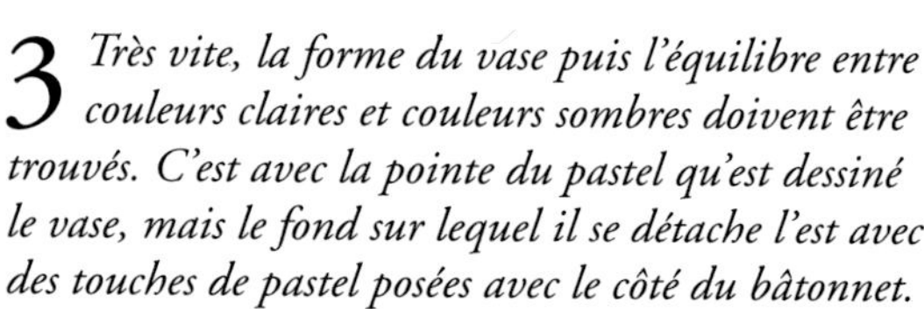

3 *Très vite, la forme du vase puis l'équilibre entre couleurs claires et couleurs sombres doivent être trouvés. C'est avec la pointe du pastel qu'est dessiné le vase, mais le fond sur lequel il se détache l'est avec des touches de pastel posées avec le côté du bâtonnet.*

4 *La présence de ces feuilles sombres est essentielle à l'équilibre chromatique de l'ensemble, par le contraste créé, mais aussi par la part qu'elles occupent dans la composition.*

5 *À mi-étape, toutes les couleurs du tableau, désormais définies, restent toutefois peu saturées pour être, à dessein, intensifiées ou éclaircies, en fonction de l'harmonie générale du tableau.*

6 *Au premier plan, le papier d'emballage, resté imprécis jusqu'à cette étape, est repris pour être détaillé, puisqu'il ne concurrence plus le groupe vase et fleurs, solidement mis en place.*

7 *Les dentelures des œillets, suggérées en quelques lignes, sont dessinées dans un rose plus foncé que celui des pétales.*

Suite page suivante ⇨

8 *Le bleu d'origine employé pour les feuilles a été recouvert par d'autres couleurs et légèrement mélangé pour imiter leur douce texture. Le gris pâle utilisé en épaisseur pour les rehauts apparaît sur le vase.*

9 *Le jaune, la couleur dominante, est passé sur tout le tableau et apparaît dans un ton plus pâle au fond et au premier plan. Le fond gris pâle fait surgir ces petites fleurs, mais elles sont traitées légèrement car ce sont celles du centre qui conduisent le regard.*

10 *Légèrement fondues, les couleurs du vase, qui ont perdu de leur intensité, sont rehaussées en quelques traits ; ainsi est assurée la continuité entre le vase et les feuilles.*

11 *Les fleurs, rendues par superposition de couleurs, sont mises en relief et soulignées de pastel. Les bords des pétales de lis sont repris au pastel tendre jaune pâle.*

12 *En revanche, c'est avec un bâtonnet de pastel sec que sont indiqués les pétales des lis blanc et rose ; la teinte de leur partie inférieure, un mauve subtil et délicat, est obtenue en fondant un peu de gris dans le rose du dessous.*

13 (À droite) *La composition d'un semblable bouquet de fleurs à longues tiges dans un vase élancé peut souffrir d'un certain déséquilibre, à moins qu'on ne place un objet au premier plan qui retient un peu le regard et l'empêche de se perdre dans le haut du tableau ; on a procédé ainsi en représentant le papier d'emballage sur la table. Même rendu hâtivement, le fond encadre habilement les fleurs en rappelant leurs couleurs, mais avec un rythme opposé.*

Étude

Visages et personnages

Technique graphique picturale, le pastel se prête bien à l'exécution de portraits, ainsi qu'à de grandes représentations de figures et à des esquisses.

La vaste palette de teintes et la souplesse du pastel permettent de dessiner rapidement et avec vigueur une silhouette par grandes masses de couleur ou de représenter le corps humain avec sûreté.

Portraits

Parmi les pastellistes les plus célèbres du XVIIIe siècle, on peut citer Jean-Baptiste Chardin, Jean-Étienne Liotard, Maurice Quentin de La Tour, ou Rosalba Carriera, en Italie ; tous ont été fascinés par les effets veloutés et délicats dont ils ont su tirer parti dans leurs portraits avec un talent superbe. Beaucoup d'artistes contemporains apprécient le pastel pour le caractère expressif du trait dessiné et les mélanges subtils de couleurs.

Le portrait au pastel requiert non seulement du métier mais encore de la confiance en soi. Car, contrairement à la peinture à l'huile, le pastel ne permet pas d'avoir des repentirs trop importants, surtout s'il s'agit de corriger une silhouette ou de reprendre des proportions. En revanche, vous pouvez exécuter un dessin préparatoire au fusain, que vous gommerez et recommencerez autant de fois que vous le souhaiterez, et sur lequel, une fois achevé, vous appliquerez la couleur après avoir vaporisé un fixatif.

Utiliser la couleur du papier
La couleur du papier qui servira de support au portrait joue un rôle très important, surtout si vous envisagez de prendre cette teinte pour faire ressortir l'effigie. Dans ce magnifique Portrait de petite fille, *presque monochrome, Ken Paine retient la couleur du papier comme base pour mettre en place les valeurs d'ombre et de lumière modelant le visage.*

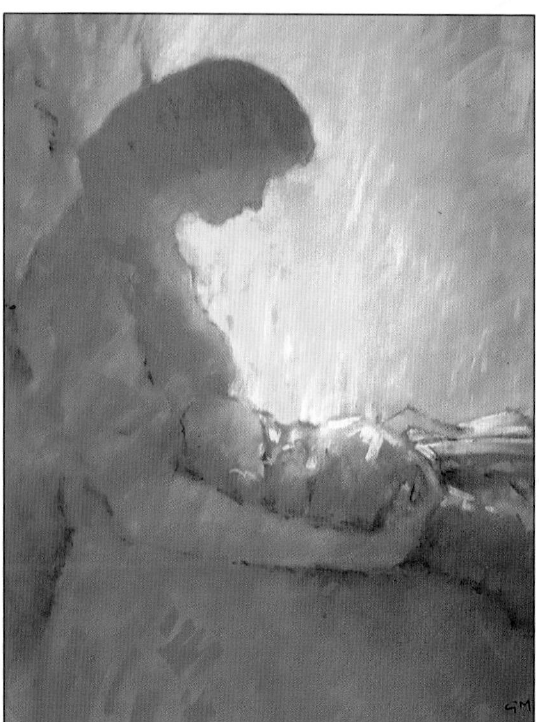

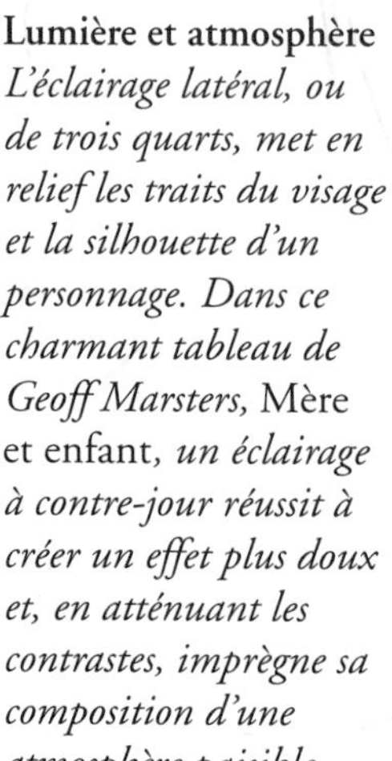

Lumière et atmosphère
L'éclairage latéral, ou de trois quarts, met en relief les traits du visage et la silhouette d'un personnage. Dans ce charmant tableau de Geoff Marsters, Mère et enfant, *un éclairage à contre-jour réussit à créer un effet plus doux et, en atténuant les contrastes, imprègne sa composition d'une atmosphère paisible.*

Il est préférable de commencer à travailler sur un papier pastel qui autorise les corrections par superposition de couleur. Vous pourrez choisir, par exemple, un papier Sansfix ou un papier de verre.

Pratique du portrait

Pour des débutants, il est difficile de trouver un modèle qui accepte de poser. Dans ce cas, faites votre portrait. La plupart des artistes ont peint leur propre image à un moment ou à un autre de leur carrière, notamment Chardin dans des autoportraits saisissants de vérité.

Lumière dramatique
Maureen Jordan a intitulé son tableau Sous le projecteur *et, comme l'indique le titre, le sujet principal est bien la lumière plus que le modèle lui-même, vaguement suggéré. Le pastel est appliqué en épaisseur sur un papier aquarelle assez rugueux, qui autorise la superposition de couches pâteuses de pigment.*

Peindre les tons chair
(Ci-dessous) *Dans ce* Nu assis, *Maxwell Wood a soigneusement choisi la teinte de son papier, le ton moyen de la chair du modèle, pour jouer sur la légèreté et la délicatesse du pastel. Par endroits, les couleurs sont mélangées et fondues, mais sans les superpositions qui affaibliraient l'image. L'opposition entre les frottements légers et les traits plus nets, passés en diagonale avec la pointe du pastel, souligne le volume du corps et donne toute son intensité à la lumière.*

Autre riche apprentissage, la leçon des maîtres. Jusqu'à la fin du XIXe siècle, beaucoup d'artistes considéraient que cela était primordial pour leur formation. Poussin, Velázquez, Delacroix, Ingres ont été copiés par Cézanne, mais aussi par Picasso. Il est plus profitable d'adapter et de transposer l'œuvre originale dans une autre technique, en choisissant pour modèle un tableau exécuté selon un autre procédé, par exemple l'huile.

Ne cherchez pas cependant à réaliser au pastel une copie absolument fidèle d'un portrait d'un autre peintre, vous nuiriez à l'expression de votre propre style ; de plus, il est peu probable que vous retrouviez la même palette que celle de l'original, même en procédant à de savants mélanges de couleurs.

Attachez-vous moins à la reproduction scrupuleuse des formes et des couleurs, qu'à la découverte des raisons qui ont guidé l'artiste à composer son tableau de cette manière. En dessinant des esquisses de portraits différents vous comprendrez mieux les techniques de composition.

Personnages dans un cadre

Un portrait peut représenter un personnage en pied, debout, assis, ou de trois quarts, ou encore ne montrer qu'une tête ou un buste. Dans un portrait de groupe, la ressemblance n'est sans doute pas aussi importante que dans

L'ESQUISSE

La copie d'œuvres de maîtres permet d'améliorer la technique picturale et le sens de la composition, mais l'exercice le plus enrichissant reste le dessin, que vous devrez pratiquer encore et encore. Ces esquisses et ces croquis en situation vous serviront toujours pour les portraits ou les études de figures à venir. Les esquisses, mais aussi les photographies, servent de base à la plupart des portraits. Sur les épreuves on peut s'attarder à des détails qui, sans elles, seraient passés inaperçus.

Intérieurs avec personnages
Dans un portrait, le modèle sera, bien sûr, le sujet principal du tableau, les autres éléments n'ayant qu'une valeur secondaire. Au contraire, dans Moment paisible, *Sally Strand inverse la proposition et fait de la lumière et de la couleur le véritable thème du tableau ; les personnages sont traités comme des objets inanimés, tout comme le compotier de fruits sur le comptoir et la chaise dans le coin.*

un portrait individuel. Comme un arbre se distingue de son voisin dans un paysage, il faut faire ressortir le caractère particulier du modèle par ses traits, sa silhouette, une attitude ou un type de vêtement. Vous pouvez placer votre modèle dans un paysage et tirer parti de la richesse des couleurs, ou encore jouer des contrastes en peignant un personnage vêtu de sombre devant le mur chaulé et lumineux d'un village méditerranéen.

À part le simple portrait posé, vous aurez bien d'autres occasions de dessiner ou de peindre des figures, qui ne seront pas le sujet principal d'un tableau mais un élément de son décor. Une bonne maîtrise de l'esquisse rapide est indispensable pour saisir l'attitude des personnages dans l'instantané d'une scène quotidienne : rue, plage, paysage, etc. La photo peut alors être une aide précieuse pour figer une situation.

Composition
Même pour peindre un portrait en buste, vous devez bien examiner la place qu'il occupe dans le tableau ; pour une étude de personnage en pied, la qualité de la composition est essentielle. Dans Amanda, *de Maureen Jordan, les lignes du corps composent un triangle, dont la pointe est marquée par la tête du modèle et la base, par sa cuisse gauche ; cette figure géométrique se trouve reprise, plus vaguement, dans le croisement des jambes. Les chevilles et les pieds ne sont que suggérés, afin que toute l'attention se porte sur le visage et l'attitude du modèle.*

Portrait de groupe
(Ci-dessous) *Dans la peinture de paysages, la présence d'un personnage ou d'un groupe de personnages à mi-distance introduit souvent des touches de couleur supplémentaires. Lorsque les figures sont le sujet de la composition, il est plus intéressant de raconter une histoire, comme dans ce charmant* Pêche au crabe, *de Sally Strand. Le seau bleu, centre objectif du tableau, renvoie aux deux enfants, qui sont le véritable thème de la scène.*

Leçon

En portraitiste professionnel, Ken Paine travaille parfois à l'huile et à l'acrylique mais préfère le pastel, qu'il apprécie notamment pour son caractère spontané. Ses portraits dénotent un grand talent et, d'une ressemblance parfaite, traduisent bien la personnalité de leurs modèles, élément essentiel pour l'artiste. Il élabore ses figures par superposition de couches épaisses de couleur, avec un sens pictural, voire plastique par leur relief. Pour cette leçon, Ken Paine a utilisé le « bon » côté, c'est-à-dire la face grenue d'un papier gris Mi-teintes.

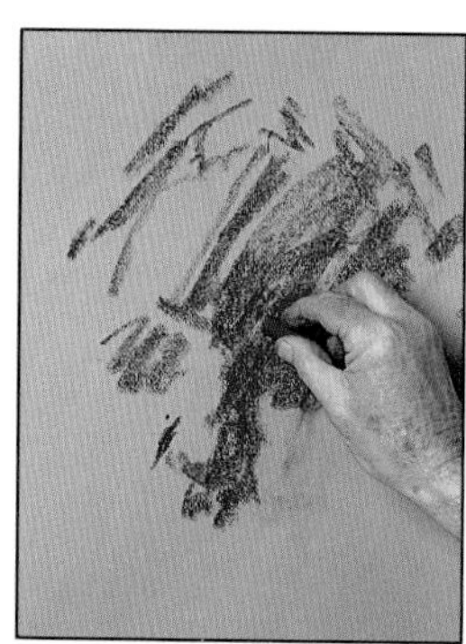

1 *Ken Paine définit d'abord les volumes du visage en négatif et dessine les ombres à grands traits larges, dans une tonalité monochrome qui servira de base à la couleur chair.*

2 *Le dessous monochrome, achevé, fournit la valeur de référence autour de laquelle s'harmoniseront les couleurs. Ce mode de travail ne convient qu'à un tableau dont la palette reste limitée à des couleurs assez sombres.*

3 *D'un arrière-plan clair ressortira mieux un visage un peu foncé, et il sera plus facile de juger de la valeur du constraste à créer et de l'intensité à donner à chaque couleur. Cette recherche permanente de l'équilibre chromatique est l'une des clés d'un portrait réussi.*

4 *Les traits du visage sont repris au pastel noir et brun foncé, superposé en couches épaisses sur une base brun-rouge. Avec des petits bouts de bâtonnets de pastel tendre, Ken Paine trace des traits épais ou mélange les teintes fondues.*

5 *Après avoir défini les tons les plus foncés, l'artiste peut travailler sur la partie éclairée du visage. Le pastel est alors appliqué en épaisseur, comme dans les tableaux à l'huile, où la pâte est plus dense dans les rehauts.*

6 *La main du modèle, visible à l'origine, se trouve effacée par une application de couches épaisses de pastel vert foncé et brun-rouge. Ce changement radical métamorphose le caractère du personnage, comme on peut le constater en comparant le tableau dans son dernier état avec l'ébauche de l'étape 2.*

7 *Au cours de cette étape de finition, Ken Paine se préoccupe des détails qui donneront vie à son personnage : quelques traits fins de pastel blanc suggèrent le vêtement, des touches de couleur chair rehaussent l'arrière-plan. La disparition de la main a transformé l'expression du personnage, devenu grave et absorbé dans un monde intérieur alors qu'il n'était que songeur.*

Glossaire

Acrylique (peinture) : peinture-émulsion obtenue par la dispersion de pigments dans une résine synthétique.

Aplat : surface de couleur uniforme ne présentant aucune variation de teinte.

Aquarelle : technique de peinture à l'eau qui utilise des couleurs très diluées, en faisant jouer la transparence du papier ou en en réservant (*voir* **Réserve**) certaines zones.

Brosse : pinceau plat et large employé pour la peinture à l'huile et dont les poils présentent une longueur égale.

Brosse sèche (procédé à la) : technique par laquelle on « brosse » une surface déja sèche avec un pinceau très peu chargé en couleur.

Carnet (ou cahier) de croquis : carnet utilisé pour dessiner rapidement des élements de composition ou noter des impressions recueillies devant un motif, un paysage par exemple. Les carnets de croquis de Delacroix ou de Picasso sont très célèbres.

Châssis : cadre de bois (ou de métal) sur lequel est tendue, selon différents procédés, la toile d'un tableau.

Couche picturale : expression désignant l'ensemble des couches qui se superposent depuis la préparation jusqu'au vernis protecteur. Elle est, selon le travail, d'épaisseur variable et peut comporter une couche d'ébauche, une couche de modelé monochrome puis des couches colorées. Dans l'exécution alla prima, le peintre pose la couleur en une seule fois, dans le frais.

Couleurs complémentaires : couleurs contrastées, diamétralement opposées sur le cercle chromatique. Une couleur complémentaire s'obtient par le mélange de deux primaires.

Couleurs primaires : au nombre de trois, le rouge (magenta), le bleu (cyan),et le jaune, ces couleurs ne sont obtenues par aucun mélange, mais permettent d'élaborer toutes les autres couleurs.

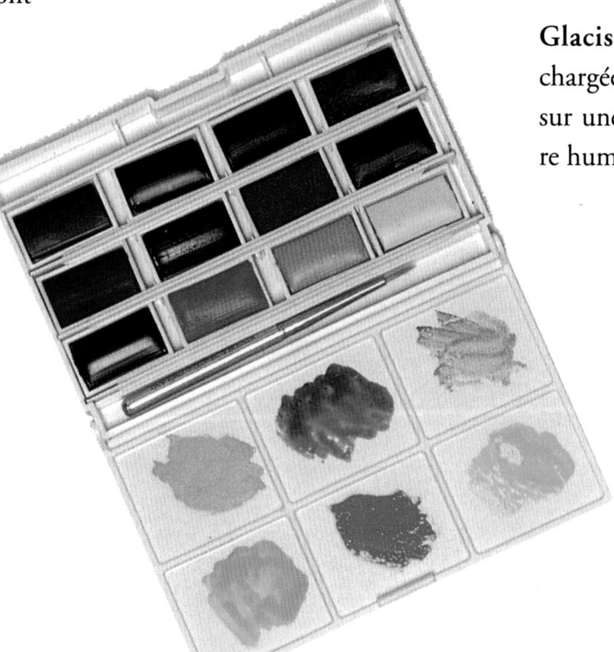

Dégradé : diminution progressive de l'intensité d'une couleur, exprimée par des valeurs (*voir* **Valeur**) de plus en plus faibles.

Ébauche : premier tracé d'une peinture mettant en place les principales parties d'une composition et indiquant la répartition des ombres et des lumières.

Empâtement : pâte travaillée en épaisseur et créant des effets de relief exploités par les artistes.

Facture : manière dont un tableau est exécuté, caractérisée notamment par l'épaisseur de la pâte, l'orientation ou la forme des touches, la disposition des empâtements.

Fixatif : préparation liquide, la plupart du temps pulvérisée par vaporisateur, destinée à protéger dessins et pastels.

Frottis : couche de peinture fine, mais dense, disposée avec une brosse dure, à travers laquelle le support reste visible.

Glacis : application de peinture peu chargée en pigment, ou de vernis, posée sur une couche opaque, sèche ou encore humide, pour la rendre translucide.

Grain : ensemble de petites aspérités qui rendent la surface d'un support pictural (papier, toile, panneau) légèrement rugueuse et contribuent à l'effet de l'œuvre achevée ; le grain du papier (satiné, fin, torchon) joue un rôle très important dans les techniques du fusain, du pastel, de l'aquarelle.

Humide sur humide : mode de travail consistant à appliquer une peinture humide sur une couche précédente non encore sèche.

Jus : couleur très diluée utilisée pour l'exécution des dessous.

Lavis : technique de dessin ou de peinture souvent utilisée pour rehausser une œuvre graphique, consistant à passer au pinceau des encres ou des couleurs très diluées dans l'eau.

Liant ou médium : constituant non volatil, d'origine aqueuse, oléagineuse ou résineuse, grâce auquel les pigments colorés s'agglutinent (d'où, parfois, le terme « agglutinant ») et prennent consistance.

Masque : application de gomme liquide qui protège certaines parties du support lors de l'exécution de lavis ; il faut la laisser sécher avant de poser la couche suivante, puis l'ôter en la gommant, en fin de travail.

Médium *voir* **Liant**

Médium retardateur : dans le cas de peintures acryliques, ce médium retarde le séchage de la matière.

Modelé : procédé permettant d'imiter les volumes et les reliefs des formes, grâce à des dégradés, à un jeu d'ombre ou encore des touches formant des hachures.

Pigment : substance à l'état sec, souvent en poudre, insoluble dans l'eau, utilisée pour son pouvoir colorant.

Point de fuite : point du tableau ou du dessin vers lequel tendent toutes les lignes perpendiculaires de la composition.

Rehaut : touche claire qui accentue la partie lumineuse de la zone sur laquelle elle s'applique.

Rendu : qualité d'une exécution à restituer l'impression donnée dans la réalité (« le rendu d'un ciel »).

Réserve : plage (dite parfois « épargne ») du support, papier ou toile, laissée sans couleur, qui correspond à une partie claire dans la composition. Des artistes tels que Cézanne ou Van Gogh en ont tiré un grand parti. Par extension, la réserve désigne une technique de protection de la couche picturale (*voir* Masque) ou une encore une manière de composer une aquarelle en (« réserve à la cire »).

Saturation *voir* **Ton**

Teinte : le terme désigne soit le mélange de plusieurs couleurs, soit la couleur sans tenir compte des variations lumineuses (gamme des rouges : vermillon, carmin, etc.).

Ton : degré de force (saturation) d'une teinte, selon une échelle allant du plus clair au plus foncé.

Tonalité : dominante colorée d'une composition.

Touche : manière personnelle à chaque artiste de poser et de travailler la pâte sur le support, avec un pinceau, une brosse ou un couteau. Elle se caractérise par la charge de matière, la grosseur du pinceau, son empâtement ou sa transparence.

Valeur : degré d'intensité d'un ton par rapport à l'ombre ou à la lumière. Les mêmes valeurs claires ou obscures définissent tous les tons.

INDEX

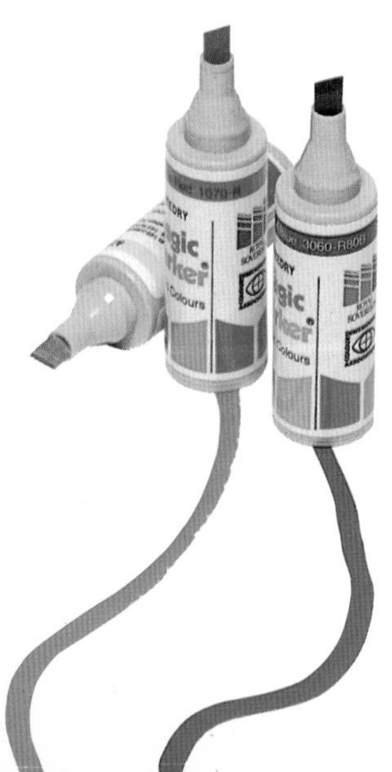

Photographies

Première page de couverture : *Nu* de James Horton ; *Paysage* de Hazel Harrison ; *Nature morte* de Rosalind Cuthbert ; *Fleurs de Clandon Garden* de Gerry Baptist.
Quatrième page de couverture : *Nature morte* de Patrick Cullen ; *Restauration* de Timothy Easton ; *Dessin à la plume* de Hazel Harrison ; *les Billes bleues* de Jackie Simmonds
Page 1 : *le Temps des lilas* de Maureen Jordan
Page 2 : *la Tombe de Safdarjung* de Olivia Fraser
Page 3 : *Un pas en avant* de Madge Bright

Les photographies de ce livre ont été réalisées spécialement pour Anness Publishing Limited et sont sa propriété, excepté les photos de matériel et de fournitures fournies par Cornelissen & Son Ltd, Daler-Rowney Ltd, Russell & Chapple Ltd, Windsor & Newton.

GUIDE PRATIQUE DU DESSIN ET DE LA PEINTURE
publié par Sélection de Reader's Digest
Impression et reliure : Mandarin Offset, Hong Kong

PREMIÈRE ÉDITION

Achevé d'imprimer : août 1995
Dépôt légal en France : septembre 1995
Dépôt légal en Belgique : D.1995.0621.102

Imprimé à Hong Kong
Printed in Hong Kong

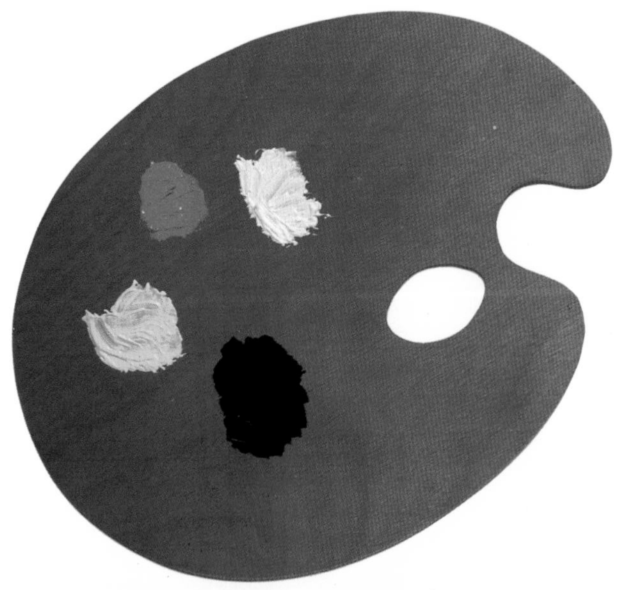